鵼之碑 上

ぬえのいしぶみ

京極夏彦
Kyogoku Natsuhiko

王華懋 譯

上冊　目次

下冊　目次

總導讀㈠　曲辰

妖怪兮歸來，推理可以附體些：京極夏彥與「百鬼夜行」系列

當我們回顧某個成功人士的一生時，常會將故事起始於某個挑選出來的時刻，並刻意放大、強化那個時刻的象徵意義；有時為了創造一個好的開頭，甚至不惜虛構創造。

然而，在京極夏彥身上，倒是不用捏造。

京極夏彥原本在廣告公司擔任平面設計與美術總監，後來因為身體的關係而決定辭職出來與朋友一起開設小型的設計公司。後來卻因為大環境的關係，根本接不到案子。為了在公司看起來像是有事做，京極夏彥在工作閒暇時寫起了小說。完成作品後，基於「都花了上班的時間跟用公司的器材印出來了不要浪費」的心情，他在一九九四年的五月黃金週連假，打電話去本應沒有人的講談社Novels編輯部，居然剛好有個編輯接起來。對方發現是個從未出版過小說也沒得過任何文學獎項的讀者，想要詢問該怎麼投稿。一般而言，像講談社這種設有推理小說新人獎的出版社，不太會接受外來者直接投稿，不過這位編輯仍請京極夏彥寄來，並告知閱讀原稿以及評估是否出版需要幾個月的時間，請他耐心等候。

豈料，第三天京極就接到編輯的電話，表示即將出版他的小說，希望能見面詳談。後來的事我們都知道了，同年九月，《姑獲鳥之夏》如同希克蘇魯伯隕石浩蕩登場，不但在推理史或娛樂小說史上留下永久的印記，同時也改變了之後的小說生態。

這幾乎是最完美的作家勵志寓言了，一個原本掙扎於生活的青年，居然靠著創作而找到屬於自己的光。

不過，或許我們先來介紹一下京極夏彥，與他筆下最重要的「百鬼夜行」系列。

京極夏彥與「百鬼夜行」

京極夏彥出身自北海道小樽，要知道一直以來，北海道都被日本統治者視為化外之地。只打算從中獲取自然利益，而沒有想過要好好經營，直到十九世紀末才被視為日本的一部分而積極開發。這也造成了北海道的「和風」極為淡薄，特別是小樽，洋溢著西式風情。但就在這樣的距離感，京極夏彥對「何謂日本」格外著迷。特別是在民俗或宗教的部分，甚至還考慮過成為僧侶，可以終日過著讀書與思考的日子。不過後來發現經營寺廟需要的絕非閱讀或知識，於是打消了念頭，決定做一個人也沒問題的美術設計工作。

根據京極夏彥自述，他從小就喜歡讀書，熱愛由文字建構出的世界，總會超出同齡人的閱讀傾向。在小學時便靠著字典來猜測漢字的意思並讀完了「柳田國男全集」。並因為這位日本民俗學之父的啟發，對民俗學、宗教這類隱藏在現代文明的縫隙的存在感到興趣，「無論說有多喜歡都不為過」，繼而投入水木茂以「鬼太郎」為中心的漫畫世界中，開始展開對妖怪的思考。這也就是為什麼，《姑獲鳥之夏》的人物設定與故事題材原本是打算畫成漫畫的，但最後卻發現還是寫成小說比較好，「因為文字比較能保留那種幻想的可能」。

而由《姑獲鳥之夏》開啟的「百鬼夜行」系列，至今將近三十年，出版了九本「本傳」與八本「外傳」，外傳暫且不計（註），本傳作品如下：

一、《姑獲鳥之夏》，一九九四年九月（六百三十頁）。

二、《魍魎之匣》，一九九五年一月。（一千零六十頁）

三、《狂骨之夢》，一九九五年五月。（九百八十二頁）

四、《鐵鼠之檻》，一九九六年一月。（一千三百五十九頁）

註：外傳作品有：《百鬼夜行——陰》（1999.07）、《百器徒然袋——雨》（1999.11）、《今昔續百鬼——雲》（2001.01）、《百器徒然袋——風》（2004.07）、《百鬼夜行——陽》（2012.03）、《今昔百鬼拾遺——鬼》（2019.04）、《今昔百鬼拾遺——河童》（2019.05）、《今昔百鬼拾遺——天狗》（2019.06），除了「今昔百鬼拾遺」那三本外，均為短篇集，這三本後來也出版了合集《今昔百鬼拾遺 月》（2020.08）。

五、《絡新婦之理》，一九九六年十一月。（一千三百八十九頁）
六、《塗佛之宴 備宴》，一九九八年三月。（九百八十一頁）
七、《塗佛之宴 撤宴》，一九九八年三月。（一千零七十頁）
八、《陰摩羅鬼之瑕》，二〇〇三年八月。（一千兩百二十一頁）
九、《邪魅之雫》，二〇〇六年九月。（一千三百三十頁）
十、《鵼之碑》，二〇二三年九月。（一千三百四十四頁）〔註〕

這系列的故事雖然常被命名為「推理小說」，也基本上是依循著「命案發生—偵探介入—真相大白」這樣的敘事邏輯，但細究其內容，卻顯得頗有些不同。

本系列可以稱為偵探的有兩個角色，一個是職業上的偵探——榎木津禮二郎。身為華族之後，卻自己出來開了間私家偵探社，不過也不做任何普通私家偵探會做的跟蹤、調查之類的事。畢竟「調查是下賤的人所行之事，身為神的自己是沒必要做的」，具備觀看他人回憶的超能力，這讓他常會如同天啟般地說出真相，但由於語焉不詳，在小說中往往扮演著混淆讀者的功用；而真正擔綱讀者眼中的偵探則是中禪寺秋彥，開了間舊書店「京極堂」並以此為名。不過除了舊書店老闆外，還繼承了武藏晴明神社擔任宮司／陰陽師，副業則是專門「驅逐附身妖怪」（憑物落とし）的祈禱師（拝み屋）。

特別之處就在於這個「偵探〃陰陽師」的人物結構中，對口頭禪是「這世上沒有什麼不可思議的事」的京極堂而言，解決事件並非找到「真相」而已，而是如何將「不可思議」變成「可思議」的過程。相較於其他推理小說的核心關懷是「誰殺的」，「百鬼夜行」系列的問題則在揭曉凶手才真正開始。

正因如此，就算是讀者眼中的偵探，京極堂也從未做過如福爾摩斯那樣收集物理證據，或是像白羅那樣到處打聽推敲出言詞的漏洞之類的事情。他更重要的工作毋寧是將案件及其衍生現象賦予一個總括的「形體」——多半是利用妖怪的象徵概念，再拆解這個形體，讓書中的當事人與書外的我們知道事件背後的結構，得以用「理解」去對抗「附身妖怪」，而只有驅逐了附身妖怪，京極堂的任務才能稱之為完結。

之所以會如此設計，或許我們還得回到九〇年代日本推理小說的發展來看。

「百鬼夜行」與新本格

眾所周知，松本清張一九五七年的《點與線》引發日本的社會派風潮，此後三十年本格推理小說只能靠少數堅持不輟的作家延續命派，這段時間甚至被笠井潔稱為「本格之冬」。直到綾辻行人《殺人十角館》於一九八七年出版，從此被標記為新本格元年。

綾辻行人在小說的開頭，清楚地劃分出新本格與社會派的世代遞嬗。他假大學推理社團成員之口說出「我不要日本盛行一時的『社會派』現實主義。女職員在高級套房遇害，刑警鍥而不捨地四處偵查，終於逮捕男友兼上司的凶手歸案——全是陳腔濫調。貪污失職的政界內幕、現代社會扭曲所產生的悲劇，全都落伍了」，並同時強調推理小說就是「遊戲」而已。

儘管這極有可能是年少時的狂言戲語，但綾辻行人所提出的「遊戲」，卻很好地說明了新本格的傾向。如果我們將遊戲定義為「在規則的限制下，進行一連串的互動，需要有個結果並從中獲得愉悅感」的話，什麼會是「小說」的基本規則呢？我想應該是語言吧，用文字來表現故事以及意欲表達的東西，正是小說的無上命令。那換句話說，一種基於遊戲而出現的推理小說，或許也正是意識到語言所佔據的主宰位置，進而對其產生顛覆的意欲。

所以，一種無視現實世界運作規則，甚至無法在真實層面運作的詭計：敘述性詭計誕生了。當然這種基於敘事才能成立的推理小說詭計早就存在，但在八〇年代後現代主義盛行之際，普遍對於這個世界是否有絕對的真實感到困惑，並對我們予以信賴的語言產生質疑時，這個寫作手法卻迅速地引起了新本格作家的興趣，繼而發揚光大。

不過，對京極夏彥來說，語言原本就是無法信賴的東西。他曾經將人的意識比喻為「類比」、而語言就是「數位」，在類比的世界中，一如時鐘，指針是均勻地從1移向2，是一種連續性的展現；然而數位時鐘

註：出版日期以新書版初版為主，頁數則參考講談社文庫版本。

的盤面上，則是直接從1跳到了2，無法意識到中間的變化，並構成了「不連續性」。正因為語言的不連續性，它只能截斷並保留某時某刻的想法，當意識化為語言的同時，意識早就繼續往前邁進了，這是一個永恆的逸脫的過程。在「百鬼夜行」系列中，他試圖以推理小說的形式來展現這種語言的不可信任，案件本身往往非常單純，但是當每個當事人都透過自己的語言來企圖謀奪某種真實性的同時，這些言語的交混便會拖延解謎的關鍵。對偵探（＝京極堂）而言，解謎並不困難，麻煩的地方卻在於如何藉由自己的語言來框限眾人的認知，繼而推導至他希望的結果；對作者（＝京極夏彥）而言，寫推理小說也並不困難，但如何提醒讀者這種語言的不可信，便讓他開始引渡大量知識進入小說之中，透過偵探之口達到某種調和。繼而讓讀者發現，語言這種可以被任意操作的東西，恐怕才是最需要保持懷疑的對象。而當他所希望處理的東西越來越複雜而麻煩時，他所需要動用的知識（＝語言）也就越來越多，這便造成了他小說篇幅越趨膨大的原因。

京極夏彥當初因為公司生意不好而寫起小說，但歸根究柢卻是因為當時泡沫經濟崩潰，全日本都處於景氣寒冬，日本的企業神話破滅，過去以為不可能動搖的世界產生了裂痕，為新本格這種在質疑世界構成的文類打下了受歡迎的基礎。於是京極夏彥成功的擴大了新本格的受眾，也為自己開創了條獨一無二的寫作道路。

更別提，他還有妖怪呢。

新本格與妖怪

在推理小說的發展中，將鄉野傳說、民俗信仰與殺人命案結合的所在多有，早期的西方有約翰・狄克森・卡、日本有橫溝正史，到了九〇年代初期，也有如《金田一少年事件簿》這類的漫畫作出現代的嘗試。但是這類小說多半都有很明顯的「否定怪異、高舉理性」的特色，讀者從一開始就很清楚知道那些怪物並不存在，就像是人工調味料一樣，只是點綴。

但在京極夏彥筆下，妖怪從一開始就佔據了重要的位置，如果回頭看「百鬼夜行」系列的書名，發現都是「『妖怪』之『漢字』」這樣的組合，他曾在一次訪談中表示，「妖怪就是啟發整個故事的開端，漢字則總括了情節的發展，但我並不會去直書妖怪，而是透過後面的漢字來提醒妖怪的存在」。如果用台灣同樣在研究妖怪與創作推理小說的瀟湘神的說法，就是「京極夏彥的小說中，妖怪是不登場的，但正因為不登場，所以無法被否定，因此也就可以殘留在讀者的心中」。

「百鬼夜行」系列的故事背景多設定在第二次世界大戰後的日本，儘管故事有時會回溯到戰爭時期或甚至戰前，但如果限定事件本身，本傳這九本的時間甚至是侷限在一九五二至一九五三這兩年。京極夏彥創造了一個時間凝滯在結界內的世界，在其中盡情地放任妖怪馳騁。這恐怕是因為，那是妖怪還能存在的最後時光了。京極夏彥認為，妖怪可以分成兩種：一是角色化的妖怪，一種是存在於言說中的妖怪。前者藉由圖像來表現妖怪的形象，可以成功建立其大眾認知，但問題就在於視覺是一種絕對性的感官。當一個妖怪被圖像化／角色化了，也等同於定型了，這種定型奪走了妖怪的可能性，無論是江戶時期的鳥山石燕或是昭和時期的水木茂都在做類似的事情；而口傳型的妖怪則有各種變形的可能性，還可以因應時代與地方來做出變形。只是當二次世界大戰之後，日本必須要成為現代國家，需要用科學來摧毀那些妖怪的存在可能，而讓牠們只能存在於畫冊或圖鑑之上，那實在是太可憐了，在可能的範圍內，他想重新召喚妖怪，賦予牠們生命。

在華人世界的概念中，妖怪是一種超自然的、威脅到人日常生活的東西，只是「百鬼夜行」系列常把妖怪視為一種「解釋機器」，用來概括描述那些人們無法理解的存在，牠更用來概括那些人們的恐懼或哀傷。無論是自然定律或是人的內在心靈，妖怪得以將「現象」具象化，而一旦具象了，人就可以驅逐、迴避、甚至嘲笑牠們。儘管是被排拒出的、殘渣一樣的存在，但反而成為了文化或日本本身的具象物。

這讓他書寫的妖怪推理獨樹一幟，因為他想書寫的，並非單純的事件或人心的形狀，而是想透過「百鬼夜行」這一系列，重新書寫傳統、理解現代的根由，對這個世界做出專屬於他的解釋。

畢竟，「這世上沒有不可思議的事，只存在可能存在之物，只發生可能發生之事。」

作者介紹——

曲辰，一個試圖召喚出小說潛藏的世界樣貌的大眾文學研究者。相信文學自有其力量，但如果有人能陪著走一段可能得以看到更清晰的宇宙。

總導讀㈡　凌徹

獨力揭起妖怪推理大旗的當代名家——京極夏彥

日本推理文壇傳奇

在一九九〇年代的日本推理界，京極夏彥的出現，為推理文壇帶來了相當大的衝擊。書中大量且廣泛的知識、怪異事件的詭譎真相、小說的巨篇與執筆的快速，這些特色都讓他一出道就受到眾人的激賞，至今不墜。

此外，京極夏彥對妖怪文化的造詣之深，也讓他不同於一般的推理作家。除了小說以日本古來的妖怪為名，故事中不時出現的妖怪知識，也說明了他對於妖怪的熱愛。

身為日本現代最重要的妖怪繪師水木茂的熱烈支持者，更自稱為水木茂的弟子，京極夏彥在妖怪的領域也具有無比的影響力。京極夏彥對於妖怪文化的大力推廣，也絕對是造成日本近年來妖怪熱潮的重要因素之一。

而這一切，或許都是京極夏彥當初在撰寫出道作《姑獲鳥之夏》時，所始料未及的吧。畢竟他以小說家之姿踏入推理界，進而在妖怪與推理的領域都占有一席之地，其實可說是無心插柳的結果。他出道的過程，早已成為讀者之間津津樂道的傳奇故事了。

京極夏彥是平面設計出身，就讀設計學校，並曾在設計公司與廣告代理店就職，之後與友人合開工作室。但由於遇上泡沫經濟崩壞，工作量大減，為了打發時間，他寫下了《姑獲鳥之夏》這本小說，內容則是來自於十年前原本打算畫成漫畫的故事。而在《姑獲鳥之夏》之前，他不但沒寫過小說，甚至連「寫小說」

這樣的念頭都不曾有過。

《姑獲鳥之夏》完成後，因為篇幅超過像是江戶川亂步獎與橫溝正史獎這些新人獎的限制，所以他開始刪減篇幅，但隨後便放棄修改而沒有投稿。之後他決定直接與出版社聯絡，詢問是否願意閱讀小說原稿。會撥電話給講談社其實也是巧合，他當時只是翻閱手邊的小說（據說是竹本健治的《匣中的失樂》），查詢版權頁的電話，之後便撥給出版這本小說的講談社。儘管當時正值黃金週（日本五月初法定的長假），出版社可能沒有人在，但他仍然試著撥了電話。

沒想到在連續假期中，講談社裡正好有編輯在。編輯得知京極夏彥有小說原稿，儘管是新人，但仍請他寄到出版社來。京極夏彥原本以為千頁稿紙的小說，編輯會花上許多時間閱讀，之後還有評估的過程，得到回音應該會是半年之後的事，於是小說寄出之後便不再理會。結果回應來得出乎意料地快，在原稿寄出後的第三天，講談社編輯便回電，希望能夠出版這本小說。

推理史上的不朽名著《姑獲鳥之夏》，就這樣在一九九四年出版了。京極夏彥的作家生涯，也就此展開。

相較於過去以得獎為出道契機的推理作家，京極夏彥並沒有得獎光環的加持，只是憑藉著小說的傑出表現才有出道的機會。但他的才能不但受到讀者的支持，推理文壇也很快給予肯定的回應。一九九五年的《魍魎之匣》才只是他的第二部小說，就能夠在翌年拿下第四十九屆日本推理作家協會獎。一出道就聚集了眾人的目光，第二部作品更拿下重要的獎項，京極夏彥的實力，由此展露無疑。

而他初出道時奇快無比的寫作速度，則是除了小說內容外更令人瞠目結舌的。《姑獲鳥之夏》出版於一九九四年，接下來是一九九五年的《魍魎之匣》與《狂骨之夢》，一九九六年的《鐵鼠之檻》與《絡新婦之理》。表面上每年兩本的出版速度或許不算驚人，但如果考慮到小說的篇幅與內容的艱深，應當就能了解他的執筆速度之快了。除了《姑獲鳥之夏》不滿五百頁，之後每一本的篇幅都超過五百頁，後兩本甚至超過八百頁。如此的快筆，反映出的是他過去蓄積的雄厚知識與構築故事的才能。

兩大系列與多元發展

雖然京極夏彥在日後的執筆速度已不再像初出道時那麼快速，但他發展的方向卻更為多元。在小說的領域，京極夏彥筆下有兩大系列作品，分別為京極堂系列與巷說百物語系列，此外還有一些非系列的小說。在小說之外，則包括妖怪研究、妖怪圖的繪畫、漫畫創作、動畫的原作腳本與配音、戲劇的客串演出、作品朗讀會、各種訪談、書籍的裝幀設計等等，在許多領域都可以見到他的活躍，更讓人驚訝於他多樣的才能。

京極夏彥的成功，影響了日後許多的推理作家。講談社由此開始思考新人出道的另一種方式，不需要擠破頭與大多數無名作家競逐新人獎項，只要自認有實力，且經過編輯部的認可，作家就可以出道。一九九六年講談社梅菲斯特獎的出現，也正是將這種想法落實的結果。

倘若比較同時期的作家，從一九九四年的京極夏彥開始，出道於一九九五年的西澤保彥，與一九九六年的森博嗣，推理小說界在此時出現了不小的變動。當許多新本格作家的作品產量開始減少之際，前述的三位作家表現出截然不同的風格。他們出書速度快，短短數年內便累積了許多作品，而且又不會因為作品的量產而降低水準，反而都能維持著一定的口碑。此外，更吸引了許多過去不讀推理小說的讀者，將讀者層拓展得更為寬廣。

京極堂系列

在大致描述京極夏彥的作家生涯與特色之後，以下就來介紹他筆下最重要的兩大系列。

京極夏彥的主要作品，是以《姑獲鳥之夏》為首的京極堂系列。到二〇〇七年為止，這個系列總共出版了八部長篇與四本中短篇集，是京極夏彥創作生涯的主軸，也仍在持續執筆中。由於京極堂系列是他從出道開始就傾力發展的作品，配合上寫作前幾部作品時的快筆，因此作品數很快地累積，而其精彩的內容，也使得京極夏彥建立起妖怪推理的名聲。

京極夏彥的作品特色，首推他將妖怪與推理的結合。或許也可以這麼說，他是在寫作妖怪小說時，採用了推理小說的形式，而這正表現在京極堂系列上。京極堂系列的核心在於「驅除附身妖怪」，原文為「憑物落とし」。所謂的「憑物」，指的是附身在人身上的靈。在民俗社會中，人的異常行為與現象，常會被認為是惡靈憑附在人身上的關係。因為有惡靈的附身，才使人們變得異常，而要使其恢復正常，就必須由祈禱師來驅除惡靈。

京極堂系列的概念類似於此。每個人都有著不同的心靈與想法，有些人的心中可能因為自己的出身或見聞而存在著惡意。扭曲人心的惡意憑附在人類身上，導致他們犯下罪行或是招致怪異舉止，真相也從而隱藏在不可思議的表象中。京極夏彥讓憑附的惡靈以妖怪的形象具體化，結果正如同妖怪的出現使得事件變得不可思議。陰陽師中禪寺秋彥藉由豐富的知識與無礙的辯才，解開事件的謎團，讓真相水落石出。由於不可思議的怪事可以合理解釋，也就形同異常狀態已經回復正常。既然如此，那麼造成怪異現象的妖怪，自然也就在真相解明的同時被陰陽師所驅除。

這樣的過程，正符合推理小說中「謎與解謎」的形式。京極夏彥曾在訪談中提及，推理小說被稱為是「秩序回復」的故事，而他想寫的也是這種秩序回復的故事。在這樣的概念下，妖怪與推理，這兩項看似沒有任何關聯的類型，在京極夏彥的筆下精彩的結合，也成為他最大的特色。

而京極堂以豐富的知識驅除妖怪及解釋真相，也讓京極夏彥的小說裡總是滿載著大量的資訊。《姑獲鳥之夏》中，京極堂所言「這世上沒有不有趣的書，不管什麼書都有趣。」，事實上也正是京極夏彥本人的想法。對於書的愛好，讓他的閱讀量相當可觀，因而得以累積豐富的知識，也隨處表現在故事之中。

另一個特點，則在於人物的形塑。身兼古書店「京極堂」的店主、神社武藏晴明社的神主、以及陰陽師這三重身分的中禪寺秋彥，擔負起驅除妖怪與解釋謎團的重任。玫瑰十字偵探社的偵探榎木津禮二郎，可以看見別人的記憶。此外包括刑警木場修太郎，小說家關口巽，「稀譚月報」的記者同時也是京極堂妹妹的中禪寺敦子等等，小說中的人物有著各自獨特的個性，不但獲得讀者的支持，更成為許多人閱讀故事時的關注對象。

介紹過京極堂系列的特色之後，以下針對各部作品做簡單的敘述。

一、《姑獲鳥之夏》（一九九四年九月），女子懷孕了二十個月卻尚未生產，她的丈夫更消失在密室之中。同時，久遠寺醫院也傳出嬰兒連續失蹤的傳聞。

二、《魍魎之匣》（一九九五年一月），因被電車撞擊而身受重傷的少女，被送往醫學研究所後，在眾人環視之下從病床上消失。此外，武藏野也發生了連續分屍殺人事件。

三、《狂骨之夢》（一九九五年五月），女子的前夫在數年前死亡，如今居然活著出現在她的面前，雖然驚恐的她最終殺死了對方，卻沒想到前夫竟然再次死而復生，於是她又再度殺害復活的死者。

四、《鐵鼠之檻》（一九九六年一月），在箱根的老旅館仙石樓的庭院裡，憑空出現一具僧侶的屍體。之後，在箱根山的明慧寺中，發生了僧侶連續遭到殺害的事件。

五、《絡新婦之理》（一九九六年十一月），驚動社會的潰眼魔，已經連續殺害四個人，每個被害者的眼睛都被鑿子搗爛。而在女子學院的校園內，也發生了絞殺魔連續殺人的事件。

六、《塗佛之宴》（一九九八年三月、九月），分為兩冊「宴之序幕」與「宴之尾聲」。「宴之序幕」中收錄了六個中篇，「宴之尾聲」解明隱藏於其中的最終謎團。關口聽說伊豆山中村莊消失的怪事，前往當地取材。數日後，有名女子遭到殺害，關口竟被視為是嫌疑犯而遭到逮捕。

七、《陰摩羅鬼之瑕》（二〇〇三年八月），由良伯爵過去的四次婚禮，新娘都在初夜遭到殺害，凶手至今仍未落網。如今，伯爵即將舉行第五次的婚禮，歷史是否會重演？

八、《邪魅之雫》（二〇〇六年九月），描述在大磯與平塚發生的連續毒殺事件。

京極堂系列除了長篇之外，還包括了四部短篇集，都是在雜誌上刊載後集結成冊，有時也會在成書時加入未曾發表過的新作。這四本短篇集各有不同的主題，皆以妖怪為篇名。

一、《百鬼夜行——陰》（一九九九年七月）收錄了十篇妖怪故事，每篇故事的主角皆為系列長篇中的配角。藉由這十部怪譚，讀者可以看見在系列長篇中所未曾描述的另一個世界。

二、《百器徒然袋——雨》（一九九九年十一月）、《百器徒然袋——風》（二〇〇四年七月）各收錄三篇，主角是偵探榎木津禮二郎，故事中可以見到他驚天動地的大活躍。

三、《今昔續百鬼——雲》（二〇〇一年十一月），共收錄四篇，本作的主角是妖怪研究家多多良勝五郎，描述他與同伴在傳說蒐集旅行中所遭遇到的怪事。

巷說百物語系列

京極夏彥的另一個系列作品是《巷說百物語》，這個系列開始發表於一九九七年，一九九九年出版第一本，到二〇〇七年為止共出了四本。本系列的第三本《後巷說百物語》更讓京極夏彥拿下了第一三〇屆的直木獎，成為他作家生涯的重要里程碑。

《巷說百物語》刊載於妖怪專門雜誌《怪》上，是這本雜誌的創刊企畫，一直持續至今。在試刊號的第〇期，京極夏彥發表了《巷說百物語》的第一個故事〈洗豆妖〉，之後除了兩期之外，其餘每一期都可以看見《巷說百物語》系列的小說。京極夏彥總是提及，只要《怪》繼續出刊，《巷說百物語》就不會停止，由此可見他重視這本雜誌的程度。

刊載於雜誌上的巷說系列，每期都是一個完整的中篇故事，目前為止尚無長篇連載。而在匯整出版單行本時，京極夏彥會再新寫一篇未發表在《怪》上的作品，做為每本小說的最後一則故事。本系列至今已出版了四本，從一九九九年八月的《巷說百物語》，二〇〇一年五月的《續巷說百物語》，二〇〇三年十二月的《後巷說百物語》，到二〇〇七年四月的《前巷說百物語》，除了《巷說百物語》收錄了七篇作品之外，之後的三本都收錄六篇作品。

巷說系列的背景設定於江戶時期，從一八二〇年代後半開始。在那個時代，妖怪的存在依舊深植人心，人們深信妖怪會作祟，怪事的發生也可以歸因於妖怪而不必尋求合理的解釋。系列的靈魂人物是又市，以言語欺瞞人們的詐術師。在《巷說百物語》中，詭異的怪事不斷發生，而這一切怪事，其實都是又市在幕後設計的。他接受委託，並與伙伴們刻意製造出妖怪奇聞，藉由這些怪事的發生，使得他能夠達成真正的目的，並且能夠被隱藏在怪異之下而不為人知。

《續巷說百物語》與前作略有不同，著眼點較偏重於角色，固定班底的描寫在本作中被突顯，他們的過去也藉由不同的故事被一一呈現。《後巷說百物語》發生於江戶時代之後的明治時期，四名年輕人每逢遭遇怪異，便來請教一位隱居在藥研堀的老翁。老翁由這些怪事，回想起年輕時與又市一行人所遇到的事件，並在故事最後會同時解決現在與過去的事件。

《前巷說百物語》的設定再度轉變，描寫的是又市的年輕時期。在前三作中，又市已經是成熟的詐欺師，但他並非生來就是如此，《前巷說百物語》中的又市還年輕，他的技巧也還不純熟，因此故事又再次表現出和前三作不同的風格。

巷說系列目前共包含上述四本，但還有另外兩本小說與其相關，那就是《嗤笑伊右衛門》與《偷窺者小平次》。這兩本其實是京極夏彥改寫日本家喻戶曉的怪談，使其呈現新貌的作品。但是由於巷說系列的重要人物又市與治平也出現在其中，而且對他們兩人的生平有著較多的描述，因此雖然小說本身的重點在於固有怪談的重新詮釋，但由於人物的重疊，其實也等同於巷說系列的外傳作品。而在京極夏彥的得獎史上，這兩部作品同時都有得獎的表現，《嗤笑伊右衛門》拿下第二十五屆泉鏡花文學獎，《偷窺者小平次》則是獲得第十六屆山本周五郎獎。

開創推理小說新紀元

京極夏彥的過人才華，發揮在許多的領域上，也讓他有著非凡的成就。過去台灣曾經出版過京極夏彥的數本小說，讀者們也已經對他有著一些認識。可惜的是，過去都未曾以作品集的型態來全面地引薦與介紹，因而對讀者而言，期待度極高的京極夏彥作品，也始終都是傳說中的名作，無緣一見。

如今，京極夏彥的小說再度引進台灣，而且是他筆下最主軸的京極堂系列作品全集，讀者們可以從完整的小說集中一睹這位作家的驚人實力。足以在日本推理史上留名的京極堂系列，其精彩的故事必然會讓人留下深刻的印象。妖怪推理的代名詞，開創妖怪小說與推理小說新紀元的當代知名小說家京極夏彥，現在，就在眼前。

二〇〇七年五月九日

作者介紹——

凌徹，一九七三年生，嗜讀各類推理與評論，特別偏愛本格。

八千矛神大國主，
八島國中未結親，
聽聞遙遙高志國，
有女窈窕並賢慧，
屢屢拜訪以求之，
大刀繫繩尚未解，
蒙頭襲衣仍未脫，
立於閨閣屋門前，
推拉門板欲親澤，
青山鵼鳥時鳴唱，
原野雉雞頻作聲，
庭院公雞聲高啼，
聲聲鳥鳴惹心煩，
直欲擊殺使噤聲，
祈請信使鳥飛升，
將此故事傳於汝。

——古事記（真福寺本）／上卷
太朝臣安萬侶〔註一〕（和銅〔註二〕五年）
〔参照本居宣長〔註三〕校訂・訂正古訓古事記（享和〔註四〕三年）〕

斯人泣於天川原，
如鵶鳥啼鳴，
啜其泣矣，
灑涕漣漣。

相見縱無期，
心念君兮，如鵶鳥哀啼，
但願有僮代傳情，
寄我相思與君知。

柿本人麻呂〔註五〕

——萬葉集〔註六〕／卷十

傳．大伴家持〔註七〕編（天平寶字〔註八〕三年以降）

註一：太安萬侶，姓朝臣，名安萬侶。飛鳥時代至奈良時代的貴族。
註二：和銅為奈良時代的年號，七〇八至七一五年。
註三：本居宣長（一七三〇～一八〇一），日本江戶時代的思想家及語言學家，也是日本國學的集大成者。
註四：享和為江戶時代的年號，一八〇一至一〇四年。
註五：柿本人麻呂（約六六〇～七二四），飛鳥時代的歌人。有歌聖之譽，三十六歌仙之一。
註六：《萬葉集》為完成於奈良時代末期的和歌集，為日本最古老的歌集。
註七：大伴家持（約七一八～七八五），奈良時代的貴族及歌人。亦為三十六歌仙之一。
註八：天平寶字為奈良時代的年號，七五七至七六五年。

（前略）夜闌人靜，細觀四方，果如素日人言，自東三條森林處，有雲冉冉而出，盤旋於御殿之上，高五丈有餘。雲中有一物，其狀甚怪異。賴政〔註一〕竊思，射若不中，將無顏立於世。

因默禱「南無歸命頂禮，八幡大菩薩」，挽弓搭箭，蓄勢待發，颼一聲疾射而出。忖必中之，物應聲而落，墜南側小庭中。早太〔註二〕疾趨而至，按其連刺五刀。其時，上下持火照之，帝御覽該物，頭為猿、體為狸、尾為蛇、手腳為虎。啼聲似鵼，為所謂五海女者。（中略）傳將此怪異之物置空舟流放之。（中略）另，昔應保〔註三〕年間，二條院〔註四〕在位時，有怪鳥鵼啼於禁中，時時驚魘宸襟，遂循例召賴政除之。五月二十日，入夜時分，鵼僅啼一聲，再無聲響。夜色昏冥，不辨其形，欲射亦無所據。賴政心生一計，先取大鏑搭弓，朝內裏〔註五〕上空鵼啼處射去。鵼受鏑聲所驚，於虛空嘶鳴良久。次取小鏑搭弓，一箭射去，鵼鏑盡皆墜地。禁中歡騰，帝大悅，賜御衣。時大炊御門右大臣公能公代領御衣，轉賜賴政，贊曰：「昔有養由基〔註六〕射雲外雁，今有源賴政射雨中鵼。」（後略）

——平家物語〔註七〕（百二十句本）／卷四・鵼傳・信濃前司行長〔註八〕（延慶〔註九〕二年以前）

（前略）如素日人言，至帝魘夢時分，自東三條森林處，黑雲冉冉而出，盤旋於御殿之上。賴政舉目視之，只見雲中有一物，其狀甚怪異。竊思若一箭射空，將無顏立於世。遂取箭搭弓，默禱「南無八幡大菩薩」，引弓疾射，意中之，呼曰：「中矣！」物墜地，井早太近取之，連斫九刀。

其時，上下持火照之，帝御覽該物，頭為猿、體為狸、尾為蛇、手腳為虎。啼聲似鵼，其駭怖不可名狀。（中略）傳將此怪異之物置空舟流之。（中略）昔應保年間，二條院在位時，有怪鳥鵼啼於禁中，時時驚魘宸襟，遂循例召賴政除之。五月二十日，入夜時分，鵼僅啼一聲，再無聲響。夜色昏冥，不辨其形，欲射亦無所據。賴政心生一計，先取大鏑搭弓，朝內裏上空鵼啼處射去。鵼受鏑聲所驚，於虛空嘶鳴良久。次取

小鏑搭弓，一箭射去，鵼鏑盡皆墜地。（後略）〔註十〕

——平家物語（龍谷大學圖書館藏本）／卷四・鵼傳・信濃前司行長（延慶二年以前）

高倉院〔註十一〕在位時，御殿上聞鵼啼聲，皆云「惡兆也」、「當之何如」，或曰可召賴政射之，帝納之，召賴政至。賴政惶恐領命，心忖之：「即令白晝，射小鳥亦有不中，而況五月闇夜，且遇風雨，更無奈何。吾神射英名，今將化為烏有。」遂祈求八幡大菩薩，以鵼聲為的射之。覺一箭中的，一同驅前檢視，果命中

註一：源賴政（一一〇四～一一八〇），平安時代末期的武將。以擊退怪鳥鵺的傳說聞名於世，亦是知名的歌人。

註二：豬早太（生歿年不詳）為平安時代末期的武將，為源賴政的家臣。其名亦作井早太、豬野早太等。其事跡僅見於賴政擊退鵼的傳說。

註三：應保為平安時代的年號，一一六一至一一六三年。

註四：即二條天皇（一一四三～一一六五），平安時代的天皇，後白河天皇的第一皇子。

註五：內裏即大內，為古代都城天皇起居之處。

註六：養由基為中國春秋時代楚國的神射手。

註七：《平家物語》為完成於鎌倉時代的軍記物語，作者不詳，描述平家的榮華及覆滅。

註八：吉田兼好法師的隨筆《徒然草》中提到信濃前司行長為《平家物語》作者，完成後交給盲眼的琵琶法師演唱，但實際不明。此人生歿年及生平等亦僅見於《徒然草》。

註九：延慶為鎌倉時代的年號，一三〇八至一三一一年。

註十：此兩篇《平家物語》之摘錄，前後者於「昔應保年間……」之後的段落，僅表記方式有差異，內容完全相同。故譯文也以相同方式處理。

註十一：即高倉天皇（一一六一～一一八一），平安時代的天皇，後白河天皇的第七皇子。

矣。帝並左右皆感嘆不絕。其時德大寺左大臣任中納言奉命賞賜賴政。（後略）

——十訓抄〔註一〕／源三位〔註二〕賴政射鵺事並連歌事
作者未詳（建長〔註三〕四年）

清盛〔註四〕夢醒，七日後，夜間伺候內裏。至夜半時分，忽聞南殿傳鵺之聲，並有鳥啼。其時藤侍從秀方〔註五〕直宿殿中，自殿上高呼：「來人！來人！」左衛門佐〔註六〕適在近旁，答曰：「清盛在此。」秀方曰：「有賊人闖南殿，速捉拿之！」（中略）竊思必捕捉之，應曰：「遵命。」循聲撲將而上，該鳥驚慌，飛入左衛門佐左袖，便即捕獲之。帝目之，乃一甚小禽鳥，未知何鳥，召人評議。經細辨，是為毛朱。毛朱為鼠之唐名。如此小物，亦驚擾皇居（後略）

源平盛衰記〔註七〕／卷第一．清盛捕怪鳥並一族升官
附禿童並王莽事

一如前狀，東三條森林一叢黑雲忽起，幾覆御殿。帝大驚駭。賴政雖睹黑雲，然天實昏冥，無的可射，遂默禱：「歸命頂禮八幡大菩薩，國家鎮守明神。祖族世代敬仰，冥護有加。」垂首良久。今蒙敕命，討伐妖怪，若不中，則應速死。氏人武士者，當捨身護主。賴政三度伏拜男山，定神細觀，但見黑雲高聳，覆於御殿。賴政取箭「水破」，挽弓搭箭，瞄準黑雲中心，颼一聲射去。箭矢呼嘯，黑雲騷動頻頻，自殿上離去，鵺啼聲不絕於耳。賴政見狀，次取箭「兵破」，挽弓射黑雲。颼一聲，箭正中黑雲，於殿上隆隆作聲，轟然墮至庭院。兵庫頭〔註八〕賴政遂大喊：「得之！得之！」眾人聞聲，紛紛聚攏，曰：「中矣！中矣！」

不分貴賤上下、男女老少，堂上堂下，皆出紙燭持火炬以照之。早太上前，以繩捕而縛之，曳至庭上。帝目之，確妖物也。頭為猿，背為虎，尾為狐，腳為狸，聲為鵼鳥，實稀世罕見之怪物也。帝慨曰：「禽獸亦以其性驚擾帝王，實不可思議耶。」（中略）後將此怪葬於清水寺山岡。（後略）

——源平盛衰記／卷第十六・三位入道藝等事
作者未詳（成書於建長年間）
〔據参考源平盛衰記（水戶彰考館編纂）〕

鵼　音空〔註九〕俗稱鵺　和名沼江〔註十〕　倭名抄〔註十一〕載唐韻〔註十二〕云，鵼，怪鳥也。按，俗或用鵺

註一：《十訓抄》為鎌倉中期完成的民間傳說集。以道德教訓、啟蒙等為主軸，文體通俗平易。
註二：賴政因因獲敘「從三位」位階，故俗稱源三位。
註三：建長為鎌倉中期的年號，一二四九～一二五六。
註四：平清盛（一一一八～一一八一），平安末期的武將。在平治之亂中掃除源氏勢力，得到後白河上皇及二條天皇支持，打造出平氏一門的政權盛世。
註五：指藤原家名秀方、擔任侍從職位之人。
註六：左衛門佐為當時平清盛的官職。
註七：《源平盛衰記》為完成為鎌倉中期的軍記物語。內容被視為《平家物語》的增補。
註八：賴政於久壽二年（一一五五）任官兵庫頭，主管兵庫寮，負責軍事事務。
註九：此「空」為日文音讀（以漢字讀音發音），音為「コウ」（KO）。
註十：「沼江」為漢字表音，日文讀音為NUE，即「鵼」及「鵺」的日文讀音。
註十一：《倭名抄》為《和名類聚抄》（或倭名類聚抄）之簡稱，為平安時代完成的類書（類似百科全書）。
註十二：《唐韻》為中國現已佚失的韻書，作者為唐人孫愐。

字。此鳥晝伏夜出故然焉。白鵺　山海經云，單張之山有鳥焉，其狀如雉，而文首、白翼、黃足，名曰白鵺。

△按今世稱鵼者非怪鳥。而洛東及處處深山多有之。如大鳩，色赤黃，黑彪，似鴟。晝伏夜出，啼於梢。其喙上黑下黃。鳴則後竅應之。聲如曰休戲。腳赤黃色也。

近衛院〔註一〕（仁平三年四月）有怪鳥。每夜履鳴殿上。人皆謂鵺。自是天皇有疾。醫禱無驗。於是命賴政射之（賴政，源賴光之末，參河守賴綱之孫，兵庫頭仲正之子。善弓馬，達和歌之道。）賴政立殿上待之。時怪鳥鳴黑雲之間。賴政以其聲為的發矢，射落於雲間。鵺悲鳴落殿上。賴政之家臣（名豬早太）刺殺之。天皇大悅，賜御劍及宮女（其女名菖蒲）。

——倭漢三才圖會〔註二〕／卷第四十四・山禽類
寺島良安（正德〔註三〕二年以降）

（前略）

旅僧〔註四〕　吾怎麼看，汝皆不類常人。汝為何人？請報上名來。

舟人〔註五〕　昔日近衛院御世，賴政曾以箭射落一鵺，吾即是那鵺鳥亡心〔註六〕也。吾將具言其事始末，乞祭弔之。

旅僧　汝竟是鵺鳥亡心？請將始末說與吾聽，吾當鄭重祭弔之。

（中略）

舟人　延請靈驗高僧修大法，仍不見效驗。

合唱〔註七〕　聖上受魔擾之丑時，黑雲自東三條森林湧出，覆於御殿上空，令聖上駭怖無已。

舟人　遂召集公卿僉議之，

合唱　議曰，此必妖怪所為，當命武士警護之，遂遴選源平二家精兵，賴政雀屏中選。

合唱　其時賴政任兵庫頭，隨身親信郎黨，唯豬早太一人。賴政身著二重狩衣〔註八〕，攜山鳥尾羽利箭二支，並重藤大弓一把，伺候於御殿廊台，以待聖上驚寤時刻。但見一團黑雲捲來，覆於殿上，如有意念。賴政凝目視之，辨雲中怪影幢幢。

舟人　遂取箭搭弓，

合唱　心中默禱「南無八幡大菩薩」，曳滿弓，箭離弦，果真射個正著，高呼：「著！」豬早太疾驅落地處，連刺九刀。就火觀之，其物頭如猿、尾如蛇、手足如虎，其聲如鵺。其形之可駭，莫可名狀也。

註一：即近衛天皇（一一三九～一一五五），平安時代的天皇。
註二：《和漢三才圖會》是江戶時代中期，由大坂的醫師寺島良安所編纂的類書，附有插圖。
註三：正德是江戶時代的年號，一七一一至一七一六年。
註四：原文作「脇」，為能的配角之意，在此劇即旅僧。
註五：原文作「仕手」，為能的主角之意，在此劇即舟人。
註六：「亡心」在此指鵺鳥之亡靈。為能中的特有名詞。
註七：原文作「地」，為「地謠」的縮寫，為能中在舞台右側合唱詞章的演員。
註八：狩衣原為平安時代日本貴族的打獵服裝，在鎌倉時代成為武士的禮服，以及神職人員在祭典時的服裝。

（中略）

旅僧　不可思議，細看眼前來人，面如猿，手足如虎，確如所述之妖怪形姿。啊，真正可怖耶。
舟人　吾本惡心外道妖，欲破佛法及王法，遍跡王城周遭。
舟人　翺翔東三條林間，每逢深夜丑三刻，於御殿上飛繞。
合唱　聖上驚惶玉體恚，魂銷喪膽，吾得意飛揚。不想賴政一箭正中，妖力盡喪，忒楞楞忽墜地，隨即小命消亡。而今想來，滅我者非賴政飛箭，是聖上天罰。聖上龍心大喜，賜賴政名劍，其名獅子王。宇治大臣代拜領，下階傳劍予賴政，忽有杜鵑高啼。大臣曰：
舟人　「杜鵑清啼徹雲霄，賴政威名震天下。」
合唱　賴政右膝點地左袖展，稍覷明月，云：「皓皓弦月引我弓。」說罷領劍，辭御前而歸。此後那賴政揚名立萬，吾則伴污名遁藏空舟。隨淀川濁水漂流，終至鵜殿，那同樣蘆葦湮漫的蘆屋浦沙洲，於空舟身形腐朽，自不見天日之暗渠，墜幽幽冥界之闇路。願山邊明月照遠方，願山邊明月照遠方，亡靈祝禱，隨山邊明月共沉落，隨海中月影共沉落。

——謠曲〈鵺〉

世阿彌〔註一〕（完成年代不詳）

〔根據觀世流謠本（底本／觀世大夫元忠署名本．永祿〔註二〕七年）《日本古典文學大系　謠曲集上》岩波書店校注〕

註一：世阿彌（一三六三～一四四三）為南北朝至室町時代的能演員及作者。父子三代受到將軍足利義滿支持，將過往的能大成為幽玄的藝術境界。著有《風姿花傳》等多部能書籍。

註二：永祿為室町時代的年號，一五五八至一五七〇年。

鴉

摘錄自久住加壽夫的創作筆記

今晚是朔夜。

伸手不見五指的朔月之夜。

漆黑。昏冥。幽暗。連顆星辰也不見。

但我依然走著。我只能走。若是靜止不動，甚至會忘了自己活著。就是如此漆黑。與其說是前進，更像是藉由跨步，來確認自己活著。因為就連自己正往前進這件事，都無法分辨。前後，左右，皆是漆黑。再怎麼走，依舊什麼都看不見。

看不見，形同不存在。

空無。既然空無一物，亦無前後左右可言了。

但我依然邁出步伐，因為我一意孤行地相信，我行進的方向就是前方。若不如此堅信，感覺連自我都要消散不見了。

輪廓化入黑暗，境界變得曖昧，很快地擴散、佚失。

如此一來，**我**是否還能夠在這片無垠的黑暗中存在，令人存疑。

說不準。

世上一定沒有所謂牢固的自我。之所以覺得有所謂的自我，是因為有肉體這具外殼，而我們無法脫離這身軀殼。一旦殼破了，就會漏失。一旦殼消失不見，如此渺小的自我，肯定會在剎那間消滅淨盡。

不，這只是文字遊戲。認為靈魂寄寓於肉體，也只是一種方便之詞。

是謊言。

這具身軀，並非容納**我**的空殼。

了。

這具身軀就是**我**本身。**我**與身軀，是同一且不可分的。身軀消失，這渺小的自我亦將同時消亡。如此罷了。

即使留下了少許的什麼。

那也是身軀的渣滓。**我**的本質存在於皮肉腸骨。無形無象的虛幻事物維持不了多久，就如同將純水滴入大海。因此為了讓自我留存於自身，我活動身軀。

在魆黑的黑暗所支配的虛空之中，唯有活動。只要活動，只要正在活動，活動本身就是自我。儘管正往何處前進、連是否正在前進都毫無把握，但我依然只能邁出步伐。

好黑。正值朔夜。新月尚未現蹤。

我就這樣走了多久？

離開那棟屋子多遠了？

門縫間透出的溫暖燈火，仍烙印在眼底。

我乞求借宿一宿，卻遭到拒絕。對方說，規定不能留宿外人。這表示在彼時，即使是這樣的我，依然保有人形。那也都是因為燈火的緣故。

灰心。氣餒。這些比喻已不構成意義。在連自身的境界都無法分辨的黑暗之中，我的情緒、我的心形同不存在。如此思考的，是不是黑暗本身？

我，是否早就不存在了？

我是夜晚。我就是夜晚本身。我徹底被夜晚占據了。

不，從一開始就是如此。

歔歔。

咻咻。

夜晚發出鳴叫。

不，這不是我發出的聲音。

嗚叫的是夜晚。那麼，我不是夜晚。

唐突地，我取回了**我**的輪廓。

因為風拂上了我的面頰。

沒錯，這是風聲。這淒楚如悲啼的聲音，是彼方吹來的風聲。夜晚在活動。與我的動作無涉，夜晚逕自活動，碰撞了我。

這風讓**我**感受到我和夜晚的境界。沒錯，我還具有承受風的表面。既然有表面，就有裡面。我並非夜晚——

我是**我**。

我承受著自彼方吹來的風。

彼方是淨土？爾或穢土？

不。

是海。

這是海風。

拂上臉頰的風冰冷、潮濕。

這刺痛的觸感，是因為風帶著潮氣之故吧。

徹底乾燥的夜晚之中，只有臉頰表面感覺潮濕，證明了這風來自水面。

那麼，這竄過鼻腔的氣味，是海潮的味道嗎？

不多時，氣息陣陣湧向腳邊又退離。

那平緩律動的氣息，顯然與我，以及籠罩著我的虛空性質不同。

也因此，我得以更進一步地意識到我是**我**。

我不是有腳嗎？我有手，也有身體啊。

這，

是海浪。

今晚是朔夜。

伸手不見五指。

但我理解了。看來我來到了海邊。氣味、溫度、膚觸、聲音，在在告訴我這件事。離開人家，穿過森林，越過荒地，走過沙灘，我來到了海邊。浪濤聲令人愉悅。

反覆拍打上來的浪濤來自何處？黑暗盡頭的彼方，究竟有什麼？

依舊什麼都看不見。

在無月之夜，大海亦是純然的夜。

不過我面對的方向，一定是無垠的水。儘管是墨染般的漆黑，但那裡確實有水，而且是海水。水的氣味、聲音、氣息，反覆湧近又退離。

我輕輕探出腳尖。趾頭觸碰到水的存在。

確實是海。我的腳趾浸泡在海水裡。

多麼地冰冷啊。

就彷彿這一刻才剛醒來。

我再次跨出步伐。

我要走過這片水邊。

我要在浸濕雙腳的水邊前進。

就這麼做吧。就這麼走下去，直到盡頭。沿著海浪前進吧。四下依舊是無異於閉目的黑暗。那麼索性閉上雙眼吧。沒錯。

閉上雙眼就行了。

如此一來，就能看見海了嗎？

聲音、氣味、氣息，會在腦中形塑出大海的景象嗎？我就沿著這片幻想的海邊往前走。我存在於如同自身想像的世界裡。
登時，不安煙消霧散。
嘩嘩。嘩嘩。嘩嘩。
波浪打上腳邊，然後退去。水冷如冰。
歔歔。
咻咻。
歔歔。
風撲上臉頰，繼而四散。潮風亦寒冷徹骨。這樣的溫差更突顯出**我**。
我有體溫。
我活生生地動著。
我並非夜晚，我是存在於夜晚中的**我**。
我就這樣前進了一會。
無止境地走下去吧。
黎明終究會到來吧。
夜晚過去，就再也不必如此寂寥不安了。走到海岸線的盡頭就行了。
不久，一股神祕的氣息阻擋了我。
前方有東西。感覺有東西。
撞上去就糟了，我輕手輕腳，謹慎地跨出步伐。雙手前伸，以指尖探索。
根本看不見。
沒有光。
只能藉由觸摸確定那是什麼。
可以確定，是一棟建築物。

是漁夫的小屋嗎？不過，小屋會蓋在這樣的水邊嗎？那麼，是一座碼頭嗎？棧橋那類東西嗎？
不，似乎不是。
我的指頭和手掌開始仔細地摸索被黑暗所籠罩的物體。
木頭的觸感。木材的形狀。木板的平滑。
冒出沙地的粗柱。架高的廊板。欄杆。
似乎是一座祠堂。
雖然不知道祭祀著什麼，或是已經荒廢，但確實是一座堂宇。
我邊摸索邊繞過去，很快地踢到了階梯。
我屈曲上身，以手扶地，小心翼翼地登階。
一階、兩階、三階。
嘩嘩、嘩嘩、嘩嘩。
祠堂後方傳來陣陣浪濤聲。
爬至階梯頂部，我四肢跪地，摸索到門板。
「貧僧是旅人。」
明知祠堂裡無人，我依然出聲。我想藉由出聲，讓自身確知自己的存在。
「貧僧是雲遊四方的雲水僧，皈依佛門的方外之士。雖是修行之身，卻困於無明的朔夜，寸步難行。請容貧僧在此歇宿一晚，暫避夜露。」
無人回應。
只聞浪濤聲。
不可能有回應。
鎮坐在祠堂裡的，不是人。
無論是神是魔，非人之物不會與人交談。

不能與人交談。

我抓住門板，起身開門。門似乎未上閂，輕易開啟了。

當然，什麼都看不見。

唯有自身肉體的活動、門板的重量、鉸鍊傾軋的嘰嘎聲，告知門開了。

我進入祠堂之中。

應該——進去了。

什麼都看不見，但四方以牆壁區隔。

不，空氣在流動。

是因為門板敞開的緣故嗎？

我轉身再次抓住門板，靜靜地掩上。我自以為徐緩地掩上，卻發出比開門時更大的傾軋聲，迴響良久。

今晚是朔夜。

眼前是裡外皆無差異的黑暗。

但我還是恢復了鎮定。

依舊什麼都看不見，但相信有地板、牆壁、天花板，似乎讓我得到了些許心安。海浪聲依舊不絕，但不再有拂面的刺痛了。

不，風並非被隔絕了。

是停了嗎？

我並非被圍住而感覺不到風，似乎是風停了。

而且這座祠堂似乎並非密閉。空氣雖未流動，但海潮香味、大海的氣息似乎滲透進來了。靠海的一面可能有開口。無情地鳴響不絕的浪濤聲，也是來自那道窗。

嘰。嘰。

地板作聲。

我緩慢地朝疑似窗戶所在的方向移動。
沒有障礙物。
這座祠堂裡或許空無一物。這裡只是上下四方封閉的純然的黑暗。這塊黑暗被切割下來，另一頭……
仍是一片漆黑。
雖然也不清楚是否如此。
我在地板壓出聲響，走到貌似牆壁之處，摸索窗戶。
指頭觸碰到像木格子的東西。
果然有窗。窗上鑲著木格條，我湊上去，嗅聞海潮香味。
嘩嘩。嘩嘩。嘩嘩。
歔歔。
咻咻。
這聲音，不是風聲嗎？
空氣幾乎凝滯了。
那麼，這悲鳴般哀切的聲音是什麼？這不是來自彼方的潮風發出的聲響嗎？
那麼，是夜在哭泣嗎？
或者是自彼岸傳至此岸，不屬於此世之物的鳴叫聲？那麼，我不該聽見。這是不能聽見的聲音。
歔歔。
咻咻。
我注意到氣息形塑而成的海。
即使凝目細望，亦什麼都看不見。
看不見的事物，無法看見。看不見，是因為它看不得。同樣地，聽不見的事物無法聽見。聽不見，是因為它聽不得。

唯有非人之物，會看見不可見之物、聽見不可聞之聲。否則……
是我亂了嗎？
是我瘋了嗎？
又或是自我滲透到夜裡，我的輪廓變得鬆散之故吧。確實，這片昏黑讓我六神不安，理智扭曲。
因為是朔夜。因為什麼都看不見。
嗟呀，嗟呀，嗟呀。
搖櫓聲逐漸靠近。
可能是小舟。那麼，這是真實的聲音嗎？
那歔歔咻咻之聲，可是船人發出的悲鳴？
那宛如為千萬年的孤獨唏噓、在無間地獄流離徬徨之人嘆息的這聲音，是乘風而來的某人哭聲嗎？
何事竟使人如此哀痛？
世上竟有教人發出如此悲淒之聲的痛苦嗎？
小舟移動的聲息停在了窗下。
我緩緩地放下眼皮。橫豎看不見，那麼索性別看了。只要閉上雙眼，聲音、氣味、氣息，自會為我展示大海的景色。
我閉上了眼睛。
朦朦朧朧的，幻想中的海面浮現一葉小舟。
舟上乘著同樣朦朧的物體。
看似人形，但不知是否為人。也看不出是男是女、是老是少。不，連是否真的存在於那裡，都說不準。
不知是真是假。
也不知那裡是此岸抑或彼岸。
「神聖祠堂裡的是尊貴的高僧大德嗎？」

來人如此說。
是女人的聲音。
然而我是否實際聽見了聲音，實在難有把握。
會不會只是在腦中作響？會不會是幻聽？是錯覺？
「請回應我。您是尊貴的高僧大德嗎？」
聽見了。
我聽見女子的聲音。或只是以為聽見了？沒有差別。無論是空氣的振動，或心靈的振動，在這片黑暗中，皆是同一回事。如此一想，朦朧的幽影登時凝結成女人的形象。
「貧僧……」
我回應。
「不知來者何人，但貧僧只是個棄世之人。貧僧確實忝為佛門弟子，但修行仍未有成。在這漆黑的朔夜，不知此地為神聖的祠堂，擅自闖入，欲借宿一宿，實在罪過。貧僧雖為僧人，卻萬萬稱不上尊貴。」
「啊！」
女子發出驚喘般的聲音。
「果然、果然是皈依佛道的大師嗎？」
朔夜裡，疑似女子的事物發出哀痛之聲。
「終於、終於讓我見到了。大師若是高僧大德，請務必聽聽小人的願望。」
「什麼願望？」
「是。」
疑似女子的朦朧身姿幽幽浮現，宛如烙印在我閉上的眼底。
來者恐怕不是人。
我問：

「在這之前，請容我請教一二。施主何人？怎會此刻在這樣的地方，而且是太陰隱身的朔夜，在海上漂流？」

太不尋常了。

更根本的問題是，對方是人，亦或非人之物？

是何來頭？

「據貧僧所見，施主亦不似討海之人。」

其實根本什麼都看不見，遑論所見。只是感覺似乎看見罷了。

不過，倘若這形似女子之物真實存在，也不可能是此地人。

「大師肯定十分訝異，覺得小人可疑萬分。」

疑似女人之物說：

「吾非此世之物，卻也非彼世之物。吾於中陰之境徬徨，無處可去，不具肉身、不具形體，亦無從消滅，困滯於天地之間，只是蟠踞於這處海濱。」

原來如此。

「那麼，你可是死靈、亡魂之類？」

「這該從何說起？」對方說，「吾有靈，或是魂嗎？」

這……

「貧僧這話問的不對了。你不可能是生人。」

「我並非活物。」對方回答。

是死者嗎？

那麼。

「萬物皆不脫三界六道，輪迴之理。你只是暫時迷失了。你不知該往何處去嗎？」

「與其說是迷失……」

更是被囚禁住了——對方說。

「吾是囚人。」

「你對現世有所執著嗎？」

「朔夜……」

暗暝之夜，是凡百事物盡皆消失的黑夜，何執著之有？來者說。

「真如之月（註一），今宵亦隱身不見。吾僅是飄浮於虛空的亡心（註二）。沒有眷戀，亦無執著。」

「真是如此嗎？存於欲界之物，皆對既有之物抱有留戀執著。儘管將其代換為情、愛等冠冕堂皇的字眼，自欺欺人，但對照正法，亦是執著。唯有棄絕執著，才能踏上佛道。」

「執著？」

「沒錯。恕貧僧直言，施主的願望——是否就是依附佛法，超度成佛？」

若對方是死人，肯定如此。

是想要受人祭弔。冀望以佛門弟子的身分受超度。

「那麼，容貧僧請教，施主是否身陷自身的執著，不可自拔？斬斷執著，才是皈依佛道、立地成佛的唯一法門。」

對方沉默片刻。

「確實，吾或許有所執著。吾為壯志未酬即慘遭討伐的逆徒。吾……吾曾是意欲妨礙佛法王道的邪惡之物。」

「此話怎說……？」

「吾忤逆王權、詛咒正道，意圖為害天皇。」

「你忤逆天皇？」

「吾折磨天皇，企圖弒君。」

「這又是……為何？你對聖上有何深仇大恨？」

「吾與聖上無冤無仇。吾就是詛咒這片大地、詛咒這片大地的眾生、詛咒眾生的善念正行、詛咒一切良善營生之物。護持這些的佛道、王道，對吾皆是妨礙。吾只是一心一意要毀掉這些。」

「那麼……你是作祟之神？」

「吾亦非作祟之物。吾未受壓迫凌虐，無嗔亦無恨。若要譬喻，吾就是這個國家的黑暗，只為了為禍而生。」

「施主是說……你根本不是人？」我問。

體內。

一陣慄然。

「吾非人，亦非鳥獸。妨礙佛法者為魔、膽大妄為者為鬼、迷惑心智者為怪、煩擾情思者為妖。吾皆非任何一物。非要說的話……」

吾即為禍害——那東西說。

在這樣的朔夜、無光之夜，我竟與禍害兩相對峙？

「請大師超度吾這個禍害吧。」那東西說。「吾無法進入六道任何一道。天道人道不用說，亦無法進入畜生道餓鬼道修羅道，連地獄都無我容身之處。」

「這是為何……？」

「吾非人亦非獸、非魔亦非鬼、非妖亦非怪，何況神佛。這樣的吾，無路可走。」

「這是指……你什麼都不是？」

「世人說，吾首為猴，手足為虎，胴體為狸，尾巴為蛇，聲音為鵺。然而……」

註一：真如為佛家語，指法的本性。真如之月亦譬喻體悟真如，自迷惑中解脫，有如明月之照黑夜。

註二：亡心即亡靈。「亡心」一詞出現在世阿彌的能《鵺》中，用於指稱怪物的亡靈。

吾並非**那樣的東西**。

那東西已不再是女人的形姿了。

不，應該從一開始就沒有任何形姿。

只是我覺得是女子，所以看起來才會是女子吧。

不。

我根本沒有看見。

我的雙眼是閉著的。

即使睜開。

朔夜的黑暗實在太深了。

黑暗開口：

「往昔，吾乘著烏雲來到御所上方，夜復一夜在黑天飛翔，散播惡氣，喚來邪穢病魔，讓聖上龍體飽受斲傷。吾遭蟇目箭（註一）震懾，被鏑矢射落，又遭大刀連砍九下……」

是如此一敗塗地遭到消滅的惡心外道妖魔鬼怪——那東西說。

「你有名字嗎？」

「人們……稱吾為鵼（註二）。」那東西說。

鵼。

那是……

「只是禍害世間，沒有其他任何意義，純粹的邪惡之物。吾就是這樣的東西。原本就無形、無象、無命。這……就是吾。」

鵼說。

既然如此。

「既然你就是這樣的東西，為何還要迷惘？你被什麼所囚禁？」

「就是不明白。」鵼說。「吾原本就**不存在**於這三千世界，然而卻不知為何**存在**於此處。首先這就令人不解。」

不解，實在不解——鵼說。

「往後吾也將永遠漂浮在這片夜汐，受縛於海濱，留佇此處嗎？吾究竟為何而身在此處？為害佛道王道而生之物，竟投靠神佛，實在荒誕可笑，但吾……除了大師之外，已無人能夠相求了。」

鵼哭泣起來。

歔歔。

咻咻。

以駭人的聲音悲泣著。

不。

這不是悲鳴。是風聲。

「鵼啊。」

在朔夜的黑暗中扭曲的禍害啊。

「鵼一字，亦寫作鵺——夜鳥。鵺即是虎鶇，在夜晚啼叫的鳥。但你不是鳥。」

「是，吾並非鳥。」

「然則，你何以被冠以鵺之名？人們說你的頭是猴、手腳是虎、胴體是狸、尾巴是蛇。那麼，不管是叫猴、虎、狸、蛇都合理，卻何以是鵺？」

註一：蟇目為木製大鏑箭，據傳名稱來自於形似蝦蟆（蟇）之眼。其目的在於驅趕而非射殺，箭頭有洞孔，據信射出時發出之尖銳聲響可擊退妖魔。

註二：在此原文是以平假名「ぬえ」（NUE）表記。漢字可寫作「鵺」或是「鵼」。

「因為吾遭討伐之前，只見漫天烏雲，不見形貌，只聞聲音之故吧。」
歔歔、咻咻之聲。
「吾曾聽聞，夜啼鳥為凶鳥。那麼鵺也是禍鳥。身為禍害的吾，因聲音近似那啼聲，故得此名吧。」
歔歔
咻咻。
「不……」
非也。
「貧僧認為，那聲音並非你所發出。你身中鏑箭而墜地。」
「是，吾被射落了。」
「那……」
歔歔咻咻哀切之聲。
「是鏑矢破空之聲。」
「不是吾的啼聲？」
「無形無象之物，」
出不了聲。
「但吾就像這樣……」
「非人之物，」
也無法與人交談。
「而死物……」
無從殺死。
「可、可是吾……吾被殺死了。吾被射落、身中九下大刀，慘遭屠殺。」
「你是**因為被殺**而誕生。」

「此言何意？」

「你因為被殺，故而存在。人們相信你被殺、非殺不可，在你被殺的當下，你的生命、形姿，所有的一切，都被回溯打造出來了。」

「大師是說，吾是被造出來的？」

「若你原為無有之物，亦不可能有屍骸。那麼，你的軀體自始就是一具屍骸。猴、虎、狸、蛇，都與你無關。那些是造出來的、拼湊而成的屍體，而非你的屍身。那麼，你並沒有死。」

「大、大師說吾沒有死？可是，吾還是……」

「當然，你亦非生。」

「非生亦非死。」

那麼。那麼。

「**無有之物不會死**。因為死了，所以無有之物變成了有。既然有，就需要屍骸。既然有屍骸，就曾有生命。有生命，就會出聲。如此一來，也需要名字。因為被安上了名字，你才會在此處。不過，這些皆是謊言。」

「謊言。吾的這個名字是假的？」

「沒錯。」

「吾……」

「猴是猴，虎是虎，狸是狸，蛇是蛇。那是拼湊出來的東西。唯有啼聲，是你生命的證明。然而寫做夜鳥的鵺，是虎鶇的啼聲。聽著，**鵺**作鵼，空鳥。你是空。就如同空舟，只有外側，內裡空無一物。鵼這種東西……」

不存在。

「吾是**不存在**的嗎？」

「從一開始就沒有任何人、沒有任何事物。」

那裡什麼都沒有。
歔歔。
咻咻。
一佛成道觀見法界。
草木國土悉皆成佛。
有情非情。
皆共成佛道。
「你……」
可以消失了，我在心中說道。
也許說出聲了。
是一樣的。
朔夜。不見一物的朔夜。
看不見，形同不存在。
我悄悄闔上眼皮。
什麼都看不見。
然而。
天很快就要亮了。
天一亮，光線就會滿溢。
光會為世界帶來色彩。
如此一來，世界也會回歸。
可是。
也只是看見了而已。

色即是空。
空即是色。
有，無，無論有無，畢竟都是同一回事。
我從疑似窗戶之處，看著疑似天空之處。
看不見，但新月就在彼端吧。
就如同白晝看不見星辰，但星辰就在天上。
無亦如有。
有亦如無。
如此，我靜心超度從初始便不存在的鴉。
我亦是，
相同的。
雖然，就此無緣相逢了。

◎鵼——

鵼乃居深山之怪鳥
源三位賴政射落
猿頭虎足
尾如鳥喙之異物
因啼聲似鵼
故以鵼名之

——今昔畫圖續百鬼／卷之下・明
鳥山石燕（安永〔註〕八年）

註：安永為江戶時代的年號，一七七二至一七八一年間。

蛇（一）

有鳥。

久住加壽夫不經意地仰望天空。

無端一陣惆悵，視線投向遠方，他在山的另一頭看見一樣碩大的事物畫出弧線飛向天空彼端。

既然會飛，那應該是鳥，但久住覺得不是鳶、伯勞、松鴉那些。沒見過那麼大的鳥。一定是東京周邊沒有生息的鳥。

城市裡會看到的鳥類當中，最大的應該就數烏鴉吧。

剛才看到的鳥比烏鴉大多了。

陌生的地方，還有許多未知的事物。

不過，久住並不覺得自己孤陋寡聞。他不認為自己比別人懂得更多，也不是特別專精某些領域，但自認為擁有符合一般水準的知識。出於職業關係，久住必須廣泛學習，也不排斥學習。

不必不懂裝懂，不知道的事就說不知道，若是能向專家討教，就更好不過了。日常生活不曾因此遇到問題。

但是到頭來，人或許只能知道伸手所及之處的事物。

更正確地說，也許知識這玩意兒，並沒有想像中的管用。

——實際上一點用都沒有啊。

在色彩單調過頭的景色裡，久住縮起了身子。

就像出門前飯店門房說的，很冷。

氣溫應該非常低。

每回深呼吸，鼻子前方就冒出一團白濁，就好像積累在肚腹裡的疙瘩漏了出來。

——不，這樣想不對。

久住轉念。

知識不可能無用。

只是自己無法活用知識罷了吧？

八成如此。

久住知道不少植物的名稱與形貌。但即使看到路邊的花草，也不會去想：啊，這是某某植物、那是某某花草。花的話，顏色形狀皆不相同，還認得出來，但草就都是草了。看到草叢，也只覺得有一叢茂密的草。遇到樹木，那就更模糊了。只看樹幹，完全無法區分。

這一帶的杉林極為壯麗。

綿延無際。

肯定有成千上萬棵。

即使這些杉林當中摻雜了一棵別的樹，久住應該也看不出來。就算察覺是別的樹種，也無法判別是什麼樹吧。

其他人如何他不知道，但久住自己，眼前的現實和腦中的知識很少立即對應在一起。

柏樹、楓樹、橡樹、朴樹，他知道數不清的樹名，但眼前的樹木是什麼，卻完全認不出來。沒有意義。

即使不知道名稱，住在山上的人也都知道那是什麼。只有生存所需的事物，人才能確實地認知。人就是這樣的。

久住不禁想，照這樣看，也許樹木和鳥對自己的人生，都是不怎麼必要的東西。這麼一想，實在有些失落。

不，與其說是失落，久住是心有不甘。他也覺得，自己會這樣外出走動，是為了排遣這份不甘吧。

——還是不是？

昨天以前姑且不論，但今天不同。

久住會在這種地方溜達，不是出於那樣的理由。他就只是想要離開飯店而已。

而且是盡快離開。在碰上她之前。

——只是逃避罷了嗎？

久住大大地嘆了一口氣。

巨大的疙瘩化成了白色的霧靄。

遠方再次看到大鳥飛翔。

放下視線。可能是一直仰頭望天，脖子根都痠了。

水潭的水清澈無比。

空氣冷到暴露在外的皮膚都痛了起來。腳下的地面也凍結了。群山、岩石和森林都鋪上了一層雪。

久住覺得很美。

昨晚下了場大雪。

但是看在雪國長大的久住眼中，這算不上雪景。因為山上露出了樹木、岩石和地面。

久住是北國出生的。只要過了特定時期，所有的一切都會被白色覆蓋，再無其他色彩。迎接雪融時，地面就會漸漸露出，但也就只是一片污濁。

然而這裡不是如此，看起來就好像灑上了糖粉的高級西洋糕點。

美不勝收，名符其實的粉妝玉砌。

久住並非初次造訪此地——日光。他第一次來，是去年初夏，當時新綠鮮嫩奪目。

當時他也在這裡盤桓了一個星期，但只是瞄了眼東照宮的入口，遠遠地望了望華嚴瀑布，並未飽覽當地名勝。

這也是沒辦法的事，因為他並非來遊山玩水的。

這次久住也不是來觀光的。

只是接下來完全沒有安排，因此時間多得是，才能每天像這樣外出遊蕩。雖然已經待了十天了，但依然百看不厭。

不過，久住沒有深入山林。

一方面當然也是因為沒有裝備。即使不到正式登山，只是隨意晃晃，他也不會往山上走。

他就是會卻步。

日光的群山絕對稱不上宏偉。若要形容，日光的山是莊嚴的。在為它的豐饒、巨大感動之前，會先感受到肅穆與強悍。雖然沒有高聳入雲的險峻，也沒有拒絕侵入的凌厲，但它深不可測的胸懷讓人不寒而慄。

久住思考著。

日光的山應該不會拒絕他。一定會接納他，並讓他見識到山的嚴酷。

——就是因為這樣嗎？

這就是他卻步的理由。他不想直視那份嚴酷。他是個沒出息的人。

所以才無法拓展見識嗎？才會找不到知識的用武之地嗎？就是這麼回事嗎？久住又想。

他想稍事休息，東張西望尋找可坐之處，卻沒看到合適的地方。道路的一側是山，另一邊是河。而且每一處都因融雪而一片濕漉漉。

只得繼續走。

久住眺望著對岸的岩壁，漫不經心地走著。

儘管定睛細望，但什麼都沒發現。

地點沒有錯。

那麼，一定有什麼才對。

今天一早，他聽櫃台的人說這裡有弘法〔註〕投筆的古蹟。

說是岩壁上有文字。

弘法應該是指弘法大師空海吧。確實，說到空海，就像是書法大家的代名詞。傳說空海在這裡飛擲毛筆，在岩壁留下了文字。

久住不太理解。首先飛擲毛筆這種狀況，他就不懂。把毛筆丟出去，就不可能寫字了。撇開這一點，用毛筆有辦法在岩壁上寫字嗎？只要蘸上墨汁，確實可以在任何地方塗寫，但應該很快就會消失了。難道岩石也跟紙張或木頭一樣，會吸收墨汁？

久住覺得不可能。

只要下雨，兩三下就會被沖掉，就算沒下雨，也撐不了幾個月。更何況這裡是水邊，不消數日，墨字就會消失無蹤吧。空海是幾年前的人，他不知道確切的數字，但應該是超過千年前的古人了。他寫的字實在不可能留到現在。

他想看看那到底是什麼樣子。不，其實只是拿它當藉口離開飯店罷了。

櫃台告訴他，是一個叫憾滿淵的地方。

以前好像有寺院或涼亭，但聽說在明治末年被洪水沖走了，現在已空無一物。櫃台提醒外頭很冷，但久住說沒關係。

真的什麼都沒有，也冷得要命。

他從持續散發寒氣的清流別過頭去。

視線轉向溪流邊的道路前方。

路邊有戴雪的石佛一字排開。數量相當多。之前注意力都放在對岸，完全沒注意到。

這景象也頗有可觀之處。

有多少尊？不下十幾二十尊。

註：弘法大師即空海（八三五～七七四），日本真言宗的開祖。在日本各地留下無數的神蹟傳說。

多到讓人興不起細數的念頭。

五、六十尊嗎？還是更多？久住移動視線，發現前方站著一個人。

他看過那個男人。

雖然看不出表情，但那人穿著舊兮兮的褐色大衣，客套也稱不上風姿瀟灑。那個人。

——記得是……

下榻同一間飯店的男子。

有些駝背的男子沒發現久住，一心一意端詳著石佛。不，還是該說一尊又一尊拚命地觀察？男子伸手指著佛像，或是按按佛像的頭。

看上去無所事事。

要論無所事事，久住自己也是在蹉跎光陰，而且既然沒有其他人影，裝沒看見似乎也說不過去，因此久住朝對方走去。

對方眉頭深鎖，神情嚴肅，但兩頰鬆弛，一臉疲態。儘管他的模樣教人難以開口攀談，但都走到這麼近的距離了，也只好硬著頭皮搭訕了。

「不好意思。」

久住一出聲，男子便驚嚇地肩膀一聳，睜大眼睛轉向久住。

似乎也不是不高興。

「早安。不好意思，請問您是同一家飯店的住客嗎？我好像在大廳見過您幾次——」

男子發出介於「啊」與「嗚」之間的應聲，含糊不清地說了什麼，身體稍稍傾斜。一瞬間久住以為認錯人了，但似乎沒錯，男子的反應是在表達肯定。

「呃……」

久住不知道該怎麼辦，但又不能丟下一句「再見」走人。

「我——敝姓久住，十天前住進日光榎木津飯店……」

男子聽了，不知為何痛苦地皺起了眉頭。
那模樣與其說是訝異，更像是痛苦。
久住打住了話，靜觀其變。他真心擔心起對方是否身體不適了。
「我……」
男子兩片沉重的嘴唇要張不張。
接著垂下了目光。他的相貌讓人覺得很不穩定。應該是因為身形矮小、姿勢邋遢之故，但他有著一張算是粗獷的面容，睫毛卻又濃又長，完全不搭。
「我叫關口，關口巽。」
男子——關口總算擠出話來。
關口巽——久住知道這個名字。
只聽到音就浮現字，表示是在書面上看到得知的。而且是最近——不，也許只是同名同姓，但——
久住立刻想起來了：
「難道……啊，若是我誤會，先向您道個歉，請問您是小說家關口老師嗎？」
假設眼前這個人就是久住知道的關口巽，那麼他應該就是去年夏季震驚社會的新娘連環命案的主角——由良伯爵的友人。關口巽因此而引發世人關注。久住也在好奇心驅使下，在入秋時買了他的著作閱讀。他的小說給人一種難以言喻的神祕感受。
正當久住要說明這些，關口臉頰一僵，身體扭曲得更厲害了。難道我說了什麼惹他反感的話？久住的身體定住了。
——又做錯了嗎？
從昨天開始，久住就一直犯下同樣的錯。
是他說了對方不想被指出的事、不想聽到的話，或是對方根本不想要有人來打擾，還是其實久住搞錯人了？——久住當下想到這些，正打算在狀況變得複雜之前道歉離去——

「真、真的對不起。」
卻是關口先向他行禮了。
「對不起……？」
「我、我……那個，我不太擅長與人交談……不，不擅長活潑地談天。所以那個，是不是冒犯到您了？」
關口目光低垂、咬字不清地說道。
「我才該向您道歉。」
久住這麼回應。
「是我冒昧打擾……關口老師是在構思下一部作品嗎？您正獨自耽溺於思索……」
關口——
笑了。那應該是笑吧。
「我只是個一無可取的三流文士，才不會高尚地思索什麼。我……是在計算。」
「計算？」
「計算這些石地藏。這些……是地藏嗎？」
關口把手伸向一旁的石佛的頭說。
「在計算……？算這些佛像嗎？」
這也太瘋狂了。久住望向一路延伸到前方的石像，又回望來處的石像。
果然不下五十尊。
「那麼，我打擾您計算了嗎？」
默默計算外形相同的物體，意外地棘手。很容易數到一半弄不清數到哪裡，若是數到一半被打斷，就前功盡棄了。
「不是的。」關口笑道。他的笑容很落寞。
「我已經數了三遍了。」

「三遍？這還真是……」

「聽說這些叫『並地藏』，似乎也被稱為『化地藏』。」

「會變化嗎？」

「不曉得呢。」關口嘴唇扭曲，似在苦笑。不是故意賣關子，而是不擅長表達吧。

「這些是庇佑眾生的地藏菩薩，應該不會像狐狸那樣變身騙人……不過傳說這些地藏每次計算，數目都不相同。」

「是算錯嗎？」

「應該也不是吧。我第一次算和第二次算，都是七十四尊，但也覺得可能算錯了。我這個人啊……」

就是沒辦法相信自己——關口說。

久住理解那種感受。

「噯，現實中不可能有石地藏忽多忽少的事吧。不過心裡面怎麼想，和實際的數字也沒有關係吧。這條路很窄，又是彎道，也沒辦法過去對岸，因此看不見地藏群的全貌，不禁會覺得還有、還沒完，結果就算錯了……」

這是我朋友的說法啦——關口說。

「祠堂遺址那裡，也有一整排石塔喔。您沒看到嗎？」

久住完全沒留意。

連有沒有祠堂遺址都毫無印象。

「好像也有長得像石佛的東西。或許有人把它們也算進去了。而且這一帶水患似乎相當嚴重……明治末期，這些地藏好像也被沖走了好幾尊，因此實際上數目也不同了吧。聽說原本叫百地藏。」

「原來是這樣。」

也有一些石像缺了頭或破損。

「您都知道這麼多了……」久住說。

「哦，我也覺得自己是想要被騙吧。」

關口羞赧地說。

「要是每次計算，數目都不一樣，就證明了自己是在酩酊吧。」

接著關口幾乎是第一次看向久住的臉，辯解地接著說：

「啊，並不是說我喝了酒……」

「哦，我理解。若是這麼早就醉醺醺，不是喝通宵，就是一大清早就開始喝。就算真的喝醉，冷成這樣，也早就冷醒了。」

實際上，身體已經相當冰冷了。

久住豎起大衣衣領，攏起前襟。

關口並不趕著回去飯店的樣子。久住邀他一道走一走，關口默默答應。

兩人沿著溪流前進。

才剛走不久，景觀便倏然改變。先前河岸只有樹木、草葉，以及普通的岩石，然而不知不覺間，兩岸填滿了層層疊疊質感神祕且形狀古怪的岩石。是一幕超乎久住預期的奇景。

「是熔岩呢。」關口說。「這條大谷川的水流，挖開了從男體山流過來的熔岩。」

「啊，原來……是這樣啊。」

久住從未想過，但原來岩石也有不同的種類。

「不愧是作家老師，真博學。」久住說。「我就真的很糟糕。我剛剛也才在反省呢。不管是鳥還是樹，知道的名字都和實物都兜不起來。剛才我也看到一隻大鳥……」

很大的鳥。

「但就只知道那是一隻鳥。」

關口微笑：

「我也是一樣的。我完全不懂樹木和鳥類的種類。菌類和岩石倒是懂得一些。不過就算知道，也沒有意義。」

「喔……」

「即使知道鳥的種類，鳥也不會感謝你啊。」

鳥只會自顧自飛走。

「不管我知不知道，石頭依然在那裡，草木自行生長。縱使我死去，也影響不到它們分毫。『我知道』這件事，就只對我自己有意義而已。」

關口的口吻就像在自嘲。

被他這麼一說，確實如此吧。

「可是關口先生，您的見識，也可以創造出某些事物吧。您不就在寫小說嗎？我也拜讀過喔。」

「您讀過嗎？」

關口收起下巴，臉低垂下去。

是困窘的神態。

「小說沒有學識也能寫。」關口說。「尤其我寫的那種東西，連小孩子都寫得出來，和知識多寡無關。其他小說家怎麼樣我不知道，但我的情況，就像是把夢囈寫下來罷了。」

「您太謙虛了。我不太會形容……不過拜讀您的大作，讓我得到了難以言喻的感懷。」

「這樣說，對惠購我的小說的讀者很過意不去……」

關口說到這裡，支吾起來。

「畢竟每個人感受不同。鳥應該不知道我這個人，可是……不管有沒有我這個人，鳥都會啼叫，有時還會啼叫得十分悅耳。鳥會啼叫，是鳥的天性，而不是為了取悅人，但我們還是會覺得鳥啼聲十分動聽，對吧？」

「您是說，您的小說就和鳥啼一樣？」

「是一樣的。我沒辦法像鳥一樣啼叫，只能寫下一些無用的粗劣文字。就如同鳥是鳥，我就是我。只是這樣罷了。」

「您真是豁達。」久住這麼說，結果關口說：「我經常挨罵啊。」

「挨罵？」

「我有個尖嘴薄舌的朋友，說我的小說就跟娃兒的日記沒兩樣。聽了實在教人生氣，我很想回嘴一兩句，但聽完他的理由，又覺得一點都沒錯，毫無反駁餘地。我只能反省。」

關口望向河面。

感覺水流變湍急了。水面緩慢，但凹凸變得劇烈。關口說水流侵蝕了岩石，確實令人信服。

「關口老師是正在那個……傳說中的閉關寫作，是嗎？」

氣氛有些尷尬，因此久住換了個話題。

「差得遠了。」關口回應。「閉關寫作，是當紅作家才有的專利。出版社會為了擋掉其他同業的聯絡，把作家關起來寫稿。我這種貨色，甚至沒有出版社要找我寫稿。我只是在逃避現實而已。」

——原來如此。

跟我一樣嗎？

「那我也跟老師一樣。」久住說。「我也是在逃避。已經逃避了十天了。尤其是今天……」

真的是逃出來的。

「我這人實在沒出息啊。」

關口沒有深入追問，只應了聲「這樣」，便踩上岩地登上去，走到邊緣，看向自己的腳下。

「啊，基石也不見了呢。」

「什麼？」

「我有點好奇。」

關口說著，回頭望向地藏群的方向。

「這裡以前好像有座叫做靈庇閣的護摩壇。聽說一樣被山洪沖走了，但無法想像原本是什麼樣子。」

「這種地方……有護摩壇嗎？」
久住走到關口旁邊。
腳下是滔滔流水。
「呃，這裡沒有寺院，什麼都沒有，就只有一條河吧？原來這裡本來……是個像祈禱所的地方嗎？」
「不，這裡以前有寺院喔。雖然我不清楚範圍是從哪裡到哪裡，但那些並地藏，也是寺院裡的東西。那邊的祠堂遺址，是本堂所在的位置。所有的一切都被沖走了。」
完全沒發現。
「這就叫做無常嗎？」
關口彎下身來。
「對邊的岩地，以前好像有座不動明王像。是從這裡膜拜不動明王吧。」
「佛像也被沖走了嗎？」
「對，現在……喏。」
關口指著對岸的岩壁說。
「只留下那個梵字而已。」
「梵字？」
看不清楚。
「上面寫著梵字嗎？」
「那是岩石，所以是雕刻上去的。」
「雕刻？」
聽到這話，久住看到像紋路的東西。
然而雕刻很淺，而且似乎生了苔，又或是污損了，只能依稀看出形狀。
「梵字是梵語的文字，對吧？還是應該叫悉曇文字？我完全不會讀。上面寫什麼？」

久住問，關口聲明只是聽來的，說：
「據說是代表不動明王的文字。不是有所謂的真言嗎？」
「喔，那種像咒文還是經文的。」
「對，我完全不認得，但每一尊神佛，都有相對應的真言。據說還依據長度分成大中小，還有叫做種子字的。」
「種子？」
「據說就是植物種子的意思。」關口說。「只有一兩個音，很短——『啊』，或是『吽』吧。據說這樣一個音，就能代表某尊神佛。由於囊括了一切，所以才叫做種子。對應這種子字的梵字——應該是一個字或兩個字，總之就是象徵該位神佛的文字。」
「那個文字代表了某位神佛，對嗎？」
「是啊。」關口有些散漫地回應。「祭祀在那裡的是不動明王，不動明王的種子字是𑖮𑖯𑖽〔註〕。那座岩石簡而言之，就是像的基座。所以岩石上有𑖮𑖯𑖽這個字。」
「含慢？呃……」
久住張大眼睛細看。
水流受奇岩擺布，形成複雜的漩渦，激起潔白閃耀的水花。他原以為只是普通的河流而已。
——原來是水潭嗎？
「那麼，憾滿淵就是……」
「就是這裡。」
「啊。」
自己似乎並沒有搞錯地點。看來久住只是看到河，就以為已經到了，一直在河邊繞來繞去而已。
——那麼。
「我聽說憾滿淵有弘法投筆，所以過來看看，難道……」

就是那模糊難辨的梵字嗎？確實，雕刻在岩石上的話，或許可以保存數年數十年，甚至數百年。但……

「我聽說……是飛擲毛筆……」

「應該吧。」關口說。

「呃，擲出去的是毛筆吧？不是鑿子或鑽子啊。毛筆怎麼刻石頭？」

「就算擲出鑿子，也不可能刻出字來啊。」關口笑道。「就算那些字，」關口伸手指去。「是以墨水寫就的文字，也不是擲筆寫成的吧。」

關口說的沒錯。無論任何工具，只是扔出去，是寫不出字或畫出圖樣的。簡而言之，那只是虛構情節嗎？久住提出疑問，關口說，與其說是創作情節，更應該是一種傳說。

「證據就在那裡。那片岩壁上有文字。這是確鑿的事實，而做為這個事實的解釋，有一段說法。無論理由再怎麼奇妙，既然有那個字，那就是傳說。」

「傳說嗎……？」

定睛細看，文字漸漸變得清晰起來。雖然對久住來說，比起文字，它們更像花紋，或形狀複雜的記號。

「那麼……先不管是怎麼刻上去的，那些花紋已經在那裡存在了上千年嗎？」

「上千年？」關口的臉轉向久住。「沒那麼久吧。」

「不，可是據我所知，弘法大師不是平安時代的人嗎？那樣的話……」

「噢。」關口笨拙地扭曲歪斜的身體，轉向久住。「這也是我聽說的，這座寺院——雖然現在只剩下地藏了——記得它叫慈雲寺。那些梵字，是興建慈雲寺的人請人雕刻的。慈雲寺應該是江戶時代落成的。」

「江戶時代？那……」

再怎麼古老，頂多也就三百年嗎？

註：此種子字發音為hmmām，日文發音為KANMAN。

「是弘法大師寫的說法，也是假的嗎？」

「也不能說是假的吧。弘法大師在全國各地留下了許多傳說，就連不清楚的我都說得出好幾個。什麼湧出溫泉、長出樹木、地薯變成石頭……說這些全都是假的，未免……」

關口沒什麼自信地含糊收尾。

「是啊，那算是嗯……一種信仰吧。」久住應聲。

刻有文字的岩石巨大且平滑。

「算是信仰嗎？」關口說。「我覺得有些不同。不是宗教、教派、信仰那類字眼能夠說明——或者說無法表現……該怎麼說好呢？」

關口想要表達的意思，久住也不是不明白。雖然他也和關口一樣，無法將其形諸話語。

清澈的水打著漩。

「而且，弘法大師的宗派是真言宗。在這裡興建寺院的人，據說是把德川家康祭祀在日光這裡的天海〔註二〕僧正的弟子，那麼應該是天台宗的人吧。」關口說。

「宗派也不一樣嗎？」

「嗯。記得好像是叫晃海上人的人。」

「晃海……」

「對。那些百地藏，聽說也是天海僧正的一百名弟子捐贈的。最大的一尊地藏叫親地藏，好像也在洪水中流失了，不過捐贈這尊地藏的僧侶山順，是位極有名的書法大師，是晃海上人請他寫下這個梵字，再請人雕刻到那處岩壁上——好像其實是這樣。因此把字雕刻上去的，應該是石工吧。」

既不是弘法大師寫的，也不是投筆寫上去的嗎？

關口落寞地笑：

「有人說，弘法大師就是空海，所以才會搞錯。」

「因為空海和晃海音近的關係嗎〔註二〕？」

這誤會也太大了吧，久住這麼說，關口又朝水潭的方向低下頭：

「不過，這樣就好了吧。」

「這樣就好了嗎？不管是時代還是宗派都不一樣，而且還搞錯人了吧？還說什麼投筆寫上去，沒有一樣是對的啊。」

「沒有錯啊。」關口說。

「什麼？」

「過去的事，沒有人知道的。記憶會變形，紀錄又不完整。我的朋友裡頭，有個學歷史的年輕人，歷史學家總是在分析史料，苦心孤詣導出一套能自圓其說的事實。所以歷史隨時都在翻新。定論是會被推翻的。」

「可是這明顯就錯了吧？」

「要說錯，空海和晃海都是古人了，兩個我都沒見過。雖然有紀錄，但我無從確定那些紀錄是否真實。不管是再怎麼符合史實的軼事，巷說就是巷說，稗史就是稗史，和傳說沒有多大的差別。」

「可是……」

──這樣的話。

就沒有任何事物可以相信了。久住這麼說，關口指著對岸的梵字說：

「有那個啊。至少我看得到它。」

「您是說，眼見為憑，可以相信？」

「這才是最不可信的。」關口自嘲地說。「不管是自己的眼睛還是耳朵，我都不信。不過，事實上它就

註一：天海（一五三六～一六四三），江戶初期的天台宗僧人。受德川家康皈依重用，參與政務。家康死後，贈號家康「東照大權現」，將其改葬至日光山，並中興輪王寺。

註二：空海的發音為KUKAI，晃海為KOKAI。

在那裡，不是嗎？雖然不曉得從什麼時候就在，但現在它也在那裡。無論信不信，存在之物就是存在吧。」

確實，久住也看到了。

「那麼，不管是晃海上人派石工雕刻的，還是空海投筆刻上去的，都沒有多大的差別吧？都是人們如此傳說罷了。」

反倒是——關口說，瞇起了眼睛。

睫毛極為惹眼。

「據說這塊土地流傳，不動明王曾經顯靈在那塊岩石上。也因為這樣，聽說這處水潭的水聲聽起來像是『含慢』、『含慢』。」

久住側耳細聽，但只聽見種種噪音。

「只是人們錯覺……是嗎？」

「我也說不準。」

是幻影，也是幻聽吧——關口說。

「但我覺得空海的傳說，還有晃海上人命人雕刻梵字這些，都是建立在這樣的幻影之上。人們在那裡……」

看到了什麼？

真的看到什麼了嗎？

「自太古以來……許多人都在那裡看到了什麼吧。雖然不知道是做夢還是幻覺，但他們看到了某些神聖的、令人敬畏的事物。」

無論久住怎麼凝視……那裡都只有不知名的草木和岩石。

簡而言之——就是山。

「山既崇高又可怕啊。」關口說。「不是人類能夠匹敵的。面對山巨大的神祕，人們只能平伏祈求。這才是最原始的恐懼，也就是信仰吧？」

——也許如此。

樹木的名稱、草的種類那些都無關緊要嗎？

「那……和宗派也無關嗎？」

「對。就這個地點而言，應該是事後附會上去的吧。再說，任何事物，**名字本來就是後來才加上去的**。」

久住赫然驚覺。

確實如此。不管是鷹還是鳶，都只是人類如此命名而已。在人類命名更早以前，牠們就已經存在了。

做為一種大型鳥類。

不，連鳥都不是嗎？牠們就只是在天空翱翔的**某物**。是人類將其命名為鳥，分類為鷹或鳶。

即使人類沒有命名，**它們**依然存在。

但論到神佛，又是如何？

久住不知道世間有沒有神佛。縱然有，久住也沒有見過。若是不存在，就無從命名，即使空有名稱，若是看不見，也不知其形。

「可是，神祕體驗是很個人的吧？」久住說。

不論是幻影還是幻聽，都不是能與他人共享的。看到、聽見了什麼，只有當事人知道。

「沒什麼信仰、過著平淡無味人生的我什麼都看不見……但信仰虔誠的人，都能看到一樣的東西嗎？」

「看不到一樣的東西吧。」關口說。「每個人看到的都不同啊。因為實際上那裡就只有樹木和岩石。但只要放上不動明王這個名字……」

「就會看到一樣的東西？」

先有名嗎？會看到那個名字所規定的事物嗎？

就算是這樣。

「不……不會一樣呢。說是不動明王，每個人心目中想像的形象也不同吧。」

久住也不曉得不動明王正確的形姿。不動明王手持的物品、衣裳那些形式，應該自有一套細節。

「我覺得那不是重點。」關口說。「據說神佛會以形形色色的形象顯靈。那麼每個人看到的樣貌不同，也是天經地義。問題反倒在於把看到的東西解釋為什麼吧。並不是每個人都知道不動明王會顯靈在那裡。」

「確實……」

「看到了什麼，其實並不重要。不論有多少人看見、重複顯靈多少次，倘若解釋莫衷一是，也沒有用。因為那裡分明**什麼都沒有**。」

沒錯。久住什麼都看不到。

「所以晃海上人才會在那裡建起不動明王像，並要人雕刻梵字。佛像雖然被沖走了，但字留了下來。因為是直接雕刻在岩石上，所以留下來了。那些刻字……往後也會一直留存下去吧。」

能撐上多久呢？關口沒有對象地問著，就像在為此興嘆。

刻在石上的文字。

一定會在遙遠的未來磨滅，但不會輕易消失。

「起碼會撐得比我們的壽命還要久吧。好幾萬年前的土器、石器那些都能找到了。」

「好幾萬年前嗎……？」

關口的神情變得難受。久住揣摩不出文士的心境。

「即使是無形之物，只要像那樣雕刻在石上，也能固定下來……是吧？然後存續好幾萬年。至少看得懂那些字的人，就能想像出不動明王，是嗎？」

「嗯……」

關口的表情更加傷悲了。看起來也像是在強忍痛苦。

「……是啊，站在這裡的我們應該要看到的，或許不是那些字，而是在刻有那些字的岩石上顯靈的不動明王。」

水聲滔滔作響。

「我看不見啊。」久住回答。「因為我已經沾染了塵世的污垢了吧。我來到日光已經十天了，但不管是看到陽明門，還是參拜立木觀音，都只覺得好稀罕、好美、做工真精緻。就只是遊山玩水而已。」

「您已經在這裡待了十天啊？」關口說。「那家飯店不便宜吧？您是……」

關口的眼睛頓時浮現狐疑之色。

久住想，他是在疑惑自己的身分嗎？

久住投宿的飯店絕對不便宜。不僅不便宜，甚至堪稱高級。一兩晚也就罷了，能長期連續住宿，肯定家底雄厚。但。

「我可不是什麼資產階級。」久住回答。「我只是個小庶民，離高等遊民（註）那些遙遠得很。我只是個鬻文為生的無名小卒。」

「您……是文士嗎？」

「不不不，我不是關口老師那樣的小說家。說來見笑，我是個小劇團的專屬作家。」

「原來您寫戲曲嗎？」小說家敬佩地說。

這樣說並不算錯，但對於「寫戲曲」這樣的說法，久住不太有真實感。因為他認為自己只是在寫腳本——劇本——不，只是把劇情和台詞整理成文字罷了。劇情是開會討論出來的，台詞也幾乎都是配合演員來寫。一切都是以劇團演出為前提，久住甚至不覺得它們是自己的作品。

解釋起來很麻煩，因此他只說「不是那麼了不起的東西」。

「關口先生應該沒聽過，叫月晃劇團——唔，算是地下劇團。人數也很少，我和幕後人員加起來，只有十人上下，是個沒沒無聞、填不飽肚子的小劇團。」

久住說「您應該沒聽過吧」，關口回道「真抱歉」。久住覺得不知道是當然的。

「噯，不只是我們這種小劇團，就連頗有規模的大劇團，也都是慘澹經營。戲劇不是什麼賺大錢的營

註：高等遊民一詞流行於明治時代至昭和戰前時期，指接受過高等教育，經濟無虞，卻不事生產的人。

生，搞戲劇的每一個都半斤八兩。能靠這一行混飯吃的，是鳳毛麟角。每個人都在打零工或兼差，窮得像鬼一樣。」

「呃，可是……」

「噢，您一定會想，既然如此，我怎麼有辦法在這兒住上這麼多天？實不相瞞，我們劇團有個金主。有位鎌倉的大富豪資助我們。」

就是相撲界裡說的「谷町〔註〕」。

「從這個意義來說，我們劇團相當幸運。那家飯店也是那位富豪固定留宿的地方。否則像我這樣的窮光蛋，連一晚都住不起的。我是沾別人的光。」

話聲一停，便只剩下水聲。

聆聽著潺潺流水聲，便會陷入單純的噪音產生出律動般的錯覺。很快地，他甚至開始感受到節奏。

但怎麼聽都不是「含慢」真言聲。

一切都只是聽者內部的變化。水聲本身並沒有改變，問題在於久住聽起來像什麼吧。

久住大概沒有在這片潔淨無瑕的環境中發現神佛靈威的慧根。

關口沒有再追問下去。

是不感興趣吧。

「那麼，我也是一樣的。」關口說。「那間飯店的老闆，是我朋友的哥哥。我另一個朋友受輪王寺忘了叫什麼的單位委託，進行調查，在那裡長住，老闆的弟弟也說要同行，所以……我算是那個……」

跟班而已，關口說。

「我不是被出版社找來閉關寫作，也不是在籌思作品的構想。我只是陪朋友過來，遊山玩水，白吃白喝免錢觀光。」

「這樣啊……」

久住說「很讓人羨慕呢」，關口苦著臉說「沒有的事」。

「連一毛錢也沒出，跟占便宜還是小賊沒兩樣。這麼一想，別說轉換心情了，連一刻都無法心安。說穿了，我這個膽小鬼不管去到哪裡、不管做什麼，都只能像這樣畏首畏尾、首鼠兩端。」

久住心想。

這名小說家似乎有自虐的毛病。雖然沒有自暴自棄之感，卻是內省且陰沉的。也許他已經盡可能表現熱絡了，但還是十分勉強。

其實久住覺得自己也有相同的傾向，但不到這麼嚴重。

但對方先擺出這樣的態度，自己就沒辦法也來同一套了。久住還明白，再也沒有比較勁誰更自虐更難看的事了。

他斟酌該怎麼說，關口問他：「您是來參加集訓之類的活動嗎？」

「集訓？」

「哦，就劇團的……」

抱歉——關口不知為何道了歉。

「應該不是吧？」

「嗯，不是。沒辦法在那麼高級的飯店辦那種活動。劇團人那麼多，而且也沒必要選在觀光地區排戲。只有我一個人。我……」

是被軟禁了。

「我寫不出東西。」

沒錯，寫不出來。

「金主要我們挑戰更加突破的新嘗試。我們討論之後，決定編寫一部新作品。」

註：「谷町」是相撲力士的資助者。據傳語源來自於明治時期的大阪谷町有位熱愛相撲、免費為力士診治的醫師。

但窒礙難行。

「我完全寫不出來。公演預定是夏天，因此以時程來看，還綽有餘裕，但是待在租屋處，一邊打工一邊寫，實在是寫不出來。所以金主安排我住進那家飯店。」

「那，被抓來閉關寫作的人是您嘛。」

關口第一次露出真正的微笑。

「不不不，又沒有別的出版社搶著要我。這是名為轉換心情的逃避。金主要我估個一個月，設法寫出東西來，他的心意是很令人感激啦。」

「寫不出來嗎？」

「寫不出來呢。」

一個字都沒動。

「金主指定從能樂〔註一〕尋找題材。」

「能樂，是戴面具演戲的那個能嗎？」

「嗯……」

「那麼，是像郡虎彥的近代能那樣……」

「不。」

雖然是，但也不是。

郡虎彥是大正時期的劇作家，把能樂移植到現代戲劇，或改編成霍夫曼斯塔爾〔註二〕風格，而久住的劇團的金主似乎對此相當**不苟同**。他交代久住，在完成以前，絕對不許讀郡虎彥的劇本。

「金主強調，能不是劇情，也不是設定。他叫我萃取出純粹的概念，寫出一部前衛的戲劇……」

關口皺眉。

五官當中，只有眉毛意外地很濃。

「就算金主這樣要求……。其實，以前我也奉命在那間飯店閉關寫作過。當時的案子是改寫俄國的戲劇。不是翻譯，而是改寫，所以不管是設定、文化還是時代都必須換掉，並且貼近劇團的風格。」

「改編一定很難吧。必須保留骨幹，無法自由發揮。」

「不過換個角度來看，基本路線已經決定，這部分反而是無法變更的。劇情、台詞還有場景也是從一開始就有了，所以那次好歹是寫出來了。因此我原本拿穩了這次應該也能過關，沒想到寸步難行。首先……我不懂能。」

「我也沒有看過能。」關口說。

「我也是，覺得能就是高尚、深奧，看都沒有看過，就先入為止地感到排斥，敬而遠之，但似乎不是這樣的。能只要熟悉了，反而十分簡明易懂，但……」

愈是深入了解，就愈教人不懂。

「故事是懂，但我不明白為什麼要在舞台上搬演這樣的故事。就算要從能脫胎換骨，也抓不到要脫出什麼胎、換掉什麼骨。找不到改造成這個時代的戲劇的足夠動機。」

類似的東西，久住寫得出來。

但這樣就沒有重新創作的意義了。

最根本的問題是，他不懂能的**原理**。就算要他萃取出純粹的概念，他也一頭霧水。

「能是已經完成的表演藝術，無從更動了。所以原本的樣貌就夠完美了。」

「唔，也是呢。」關口虛軟地回應。

「是啊。而且討論之後選擇的，是《鴞》這部曲。我完全不懂這部作品該如何解釋。」

「鴞？」關口露出奇妙的表情。

註一：能樂是日本傳統舞台歌舞藝術，在十四世紀由世阿彌等人集大成。配合伴奏，由角色唱念及舞蹈演出劇情。特徵是演員皆配戴面具。

註二：霍夫曼斯塔爾（Hugo Laurenz August Hofmann von Hofmannsthal，一八七四～一九二九），奧地利詩人、小說家及劇作家。

「應該不是多有名的作品。」

「鵼是那個，古時候出現在皇居上空的怪鳥嗎？我記得有……猿、虎，還有什麼去了？狸嗎？還有……」

蛇嗎？

是蛇。

關口口中咕咕噥噥著，久住打斷他接著說：

「沒錯，就是您說的鵼。是一種怪物。」

「唔，是怪物吧。」

「世上不可能有那種拼接而成的生物嘛。不，連是不是生物都很難說。真要計較的話，河童那些妖怪感覺還比較有可能存在，對吧？」

「嗯……以生物來說，根本不成立嘛。」關口說。「雖然有奇美拉〔註〕這種東西，但動物當中也有嗎？應該沒有吧。雖然希臘神話裡出現的怪物，有不少是那種樣貌。」

「完全就像您說的。鵼……是怪物吧？」久住說。「世人不是都把這樣的東西稱為怪物嗎？」

「唔，我是不曉得怪物的定義啦……但說它是怪物，應該也不會有人提出異論。這麼說來，鵼也被拿來比喻神祕不明的事物呢。」

「就是啊。就算退讓百步，世上真有這種形態的生物，說它是鳥，也教人無法信服呢。是因為會飛，所以才說牠是鳥嗎？但既然是怪物，會飛天也沒什麼好奇怪的吧。龍和鬼也會飛，但人們不會說它們是鳥吧？」

「是這樣沒錯……」

——不對。

如果在天上飛，就算是鳥嗎？

不是吧。

世上沒有怪物。應該沒有。

即使有，也和神佛一樣，不可能是形而下的存在。

那麼。

不是真的會飛，只是**人們當做**它會飛罷了吧？不是為飛天之物命名，而是認定命名之物會飛。反正是怪物。

「我完全不懂。」久住說。

「我沒有實際進劇場看過能的演出，但知道一些戲碼。我記得能裡面有個類別叫『夢幻能』，對吧？在我淺薄的理解當中，有非人之物登場的能，就屬於夢幻能。」關口說。

「對，夢幻能的主角是所謂的幽靈，甚至是精靈或妖物，就算有怪物登場也不奇怪……但《鵺》這齣能，出現的好像是怪物的幽靈。」

在這個階段就已經莫名其妙了。

怪物應該不屬於這個世界。

既然如此，直接讓怪物登場就行了。

然而卻是讓怪物的幽靈登場，這到底是為什麼？

關口思忖了片刻。

久住說：

「幽靈也是怪物的一種吧？雖然我不清楚我的感性是否一般，但幽靈一樣是怪物啊。怪物又變成怪物，這到底是什麼狀態、又是怎麼個道理，我就是怎麼也參不透。」

「這個問題真難。」

關口的表情讓人想要關心他是不是鬧肚子疼。

「我認為這就是關鍵所在。對於夢幻能，我原本自有一套理解，但這下整個動搖了。或許我的認知根本

註：奇美拉（Chimera），也譯為凱美拉，為希臘神話中的怪物，現今成為不同生物混合而成的幻想生物的名稱。

大錯特錯。所以搞到我完全下不了筆。這十天以來，我就只是像這樣四處遛達。我為了逃避而來到此地，然後又在此地逃避。真是太不像話了。」

「我了解您的感受。我也——不，我才荒唐，連到底在逃避什麼都弄不清楚……啊，對了，和我同宿的朋友對這類事情異常精通，我把他介紹給您吧。」

這類事情是哪類事情？久住問，關口說是與妖魔鬼怪相關的一切。

「妖魔鬼怪？」

「哦，就信仰、咒術那些……我也不太會說，不過嗯，能、狂言〔註〕那些戲劇，也是那傢伙的領域吧。我記得他說今天下午要出門，應該還在飯店吧。」

要不要回飯店了？——關口提議。

「愈來愈冷了，會感冒的。」

「不……」

久住……不想回飯店。

「那個，其實，我雖然是為了逃避工作而出來的……」

這是真的。

「但工作那邊，嗯，還有二十天的時間，不管是在外頭閒晃，還是關在房間裡，都沒什麼差別。老實說，我打算就算寫不出像樣的東西，也要今天就開始動筆。」

可是。

「我會一大清早跑來這種地方，是為了別的理由。」

完全就是……逃避。

「您遇上了什麼麻煩嗎？」關口問，表情變得險峻。

要說麻煩……確實是麻煩。

「該怎麼說才好呢？實不相瞞，我是在躲那家飯店的員工。我不想見到那個人。」

「這……又是為什麼？」

「這實在不好解釋，不過那個人……」

說她殺了人——久住說。

註：廣義的能樂包括能與狂言，狂言是滑稽的台詞劇，演員較少戴面具。

虎（一）

是鳥。
原以為遠方有嬰兒在啼哭，結果似乎是鳥啼聲。不可能會有嬰兒邊哭邊往上空遠離。
絕對是鳥。
也覺得走廊深處的窗戶有影子一晃而過。即使在這樣的市區裡，也是有鳥的。
也許是為了通風，窗戶半敞，因此走廊相當寒冷。
看不出是老派還是新潮。鑲嵌著彩色玻璃的門就像教堂的玻璃花窗，營造出古色古香的印象，但要說時尚，也確實頗為時尚。
建築物本身很新。應該是戰後興建的。但也不可能是刻意建得老式。只是有那種味道而已，樣式並不傳統。是地板石材與色澤使然嗎？也許是樓梯扶手、窗戶的形狀、照明燈具和金屬零件的造型予人這樣的感覺。
御廚富美想著這些。
門上的彩色玻璃，同樣以看不出時髦還是古舊的字體寫著七個字。
玫瑰十字偵探社──
這名稱有什麼歷史或來歷嗎？還是在胡鬧？又或是想要裝模作樣卻失敗了？一樣猜不透。
御廚的指尖伸向門把，一陣躊躇。
不管是地點還是名稱，所有的一切都陰陽怪氣。
十足可疑。一般來說，感覺可疑，就先停下來觀望，才是正確的反應吧。
但御廚這個人向來對這類預感漫不經心。
御廚生性樂天。她有這樣的自覺，而這樣的天性肯定也強烈地影響了她的言行。但不光是這樣而已。御廚過去的人生難說順遂。也許應該說，御廚的樂天，是為了克服這些逆境而學到的一套處世之法。

不幸是沒有道理可言的。不管再怎麼小心謹慎，不幸要找上門，想躲都沒得躲。

既然如此，與其疑神疑鬼、惶惶終日、灰心喪志地過日子，倒不如盡力摒除負面感情，樂天知命地活下去更好。不知何時開始，御廚要自己切換成這樣的心態。當然，不安與悲傷並不會因此就消失。儘管如此，若是不用這樣的心態面對，日子實在過不下去。

她也不知道自己算是大膽、遲鈍，或只是看破。

御廚隨手打開了門。

門一開，便響起匡噹一道鈴聲，御廚嚇得往後一跳。

「有何貴幹？」

御廚前屈一探，像是會客區的沙發上坐著一名尖下巴男子，露出受驚小動物般的表情看著她。

「咦？推銷醬菜的話不用了。託您的福，上回買的還剩下一大堆。」

「醬菜？」

「味道是還不錯啦，但也吃不了那麼多。」

自己到底哪裡像賣醬菜的了？御廚不曉得推銷醬菜的人作何打扮，但至少自己的穿著相當普通，應該怎麼看都不像推銷東西的。她覺得自己並沒有奇裝異服。

「咦？」

御廚窮於回答，只是杵在原地，男子目光游移起來，說：

「啊……不是賣醬菜的？哎呀呀……不是上回來的那個人呢。妳不是信州來的……」

「我是從五反田來的。」

「啊呀，失禮了。」男子站了起來。「因為氣質滿像的。啊，有賣醬菜的會上門推銷啦。我是覺得在這種大學城、而且還是向商家或事務所兜售醬菜，也賣不出去吧。其實就是讓人這麼以為的手段喔。裝出一副剛從山裡進城的純樸村姑模樣……」

「喔……」

「啊，其實前些日子，我們這兒愛湊熱鬧又老好人的打雜小弟被賣醬菜的拐了，買了一大堆醬菜呢。我還以為是那時候的人又上門了……」

「賣醬菜的人是什麼打扮？背著木桶子還是什麼嗎？」御廚問。

怎麼會拋開原本的目的，主動攪和這雞零狗碎的話題，御廚自己也說不出個所以然。不過可以肯定，她當下覺得這個話題似乎有些好玩。

「沒有背桶子。」男子立即反應。「看上去就是個普通婦人……不過有種長屋〔註〕苦媳婦的氣質。像這樣，繫條圍裙，該怎麼形容好呢？有種為柴米油鹽勞苦的感覺……」

「意思是……我看起來也一副勞苦樣嗎？」

男子張嘴，又隨即閉上。

「我、我說為柴米油鹽勞苦，呃、不是貶意，啊，意思是沒有生意人的油條樣，而是腳踏實地，充滿生活感……啊。」

可能是自己也覺得愈描愈黑，男子站起來低頭行禮說了聲「對不起」。但御廚並沒有生氣，因此對方道歉，她也不知該如何回應。

男子低下的頭要抬不抬，討好似地看向御廚，問：

「那……請問有何貴幹？」

為什麼非詢問來意不可呢？難道拜訪這間事務所的人，推銷員比委託案子的客戶還要多嗎？

「請問，這裡是偵探事務所吧？」

「是偵探事務所沒錯，這怎麼了嗎？」

「我是……來委託案子的。」

「嗄？」

「難道這裡不接生客嗎？」

男子的臉左右微微擺動，長長的劉海蓋在額頭上掃拂著。

「沒、沒這回事。偵探事務所的客人多半都是生客，沒有熟客的。要是三天兩頭就向偵探事務求助，那真的很怪。很少有人每個月都有親人失蹤、每星期丈夫外遇，或身邊每個人都很可疑的。大部分都只會交關一次。因為妳想想嘛，讓人想要委託偵探的可疑狀況，一輩子遇到一次就夠了，要是天天發生，誰吃得消呢？」

「喔……」

那，為什麼男子看到她會一臉詫異？

「哦，因為敝事務所呢，沒有掛招牌，也沒有打廣告發傳單，怎麼說呢，就是……」

您要委託哪類事情？男子話鋒一轉。

「哪類事情？」

「喔，就是要調查品行，還是調查身家？」

「我想要找人。」

御廚說。話聲未落，男子已經滿臉堆笑：

「啊，尋人，是嗎？既然如此，早說嘛。哎呀，三番兩次失禮了，真是抱歉。既然是要委託案子，請別站在那兒，裡面請裡面請。」

御廚並不是自己喜歡才杵在門口的。

「來來來請進來，順手把門帶上吧。外頭很冷，會感冒的。我也很冷，而且暖氣都跑光了。」

這年頭，看醫生也是筆不小的開銷啊——男子油腔滑調地說著。

御廚順著對方勸坐，在沙發坐下來。

註：長屋是連棟的平房，在江戶時代，多為窮人百姓所居住。

男子賊笑著，搖晃劉海。

要是手上有把剪刀，真想一刀剪下去。御廚在叔叔家長大，叔叔家就是開理髮廳的。可能也是時代的關係，那時候不管是大人還是小孩，只要是落在額上的劉海，都會被叔叔的剪刀給一刀兩斷。

「不好意思，打雜的出門了，咖啡或紅茶都沒法招待。」

御廚不是來喝茶的。

這個人態度熱絡，但做事似乎不得要領，而且感覺很隨便，還是十足可疑。御廚不知該如何反應，先報上自己的姓名。

「喔，御廚……小姐。字怎麼寫？啊，玉？喔，御啊，加上廚房的廚啊。筆畫好多呢。啊，我叫益田。利益的益，田地的田。名片還在印。對了……」

請問是哪位介紹的嗎？益田問。

「需、需要介紹信嗎？」

「不用不用，只是就像我剛才說的，敝事務所沒掛招牌，也沒發傳單，完全不做任何宣傳廣告，所以上門的多半都是有人介紹來的。看是哪位介紹……」

「待遇會不同嗎？」

「敝事務所才不會那麼沒格調呢。只是介紹人涉及的案子，會大大地影響對敝事務所的觀感……」

「影響觀感？什麼意思？」

「哦，不是褒貶毀譽那些，而是依據案子，偵探辦案的方式各有不同……」

聽不懂。

「是黑川玉枝小姐介紹我來的。」御廚說。

「黑川？我想想，這名字好耳熟啊……啊，是去年的。噢，是要找她的同居人，對吧。司先生帶來的那位護士小姐啊。」

御廚不知道司是誰。

「那，您要找誰呢？」
「您是偵探嗎？」
「不……」
益田的視線轉向大桌子那裡。
紫檀木桌上有個三角錐，上面寫著字。但因為逆光，看不清楚。
「偵探長正在休假。我是助手……哦，就是普通的偵探啦。尋找失物或調查那些，主要都由我負責，請放心。」
「我很擔心。」御廚說。
「很……很擔心嗎？我想也是……」
「我想也是？」
「換成我是委託人，要是遇到我招呼，也會有點擔心。不過這是誤解。我雖然為人輕浮，但盡忠職守。而且啊，偵探長只處理殺人綁架那些，總之是我們這些低賤的小角色搞不定的大案子，而且他完全不調查或搜索。」
「不調查也不搜索？」
「沒錯。」益田說。「敝事務所的偵探長，他的偵探手法極為特殊。因為太過特殊了，我連說明都不想……不過他很優秀。這一點我可以打包票。」
這種老王賣瓜的自賣自誇，實在無法教人心悅誠服。
「看您一副不信的樣子。」益田說。「真的，這幾年的大案子、棘手案子，幾乎都是敝事務所解決的喔。像去年，從箱根山的連續僧侶命案到連續潰眼魔、絞殺魔命案，還有白樺湖的新娘命案，連大磯的連續毒殺案，都是咱們事務所偵探長破的案。再往前回溯，就連那起武藏野分屍案，還有逗子灣的首級事件……」
「這裡專辦殺人命案嗎？」
「天大的誤會。喏，伊豆不是發生過一起和新興宗教有關的大動亂嗎？那起風波也是咱們偵探長解決的，町田的美術品竊盜集團落網、赤坂的古董贗品案，都有偵探長參與協助，還有通產省官員的貪污案……」

「這麼說來，我在報上看到，有個招財貓強盜……」

「那個案子有點微妙。」益田含糊地說。「雖然算是解決了啦。所以了，您大可以全盤信任我們事務所。請儘管委託吧。」

「可是，我要委託的不是那類大案子……」

「我理解。那類大案子呢，是目前正在休假的偵探長的專門。一般的偵探業務都是由我負責。我反倒是對命案那類敬謝不敏。不管是走失的烏龜還是小蟲，要我去找什麼都沒問題。雖然沒上過報，但我是有實績的。」

「烏龜會走失嗎？」

「雖然很罕見，但烏龜是會走失的。但一般偵探才不會去找什麼烏龜，就算真的去找，也不可能找到。所以了，找東西我很拿手。偵探長那邊，不管是手法還是負責的案例都很特殊，但我的業務極為普通又安心。」

益田扭曲兩片薄唇笑了。

御廚覺得找烏龜也夠特殊了。

益田突然正色，問：「難道御廚小姐想要回去了？」

御廚確實有一半想要打道回府了，也有些作勢要起身，因此坦白地應說「嗯，是啊」。

「不必這麼急著走啊。就算投靠其他地方，也不會有好事的。便宜的地方做事馬虎，不可信賴，要是追求信賴，價格就沒有上限。敝事務所值得信賴，收費又實惠。像黑川小姐的老公，我們也替她找到啦。」

「黑川小姐那時候，是哪位負責的？」

「這也有些微妙呢。」益田回答。「這件事和另一個案子密切相關。是我剛才提到的，和伊豆的動亂有關的案子。這世上是很複雜離奇的，御廚小姐。不過我們成功為黑川小姐找到她的同居人了。應該說，那個人……那個人叫什麼去了……？」

「名字不重要，我不太清楚黑川小姐的另一半。這麼說來，她好像提過她被捲入了什麼重大事件，但我沒有聽說詳情。只是，這是我無意間聽到的，聽說黑川小姐以前任職的私人醫院也出過事，然後也是這邊的偵探解決的。」

「是久遠寺醫院呢，雜司谷那裡的。」

「您知道呢。那邊的案子又是誰解決的呢？」

「那是特殊案子，和我無關。應該說，那個時候我還不是偵探，是警察官。」

「您本來是警察？」

「託您的福，我本來是警察。」

不是檢察官轉任律師，是刑警轉任偵探喔——益田說，但御廚聽不懂他想表達什麼。

「我本來是公僕，所以更值得信賴喔，對吧？那，您要找什麼人呢？」

不，是他輕薄的態度不斷地在削弱他的信賴度——御廚強烈地這麼想。儘管這麼想，但確實可疑到了一個程度，反而讓人覺得都無所謂了。再繼續瞎耗下去，又會繞上一圈，再次覺得可疑吧。因此御廚立下決心說出委託內容。

「我工作的地方的老闆失蹤了。」

「您工作的地方。您在哪裡高就呢？」

益田打開記事本。

「啊，我會做筆記，但結案之後就會銷毀。偵探有保密義務，會保護個人資訊。喏，您看，我的記事本都破破爛爛了。我都會撕掉拿去燒個一乾二淨。這本破破爛爛的手帳，就是我的工作的量與信用的保證。」

「喔……」

「那，您在哪裡上班？」

「雜司谷的寒川藥局。」

「是賣藥的啊。」

「是賣藥的沒錯……不過我的工作是照著醫生開的處方箋，配藥給病患。」

「那麼，御廚小姐不是店員，而是有執照的藥劑師呢，那，您說藥局的經營者失蹤了？」

「算是經營者嗎……」

御廚聽說，寒川藥局原本是久遠寺醫院開的院外處方藥局。但是隨著久遠寺醫院縮小規模，戰前將經營分離出去，獨立開業。有段時間專屬於久遠寺醫院，但戰後醫院似乎變成了產科專門。正當藥局就要開不下去的時候，在那裡當藥劑師的寒川把它買了下來。後來藥局與鄰近新開的綜合醫院配合，直到現在。也就是說，御廚工作的地點是寒川的藥局，但不太有是寒川在經營的感覺。

「世界真是小啊。」益田說。「前年的事件我是不知道，但久遠寺醫院的院長我很熟。是個風趣的禿頭老先生，對吧？」

「我幾乎沒見過院長。」

長相依稀有印象，但應該不曾交談過。

「我進去寒川藥局工作以後，沒多久就出了那件事……」

御廚不知道事件細節，但當時轟動社會，因此印象深刻。久遠寺醫院飽受毀謗中傷，也遭到惡質的騷擾。寒川藥局也遭到波及，處境艱難。但寒川說久遠寺院長很照顧他，對該起事件隻字不提。不管是問他或是談論那件事，都成了禁忌。

愈禁止愈想知道，或許才是人之常情。但御廚在這部分相當遲鈍，也沒有接觸到來自外界的風言風語。就算知道了也不能如何。

「久遠寺醫院一眨眼就關掉了，院長也待不下去……」

「唉，那真是一起令人難過的事件呢。雖然久遠寺院長說還想在別的地方東山再起。」益田說。

「喔……。所以說，我不認識院長，但黑川小姐在找到下一個任職的醫院前，在我們藥局幫忙過一個月左右。所以我們到現在還是會互通音信。」

「這個世界真的太小啦。」益田寫著筆記說。「該說是惡緣還是孽緣呢？真是有緣千里來相會，無緣對面不相逢啊。那麼，那位寒川先生……」
「他叫寒川秀巳。」
「秀、巳、先、生……」
「優秀的秀、十二干支的巳。」
御廚在益田詢問之前主動說明。
「這位秀巳先生失蹤多久了？」
「已經超過一個月了。」
「這麼久？店裡一定很困擾吧。」
「店裡有會計，除了我之外，還有另一名藥劑師，所以還應付得來。」
「完全沒有聯絡？」
「沒有。」
「報警了嗎？」
「有去報失蹤了。」
「這樣。秀巳先生幾歲？」
「不清楚，應該四十多吧。」
「不清楚正確年齡嗎？對了，報失蹤是您去處理的嗎？秀巳先生有家人嗎？」
「他單身。」
「難道是獨居？唔……」
「有什麼問題嗎？」御廚問，益田說「也不算問題」。
「年過不惑的光棍就算不見，也沒什麼緊急性嘛。這要是小孩子失蹤，警方應該會立刻布下天羅地網全面搜索……我想警方應該懶得處理吧？」
「警方是受理報案了。」

「受理了嗎？不過，接下來一定就像石沉大海吧？都是這樣的啦。基本上，失蹤報案的對象都是離家出走的人，如果沒有被捲入犯罪的危險，警方不會主動找人。若是有可能自殺，或是有遭到綁架的嫌疑，又或是遇難，那另當別論……」

「可是，人就是不見了，警方難道不會懷疑是被捲入犯罪，或是遭遇事故嗎？」

「要看情況呢。既然受理，表示也沒有排除被捲入犯罪的可能性吧。若是失蹤前後發生過什麼讓人這麼懷疑的事也就罷了……有嗎？」

「我覺得有。」

御廚認為，跡象太過明確了。

只是……她不認為寒川涉入了犯罪，而且寒川也確實是出於自己的意志，自發性離開的。但她依然認為一定發生了──正在發生某些事。

「可以進一步說明嗎？」益田探出上半身說。

「好……。我沒辦法說明得很好，因為整件事實在很亂，我應該照順序來說嗎？」

「照順序來吧。」益田說。

「寒川先生好像在調查他父親的事。」

寒川的父親在二十年前死於意外事故。

關於這件事，御廚聽寒川本人詳細說過幾次，但她沒有把握連細節都記得一清二楚。因為雖然也不是聽得心不在焉，卻也沒有刻意去記住。

「二十年前，是昭和九年嗎？」

「對。寒川先生的父親是一名植物學家，他在外地旅行的時候，為了採集植物還是什麼，墜崖過世了。」

「摔死的嗎？是事故吧？」

「嗯……」

「不是嗎？是、是被人推下去的嗎？」

「好像不是，寒川先生好像也沒有懷疑，但似乎有些奇怪的疑點……」

寒川接獲父親橫死的消息，趕到當地。

遺體不在警局，而是被安置在村郊的診所。據說頭部破裂，頸骨折斷，死狀淒慘。

「診所？表示發現的時候還有氣嗎？不過那種狀態不可能還活著吧？如果是非自然死亡，一般不是都會送到警局嗎？還是警察署離現場太遠？」

「這我就不清楚了，不過這很奇怪，對吧？」

「算奇怪嗎？嗯，也不能說絕對不可能有這種事啦。」

「這樣嗎？可是寒川先生說，如果是受傷也就罷了，但一看就已經死掉的人，還會再送去診所嗎？」

「一般會直接報警呢。」益田說。「現在的話會叫救護車，就算是當時，也是叫警察。」

「可是，聽說發現的人把遺體搬到診所去了。山上的話，應該也沒有電話，所以或許這是沒辦法的事。」

「是發現的人把遺體搬過去的？這還真是……唔，也許是一時驚慌，但就算是這樣，還是有點怪呢。」

「可是寒川先生當時好像也不怎麼覺得奇怪。他說他覺得就是這樣的。」

「哦，不是說不可能有那種事，而且也不是頻繁發生的狀況嘛。當然會覺得就是這樣的吧。」

「我覺得換成是我，也會這麼想。可是因為這樣，首先連墜崖地點在哪裡都不知道了。」

「什麼？發現者呢？」

「聽說把遺體搬到診所後就走了。」

「這確實很可疑呢。一般都會留到警方到場吧？就算在趕時間、有什麼理由非走不可，也會留個身分和聯絡方式吧。畢竟人死事大耶，不是受傷而已。這樣的話，若不進行現場勘驗，連到底是事故還是犯罪都不曉得了。」

「果然……很奇怪呢。」

御廚又說了一次，益田鸚鵡學舌地回應「很奇怪呢」。

「也不是奇怪，感覺就是很不自然。」

「可是，也有人不想牽扯上麻煩吧？」

「七成的人都不想惹麻煩。」益田說。「就算報警，也不想報出名字。不過要是怕麻煩的人，一開始根本就不會把屍體搬過去了吧。」

「會不會是因為不忍心？」

「不，我前面也說過好幾次，受傷的話另當別論。可是沒有人腦袋破裂、脖子都斷了，還能活著的。只是看到，或許無法判別，但實際搬運的話，都直接摸到屍體了，絕對會知道人已經死透了。」

御廚也有同感。

「假設喔，這要是命案的話，那個發現者也有可能是凶手，是想要湮滅犯行。那麼問題就大了。不管有沒有殺意，總之人都死了嘛。寒川先生是……要查清楚這一點？」

「不是的。」御廚說。

她明白是自己的說明太拙劣，但益田這個人似乎有些愛急著下結論。

「那是一起事故。」

「怎麼知道是事故？」

「聽說警方滴水不漏地查遍了周邊一帶，從遺留物品之類的查出了墜落地點。是離診所有些遠的懸崖。」

「原來警方查過啦。不，當然會查吧。也有可能是殺人，不可能就這樣算了嘛。可是，這樣的話……」

「所以說，那是一起事故。」

警方好像斷定是事故。

「那，現場找到了，警方也勘驗過現場了，然後得出沒有犯罪嫌疑的結論，是嗎？」

御廚是這麼聽說的。

但是。

「問題好像是後來。寒川先生接到了他過世的父親寄給他的明信片。」

「死人的來信！」

「不是的……」

那樣就變成鬼故事了。怪談那類，是御廚最害怕的東西。

明信片當然是生前寄出的。御廚也實際看過，是一紙泛黃老舊的明信片，寫著整整齊齊的小字。

「寒川先生的父親好像參加了某種調查團。不過寒川先生也不曉得父親是在調查什麼。然後他父親好像在過世前一天寄出了那張明信片。」

「然後信在過世之後寄到了？」

「對，因為是在旅行的地點寄出的，寒川先生又為了後續處理，忙了很久……好像等到遺體火化，他回到東京以後，才收到明信片。」

「這個啊……」

瞬間，益田露出陰暗的表情。

御廚感覺，這稍縱即逝的黑暗，才是眼前這個人的本性。

超乎必要的輕佻油滑，會不會是為了掩飾這種本性的演技？若是如此，也並非難以理解。因為御廚自己也都不去深思——**假裝**不去深思，藉此遮瞞種種，才能勉強走下去。

「明信片上寫了什麼？」益田問。

「正確內容我不記得了，大意是說調查進展不太順利，還有發現了什麼**棘手之物**……」

沒錯，**棘手之物**。

「棘手之物？什麼東西？」

「不知道。可是，寒川先生非常在意這件事……寒川先生說，他的父親有可能就是去調查那棘手之物，才會墜崖身亡。」

「寒川先生的父親是植物學家，對吧？那，那個棘手的東西，也是植物嗎？懸崖峭壁也會長一些草啊樹的，對吧？」

不知道。

御廚不可能知道。但……

「寒川先生說不是。」

「不是嗎？」

「對……您一直催我，我會混亂的，請讓我照順序說。總之，寒川先生的父親似乎為人謹慎……」

寒川一再強調，父親不可能那麼魯莽，獨自一個人——而且是在三更半夜，跑到地勢危險的懸崖邊。

而且，寒川請人帶他去發現遺體的現場時，也只是從底下仰望，並未登上懸崖。他相信警方判斷是事故的見解。

所以他似乎認為，就算爬上懸崖也沒用。光是抬頭一看，就知道那地方有多危險了。在那個當下，寒川並不曉得父親所說的棘手之物。

然而。

既然知道有那樣的東西，他認為與父親之死絕對脫不了關係。但警方都已經做出事故死亡的結論，就算報警，也不會有幫助吧。

即使兩者有關，既然警方斷定是事故，應該有什麼根據才對。

假設那裡有什麼，不管那是什麼，一定都是它害得父親失足滑落的。

「棘手」這樣的說法也很模糊。這裡的棘手，應該是指對寒川的父親而言的棘手。是生長著珍奇的植物？或是別的東西？——無論是什麼，寒川都不認為警方會因此改變結論。

因此寒川經過一番猶豫及深思之後，不管是明信片的內容，甚至是收到明信片一事，都沒有告知警方。

因為在那個當下，父親之死已經是過去的事了。

或許一方面也是因為現場距離遙遠。

當時寒川應該還是學生。雖然御廚不可能知道他當時是什麼樣的經濟狀況，但突然變成孤兒，同時又要完成學業，應該相當辛苦。

中間隔了一場大戰，戰後寒川應該為了重建藥局而奔波。等到經營上了軌道，生活穩定下來後，寒川秀已才總算有工夫重新面對父親死亡的疑點吧。

寒川這樣的心境變化，當然只是御廚的猜測。或許是有某些契機，讓寒川對父親的死再次興起了疑念。但就算真是如此，御廚也不知道那個契機是什麼。

御廚就是在那個時候——寒川藥局開始與綜合醫院配合以後，才認識寒川的。當時寒川已經對父親的死亡感到疑問了。

「那麼，寒川先生是經過十幾年後回頭想想，覺得還是不對勁，是嗎？」

「就是這樣吧。」

寒川每隔三個月，會去父親的墓上香一次。

御廚原以為寒川本來就信仰虔誠，但其實不是，這上香的習慣，似乎是從他開始懷疑父親死因那個時期開始的。

同時，寒川也一得空就四處出門調查。他會去公所，有時去圖書館，有時瞪著一大疊文件沉吟。御廚看著他那副模樣，以為是藥局經營狀況不佳，讓他苦惱，但她完全想錯了。寒川是在思索父親的死，絞盡腦汁。

「噢噢……」益田摸了摸尖細的下巴。「可是您說調查，沒去到當地，是要怎麼調查、又在調查些什麼呢？我不認為隨便一家圖書館，可以得到詳細的事故紀錄。」

「是的。寒川先生好像不是在調查事故本身，而是在調查他父親當時在做些什麼。」

棘手之物……

寒川是想要知道那到底是什麼吧。

「我不清楚詳情，但好像是受到公家機關——國家或縣政府這類地方的委託，調查……那叫什麼？植被嗎？調查花草樹木的種類和分布那些。」

「國家會委託這樣的事嗎？」

御廚也不確定。她只是聽寒川如此說明。

「然後發現了什麼嗎？」益田問。「那是戰前的事了呢。嗯，如果是官方調查，或許是會留下某些紀錄。」

「似乎查到了不少事，但不知道與事故——或者說與那個棘手的東西之間有什麼關聯。然後……」

去年夏季。

大概是盂蘭盆節期間，或是稍早之前。

去掃墓回來的寒川顯得莫名激動。

「寒川先生說他在父親的墓前偶然遇到了一個人。」

「遇到一個人？」

「嗯，寒川先生說，那個人不是家族的親朋好友，卻在祭拜寒川先生的父親的墓。」

「不是親朋好友？那不就是陌生人了嗎？」

「寒川先生說是不認識的人。」

益田歪起細眉，嘴巴半張：

「呃，就算正值盂蘭盆節祭祖期間，沒事會跑去祭拜不認識的人的墓嗎？也有人有這樣的嗜好嗎？如果是歷史名人的墓，可能是會有掃苔家〔註〕那類人去祭拜，但寒川先生的父親並不是吧？難不成寒川家的祖先出過什麼名人？」

「寒川先生說，他們家的墓，是母親過世時父親建的，墓裡應該只有他的父母。」

「那……」益田整個人後仰。「那個人是誰？」

「寒川先生說……是一位在下谷當佛師的先生。」

「佛師？佛師是雕刻佛像的人嗎？那樣的話，唔，感覺的確是會出現在寺院或墓地——完全是感覺啦。可是就算是這樣，這怎麼會讓他那麼激動呢？」

御廚發現了一件事。益田的附和感覺很敷衍隨便，而且也的確話太多，但奇妙的是，並不會妨礙到對方說話。這也是偵探的辦案手法嗎？在一旁碎嘴，好探聽出關鍵證詞的手法。

「這一樣不清楚細節，但那個人好像和寒川先生一樣，在追查過去的某個事件。」

「事件？」

「是的。然後那個人查到，寒川先生的父親和那起事件似乎有關。可是寒川先生的父親已經亡故，所以才過來他的墳前祭拜。」

「可是，」益田把身體後仰得更厲害。「墳墓又不會說話。」

益田伸出握拳的手，頻頻扭轉手腕。

好像是在模仿用長柄杓為墓石澆水的動作。

「就算潑水上去，墳墓也不會從實招來。得叫靈媒來才管用啦。雖然就算找來靈媒，也幾乎都是冒牌貨。再說，要是真的能召喚死人的靈，應該也不用去什麼墓地。不對，掃墓不是為了從死人那裡問出什麼，而是祭拜的人去報告什麼吧，述說追思的心意那些。對調查一點幫助也沒有吧？但……還是會去墳前嗎？」

「就算問我……」

「是去向和尚打聽事情，順道拜一下嗎？」益田說，這回扭轉脖子。「啊，抱歉，我這人就愛打斷別人話頭。雖然多少有點自覺啦。我會節制。就是，案件調查是我的老本行，所以忍不住想多說兩句。話說回來……」

佛師怎麼會在調查什麼事件？益田問。

「最近偵探小說好像相當風行，平民偵探那些或許也愈來愈不稀罕了，不過佛師啊……。佛師不是會頻繁跟人打交道的生意吧？都是像這樣，拿著鑿子槌子敲敲打打……」

「您又離題了吧？」

益田「啊」了一聲，雙手摀住嘴巴。

「確實，我又打斷您了。可是啊……」

註：掃苔為日文中掃墓的代稱，以祭拜歷史名人的墓地為愛好的人，稱為「掃苔家」。

「我了解您想說什麼，但我也只是聽寒川先生這樣告訴我，那個人為什麼要去上香、連這件事是真是假都不清楚。」

「說的也是呢。」

抱歉——益田上身前傾行了個禮。劉海又垂下來了，還是好想剪掉。

「只是，那個……」

「您再辯解下去，會更沒完沒了吧。」

「所言甚是。」益田有些萎靡。「那，請教一下，您知道那位佛師在打聽的事件，是怎樣的事件嗎？」

「聽說……是和他父母有關的事件。」

寒川是這麼說的。

聽說那名佛師的父母遭人殺害。而且遇害的時間，同樣是在二十年前的昭和九年。

「命案！」益田抱住了頭。「會私下調查，表示命案未破，或是對警方調查出來的結果有疑慮呢……」

應該是吧。

「二十年前的話，也已經過了追訴期了嘛。就算現在找到凶手……呃，不是這種問題呢。若是殺親之仇，當然會想要揪出來吧。」

益田又露出方才稍縱即逝的那種陰鬱無比的表情。

接著他說「抱歉，讓我再離題一下」。

「雖然不該對初次見面的您說這種話，但我實在討厭殺人案。」

益田這麼說。

「雖然應該也沒有人喜歡吧。首先，我因為手無縛雞之力，所以向來徹底避免暴力問題。我討厭皮肉痛，也害怕見血。更重要的是，關乎生死的問題，對我太沉重了。託您的福，我這人器量很小，實在是經受不起。」

「經受不起？」

「對。嗳，我連自己都穩不住、應付不了了，這樣的人再去瞎攪和什麼命案，當事人也吃不消吧？問題就已經夠嚴重了嘛。所以，這也是我辭去警職的主因。至於我怎麼又會跑來當什麼偵探，因為就算閉上眼睛，摀住耳朵……」

存在的東西就是存在，益田說。

「不會消失不見，對吧？所以我想既然如此，至少就待在看得見、聽得到的地方吧。因為我是個窩囊廢、膽小鬼嘛。可是唉……」

怎麼樣就是擺脫不了啊——益田說。

「像去年，才剛年初，就眼睜睜看到好幾個和尚被殺。我就是不想看到人死才不幹刑警的，然而就像我剛才說的，轉職以後，周遭一樣繼續有人遇害。真是太可怕了。現在也是，喏，不是有試刀魔在街上横行嗎？昨天在世田谷還是哪裡也有人被砍，對吧？所以我變得有點神經兮兮了。」

真對不起——益田再次搖晃劉海。

雖然模模糊糊，但益田說的，御廚似乎也能夠理解。

遇上命案，而且被害人是自己的親人，這絕對是非同小可的經歷。這不難想像。但這也就是說，對於非當事人的御廚而言，那只能是想像。

而寒川的失蹤並非想像，而是御廚直接面對的現實。對現在的御廚而言，最應該優先的，是確定寒川的下落及安危。

這種情況，問題不在於哪一邊比較嚴重、哪一邊更難熬吧。這樣的比較毫無意義。命案絕對不是可以等閒視之的小事，但對御廚而言，寒川的失蹤，同樣是十足沉重的大事。

所以。

輕易地把他人的苦惱往自己身上攬，有多大的意義？御廚不明白。

而且那還是非同小可的大事，更是難以明白了。

不管御廚再怎麼同情，當事人也不會知道，就算知道了，也沒有任何幫助。倘若御廚具備解決問題的智慧，或許狀況會有所不同，但御廚並沒有這樣的能力。

因此儘管感到有些心虛，但御廚還是不想和這件事扯上關係。也許她心中隱隱覺得，未曾謀面的人的問題——不管那是多麼嚴重的問題——老實說對她都無所謂。

她覺得如果益田是窩囊廢、膽小鬼，那麼自己應該也差不了多少。

「所以如果能夠，我想要遠離殺人案。這類案子……」

益田再次望向桌上的三角錐。

「是偵探長的職責範圍。我專門處理此外的案子。那麼，我確認一下，這次的委託，和那樁命案沒有直接的關聯……對吧？」

「嗯，我想應該是沒有直接關聯。」

真的是這樣嗎？

不過。

「我覺得應該也不是完全無關。而且我也不確定您說的直接，是什麼定義。」

「哦，就是比方說，那位失蹤的寒川先生就是凶手……」

不可能吧。

說到寒川的反應，對於在墓前遇到那位先生，他感到十分開心的樣子。如果寒川是凶手，就算早已過了追訴期，遇到自己親手殺害的人的兒子，有辦法心平氣和嗎？

更重要的是，如果對方指出寒川就是凶手，對方的問題當下就獲得解決了吧？御廚這麼說，益田含糊不清地應著「也是」。

「對了，哦，會不會寒川先生過世的父親就是凶手……」

「這我就不知道了……但這也不太可能。」

「是啊，也是呢。寒川先生的父親，也是在那位佛師的父母遇害的那一年過世的呢。而且死因可疑。那麼，寒川先生的父親也是遭人殺害……嗎？被同一名凶手？」

「請不要問我。」

寒川對父親的死存疑，這件事是確定的吧。但御廚實在不認為寒川設想的情節，有益田說的那麼單純。

「我不清楚，但一定不是。」

「不是嗎？那麼……不是凶手，也不是被害人，而且已經過世的話，我覺得好像扯不上關係耶。」

「那個人——我記得好像姓笹……笹村，對，笹村先生，他說他是從遇害的父親留下的筆記本，找到寒川先生的父親的。」

「筆記本？」

益田望向自己的手。

「益田先生正在筆記呢。」

「對啊。雜七雜八，什麼都寫。因為我這個凡人不知道哪些資訊有用、線索隱藏在哪裡。」

「直接把內容讀出來，我聽得懂嗎？」

「直接讀出來？」

益田把記事本在眼前攤開來。

「不，這不是通順的文章。拉了一堆線，畫了一堆圈，亂七八糟的。連我自己讀了——唔，我自己是看得懂啦，畢竟是我寫的嘛。但就算別人來讀，也只看得出一些單字，像是寒川啊、笹村啊、掃墓啊、植物……啊，我省略了『學家』。」

「我想也是。聽說笹村先生的父親的筆記，也是這種狀態。」

「噢，難以解讀，是嗎？那位笹村先生的父親是做什麼的？」

「好像是從事操觚什麼的職業。我不曉得那是做什麼的。」

「操觚嗎？那就是編輯或記者，寫文章、從事報導工作。戰前的話……是啊，很多地方都跟現在不同了，應該是雜誌或報社記者這類職業吧。」

記者嗎？

那樣的話……大概就可以理解了。

「因為是寒川先生告訴我的，很多地方都很零碎，他說笹村先生的父親在調查某些事情。」

「是採訪嗎？」

「記者會進行採訪那些，對吧？調查事情。」

「唔，會調查吧。」益田回答。「我有個雜誌記者朋友，我覺得他們跟偵探的差別，就只有會不會把內容寫成報導而已。若是社會記者，做的事跟偵探幾乎沒兩樣了。」

「笹村先生的父親在調查某起重大案件，查到了某些玄機，然後……」

「被殺了？」

益田發出走調的驚呼。

「是什麼大案子？那絕對是不慎踏入地下社會深不見底的黑暗，或是揭發國家級陰謀這種程度的大案。而且您剛才是不是說，笹村先生的父母雙雙遇害？」

「好像是。」

「好嚴重啊。如果不是誤會或搞錯，就是感覺會有，但其實很罕見的情形了。喜歡陰謀論的人，的確看到什麼都會胡思亂想，覺得這個是陰謀、那個也是陰謀，實際上應該也有人真的因此而遇害。尤其戰前更是如此。但如果真的是那樣，就會變成懸案了。這事是真的嗎？」

「我是這麼聽說的。寒川先生也說，那應該是在追查相當大的案子。」

「請等一下。」

益田張開右手伸出來，露出掌心。

「笹村先生的父母因為不慎涉入那個國家級陰謀的大案而喪命——先假設這是事實好了。暫且不管是真是假。」

益田做出把一樣大東西擺到一旁的動作。

「然後呢，這情況……寒川先生的父親，是嗎？他的父親或許牽涉到的事件……會不會也跟那起大案子有關？」
「應該會吧？」
「哎呀呀呀。」益田又甩動他的劉海。「這……怎麼說呢？這麼一來，寒川先生的父親，或許也是那個國家級陰謀的參與者之一了，會是這樣嗎？」
「我不知道。」
「不知道嗎？」
「請把先擱到一旁的東西拿回來吧。又不曉得是不是真的就是這樣。問題是，不管是笹村先生還是寒川先生，都搞不清楚那到底是怎麼一回事啊。我更不可能知道了。」
「說的也是呢。」益田側頭，交抱起手臂。「一切都是推測、都是想像嗎？然後那個笹——笹村先生是嗎？他確信寒川先生的父親與他父母的死亡有某些關聯，對吧？否則不會跑到寒川先生父親的墳墓去吧？」
「所以說……」
重點是記事本。
「就像益田先生剛才說的，記事本內雜亂地寫了許多瑣碎的東西，但無法解讀的樣子，能夠確定的只有一些單字。」
「喔，」益田再次望向自己的記事本。「嗯，單字。」
「怎麼樣呢？說到隨手抄寫的單字，可以輕鬆判讀的……還是專有名詞吧？喏，像地名或人名那些……」
「是啊，我這本記事本也是一樣。要是第三者來看，能夠理解的……幾乎就只有人名而已吧。」
「就是吧。」
據寒川說，笹村的父親的記事本似乎也是相同的狀態。笹村從感覺可以查出眉目的名詞依序查起，把它們串連在一起，設法解讀出意義。
但最後仍查不出所以然的，就只有「寒川」二字。
「記事本裡似乎寫了好幾個『寒川』這個專有名詞。笹村先生一開始好像以為是地名……」

「確實，寒川這個姓氏沒那麼普遍，但也不到極端罕見，應該不算少到令人驚奇。」
御廚也這麼認為。
「不過就算是人名，也很難查出是特定的什麼人吧？啊，難道也寫了底下的名字？」
「對，好像是。寒川先生的父親，名字好像是……記得是英輔。」
「音符先生。」
「英文的英，輔佐的輔。」
「哦，英輔先生。這個名字也是，雖然不到菜市場名，但也不奇特呢。和寒川組合在一起，感覺範圍可以縮得很小，但也不一定沒有其他同名同姓的人。御廚這個姓還比較罕見，印象啦。」
「是啊。笹村先生查到植物學家裡頭好像有叫這個名字的人，四處尋找……不過怎麼查都查不出這個名字和其他單字之間的關係，或者說脈絡。所以遲遲沒有查出身分。」
「應該吧。」益田說。「雖然不知道是什麼陰謀——不，或許也不是什麼陰謀，但植物學家這一行，很難跟那種事情扯上關係嘛。」
「您的這番意見，我只能說我不清楚，但笹村先生好像不是單從名字找到人的。」
「這我又不懂了。」
「寒川先生說，問題在於地點。」
「更不懂了。」
「喔，就是日光。」
「日光？」
「栃木的日光。」
「什麼？」
益田驚訝的反應遠遠超乎預期。
「是那個『未訪日光莫言美』的日光嗎？那個呃……有東照宮、有中禪寺湖、有華嚴瀑布的那個日光？」

「對啊，我不曉得還有沒有別的日光，但應該就是您說的那個日光。這怎麼了嗎？」
「沒有，沒事，呃……」益田再三撩起劉海。「請、請繼續。這情況，那個日光要怎麼跟這件事兜在一起呢？」
「就是，笹村先生的父親在調查的案子，似乎和日光這塊土地密切相關，因此笹村先生調查昭和九年當時的日光，發現了植物學家寒川英輔的名字。」
「找到了，是嗎？」
「對。其實寒川先生的父親受到國家還是縣政府委託調查植被的地點，就是日光。日光的山地……」
「也、也就是說……」益田莫名激動地喘著氣。「他過世的地點也是日光嗎？是從日光的懸崖墜落？」
「好像是，這有什麼問題嗎？」
「問題？不，呃……」
益田無意義地撩起劉海。手一放開，長長的劉海又垂落回去，真的毫無意義。
「唔，然後……怎麼樣了？」
「什麼怎麼樣了？」
「不是，御廚小姐，您的委託不是找人嗎？截至目前，我只聽到二十年前的事故，和二十年前的命案，這兩者在二十年後交會在一起而已。還沒有人失蹤。」
「啊……」
御廚笨口拙舌，無法要言不煩地說明一件事。所以她努力照順序陳述，但也因為益田認真地不停打岔，不知不覺間，好好說明本身成了目的，她差點忘了到底為何要說這些。御廚自己迷失了當初的目的。
正題……還在後頭。
「那個，到這裡都沒問題嗎？」
「要說沒問題，也是沒問題。」
益田翻了翻記事本。

「這整件事啊，我怎麼聽都不像是普通的離家出走、失蹤案件。散發出濃濃的特殊案件氣息。我寫下的筆記裡頭，都出現了四個『殺』字呢。總覺得光聽就滿滿的不祥預感了。」

「這……樣嗎？」

「因為，背後有可能潛藏著某些不惜將採訪記者和配偶滅口也要隱瞞的事實啊。然後再加上神祕事故死亡。這兩件事在二十年後交會……結果發生了失蹤案，是這樣的情節，對吧？」

歸納起來會是這樣嗎？

「那麼，怎麼樣都無法避開二十年前的事不談呢。如果無關，妳也不會說出來吧？」

「所以說……」

前面那些，都只是與寒川失蹤相關的補充說明而已。

「益田先生問我，有沒有什麼會引起警方注意的背景……我說有，向您說明，不是嗎？」

「的確是這樣呢。」益田遺憾地說。「實在太令人在意了。那，這件事妳在報案失蹤的時候，告訴警方了嗎？」

「說是說了，但警方說應該無關。」

「無關嗎……？」益田板起臉孔。「根據呢？警方有沒有說什麼？」

「警方說不管二十年前發生過什麼事，那都已經過去了。」

「中間還隔了一場大戰嘛。」益田說。「即使真的有某些駭人聽聞的陰謀，整個社會情勢也早已改頭換面了。不管是犯罪還是什麼，都不太可能持續到今天嗎？那個……寒川先生嗎？就算這是他失蹤的動機，認為他是因為過去的事件而出了什麼事，也失之武斷嗎？」

「警方是這麼說的。」

會過於武斷嗎？

「那，寒川先生和佛師——笹村先生在墓地相遇，然後怎麼了？不會去了日光吧？」

沒錯，就是去了。

邂逅笹村，帶給了寒川一個轉機吧。當時寒川對父親死亡的調查應該遇上了瓶頸。笹村這個人，等於是在寒川遭遇的高牆打開了一道出口。

寒川掃墓回來後，眼神不知為何變得神采奕奕。然後比以往更加賣力地調查。

入秋時分。

那是去年九月的事。

寒川把藥局交給員工，說要休假一個月，然後出發前往二十年來都沒有再去過的日光。

「跑去啦……。然後就沒回來了？」

「不是的。寒川先生好好地從日光回來了。應該是十月前回來的。」

「回來了？」

「對，他回來了。」

——石碑。

——石碑在燃燒。

寒川這麼說。

「這是什麼意思？」益田問。

沒錯，御廚也不懂。

「我覺得他應該在日光找到了什麼。雖然無法明確地說明為什麼我會這麼想，但當時我就是這麼感覺。」

「找到了什麼？呃，您說的石碑，是石頭做成的碑吧？石頭的話，不會燃燒吧？雖然有句諺語叫『往燒起來的石頭潑水〔註〕』，但這裡的石頭也是燒得火燙的意思，不是真的起火燒起來。這是什麼謎語嗎？就算是比喻，也難以想像是什麼狀況呢……」

註：日文俗諺，有「杯水車薪」之意。

當時御廚也覺得是某種比喻。

「我也很好奇，所以問了寒川先生，但他不肯告訴我。」

「他隱瞞了這件事？」

「也不是隱瞞，他說不要知道比較好。」

「嗚哇！」

益田在紙頁上塗塗寫寫。

「這需要寫下來嗎？」

「欸，這很重要的。這種漫不經心的一句話，往往就是重要的關鍵。而且這種話多半都是肺腑之言。不過，不要知道比較好，這句話讓不祥的預感一口氣破表呢。那，結果不曉得到底是什麼意思嗎？」

「對。」

回來以後，寒川沒有回到藥局的工作崗位，成天關在自己的房間裡。藥局的業務本來就差不多全由員工張羅，因此並不受影響，但寒川變得比過去更為沉默寡言，有時甚至一整天完全沒有露臉。

他似乎成天都在想事情。

「變得很不對勁？」

「要說不對勁，的確是不對勁，但也不是想不開的樣子，或鬱鬱寡歡、失常……只是，是啊，感覺就像在鑽研困難的有獎徵答問題一樣。」

「什麼？有獎徵答的問題，是腦筋急轉彎或謎題那些嗎？日光有那樣的東西嗎？那個燃燒的……石碑？如果這是某種謎題，感覺確實很難呢。石頭在燃燒，這就像要如何通過禁止通行的橋、如何抓住屏風上畫的老虎嘛。」

「那是機智問答。」

「是一休禪師的事蹟。」益田說。「託您的福，我對禪宗的僧侶略有研究。啊，這不重要，然後呢？他還有沒有說什麼？」

「說什麼……」

別人不想說，就算硬逼著對方說，也不會有好結果。如果對方一副心癢難耐、不吐不快的樣子，她就會追問，但對方都警告最好不要知道了，卻又追問不休，這不是御廚的作風。所以她什麼都沒問。

然而。

「嗯，大概是去年，剛進入十二月的時候吧。」

那天，寒川情緒激動地從自己的房間出來了。看起來不像歡喜，但也不是懊喪，只是呼吸急促、兩眼布滿血絲。

當時寒川躁動不安，在藥局裡漫無目的地來回踝踱。回想起來，也像是解開謎題的反應。當時御廚覺得他應該是發現了什麼，或想通什麼了。

御廚問他怎麼了，卻得不到明確的回答。

但寒川這麼說：

——我爸，

——可能是踩到老虎尾巴了。

「老、老虎尾巴？」

益田從紙頁抬起頭來。

「踩到老虎尾巴？意思是遇到超級危險的事，是吧？」

益田用右手摸著自己的臉。

「怎麼說，我用來盛裝不祥預感的容器已經快滿出來了耶。也就是說，寒川的父親因為不小心觸碰了某些超級危險的東西，才丟了小命……可能是這樣嗎？」

「不，可是……」

「從字面上的意義來看，會是這樣，但寒川先生並沒有說他的父親是因此喪命。」

「後來過了一段時間……」

應該是年底的二十九日。

「我們藥局去年是在這一天收工，但寒川先生已經收拾好行李準備出門了。他說過年期間要去旅行。然後，因為沒有個明確的行程，也趕不上年後開工，他把備份鑰匙交給我們員工，文件那些也讓我們保管，留下詳細的指示，還發了臨時獎金給我們過年加菜，然後……」

「就一去不回了？」

沒錯。

新年過去，藥局在初四開工。

沒看到寒川的人影。員工沒想太多，相信在初七取下門松掛飾之前他就會回來了，卻期待落空了。眾人每天都在盼望他是今天會回來，還是明天會回來，不知不覺間，一月都過去了。

「因為都二月了人還沒回來，我們員工討論之後，去報了警。」

「這段期間，他一次都沒有聯絡嗎？」

「沒有。」

「站在警察的角度，這樣的案情確實十分微妙。雖然充滿了一腳踩進去會很可怕的預感，但表面上寒川先生就只是個愛往外跑的老闆。警方就算受理，也不會有任何行動吧。可是啊……」

益田瞪著記事本。

「不知道他去了哪裡嗎？雖然應該是去日光吧。他什麼都沒說嗎？」

「我覺得他是去了日光，但……」

也有可能不是。

「那樣的話，他是去踩老虎尾巴了嗎？不入虎穴，焉得虎子。避開老虎尾巴，偷偷抱走小老虎就好了，但還是不小心踩到了嗎……？」

「您可以幫忙找到他嗎？」

益田停止饒舌，交抱起手臂：

「日光啊……。唔，怎麼說呢，其實……」

益田又搖晃起劉海。

蛇（二）

說她不小心殺了人。

殺了父親。

如果是真的，那就是犯罪。

久住覺得聽到不該知道的事了。

他深自後悔不該問的。

但都已經聽到了，也後悔莫及。

既然知道了，也不能置之不理吧。但不管是要攬下來還是拋到一邊，這件事都太沉重了。也沒法忘記。

關口默默地吃著蕎麥麵。

以前怎麼樣不曉得，但日光做為日本首屈一指的風景勝地，在昭和九年被指定為國家公園。現在也是熱門的外國客避暑勝地。

因此這裡並非普通的鄉下，也有不少繁華的區域。旅宿林立，餐館也不少。不過因為外國人很多，櫛比鱗次的並不一定都是供一般大眾消費的商店。彼此似乎都阮囊羞澀，但也不好兩個大男人進去甘味店，因此關口和久住一番考慮之後，走進了才剛開門的蕎麥麵店。

離午飯時間還早，但既然都進了蕎麥麵店，也不能不吃蕎麥麵。

關口以沉鬱的眼神盯著麵碗，接著抬頭問：

「什麼時候的事？」

「啊……我是昨晚聽到的。」

「不是，是那個人……」

小說家惶惑地張望店內。沒有半個客人，店員也退到後場去了。

「把父親那個……」

「噢。」

不必說，這件事相當驚世駭俗，自然也會擔心被旁人聽見吧。

「好像……不是最近的事。」

並非最近剛發生的事。對方說是往事了。久住並未追問清楚，但似乎是十幾年前的事。

他這麼告訴關口。

「那麼，也有可能還沒有過追訴期呢。」

「啊，也是呢。」

久住完全沒想到追訴期的問題。

「我不諳法律，但記得殺人案的公訴時效是十五年。只要過了這個期限，以刑事案來說，應該就失效了。雖然民事應該不一樣。」

「說的……也是呢。」

一般來說，應該要勸對方自首才對。

但事情並非如此單純。

「那個人還很年輕。假設追訴期是十五年，然後事情發生在昭和十四年以前，就過了追訴期，對吧？」

久住說，但覺得不是那麼久以前的事。

——那姑娘。

不知道她的年紀。

人很沉穩，但就久住估算，頂多才二十五、六歲，或許更年輕一些。當然，他對自己的估算沒有自信。

因為久住平素根本不關心女人的年紀。

說起來，無論男女，別人的年紀根本不重要。久住認為，不應該以年齡來決定是否要尊敬。資歷更重要多了，要不然就是工作表現嗎？若是值得尊敬的人，即使是年輕人或女人，他同樣會敬重。所以那個姑娘對久住而言，只是個勤奮的好女孩，年齡這個屬性，完全不在他的考量之中。

關口放下筷子，問：

「那個人那麼年輕嗎？那麼事情應該沒那麼久，不需要考慮追訴期吧？十五年前的話，那個人才十歲上下吧？」

「是啊，可是……」

那姑娘……現在正在做什麼呢？

應該正像平常那樣認真工作，但想到她的內心，久住不禁有些同情。

「茲事體大，您應該也相當礙口，不過那個人是個怎樣的人？不是……男士嗎？」

「不是。」

那姑娘——櫻田登和子，是任職於日光榎木津飯店，負責久住的客房的女僕。

久住這麼說，關口似乎相當吃驚。

「那我或許也認識。不過負責我房間的女僕，實在不像做得出那種事的人。」

「那位姑娘也是啊。」

久住這麼說，關口的眼神轉為陰沉，說「嗯，人都是這樣的吧，人不可貌相嘛」。

「她說她……殺了人嗎？」關口接著問。

「對。」

「可是那位小姐怎麼會向您告白這種事？兩位有什麼特別的關係——啊，這不是什麼奇怪的意思。比方說兩位沾親帶故，或本來就認識……」

「不是的。我在水潭那裡可能也提過，我在去年五月也來過日光這裡，住在那家飯店。當時是第一次見到她，這次是第二次。」

「你們是住客和……女僕的關係吧？恕我冒味，住客和女僕會聊到這種事嗎？負責我客房的姑娘聽說才剛實習結束，聒噪長舌又粗心……但完全不會聊到這麼深入的事。」

「是我硬向她問出來的。」

真是太莽撞了。

久住去年來訪時，登和子是才剛實習結束的新人女僕。

她看起來很認真，但做事不太得要領，不過個性十分開朗。

然而。

經過一年再訪，登和子卻完全變了個人。起初久住以為是女大十八變。工作方面，登和子已是駕輕就熟，對客人當然也是笑臉迎人，不曾表現出任何不悅，而且細心周到。登和子成了一名優秀的女僕。

然而。

她的眼神。

——眼神變得混濁了。

「混濁？」關口露出凝重的表情。

「不，混濁這形容或許不恰當。對，就好像罩了一層膜……是這種感覺。就好像有什麼不好的東西，把這姑娘從現實世界給隔絕開來……我這樣感覺。」

他也覺得，那不是寂寞、悲傷這類簡單明瞭的事物。

「意思是，和現實世界保持距離嗎？」

「是啊，也不是怨恨這世界，或是對世界絕望。大概就像……有種難以言說的一層暗澹的薄膜，隔在她和現實之間。啊，一切都只是我的主觀啦。總之就是很陰沉。不管是表情還是語氣，都了無生機，是全然的抑鬱。這讓我實在牽掛不下，擔心起來。」

若問這是否出於好奇心，久住沒有自信能夠完全否定。

是什麼奪走了年輕女僕的開朗？他無論如何都想知道——他確實有這樣的心態吧。若說這就叫做好奇心，久住也無法反駁。

所以他問了。

現在他很後悔，實在不該多事的。

「我覺得昨晚的自己實在太自以為是了。當時我相信，不管對方有什麼煩惱，我都能給她一些有用的建議或指引。所以我叫住不願多說的她，糾纏不休地追問……假意親切地。」

結果落得現在這個下場。

他不可能提出任何建議。

登和子的告白，在一切的意義上，都不是久住所能夠承受的。

久住大概一直維持著親切明理的成熟表情，甚至面露微笑或同情，聽到最後。

然而……

久住的臉頰很快就僵掉了。

「我什麼都說不出口。」

「這是當然的。」關口說。「我不清楚詳情，所以也不好隨便說什麼，但那再怎麼說都是犯罪的自白，而且還是殺人這種事，實在不可能當場做出回應。那不是什麼輕鬆的話題。」

「是啊。」

登和子默默地看了啞然失聲的久住片刻，深深行禮後離開了。久住甚至無法追問她的告白是真是假。

她離開房間後，久住內心第一個念頭極為不近人情，而且不負責任：怎麼會聽到這種麻煩事？用不了多久，久住便陷入了排山倒海的自我嫌惡。

「如今回想，我不該那樣執拗地逼問她的。因為她應該也不想說。說到弒親，這可是重罪。不，即使殺的不是父母，殺人就是重罪。而我……」

當然，當時久住是設身處地，想要解決登和子的煩惱，完全是立意良善。這是真的。儘管如此。

——我只是想要逞強罷了嗎？

也許久住只是想要讓那個姑娘認識到，自己很聰明、幫得上她的忙。想到這裡，他真想挖個洞跳進去。

「昨晚我一團混亂，幾乎無法入眠，胡思亂想個沒完。我覺得既然知道了這件事，就不能袖手旁觀。」

久住心中的抽屜裡，找不到能對她說的話。他亂無頭緒，想不出任何機靈的台詞。

久住混亂了一整晚，到現在依然處在混亂中。結果，久住逃離了飯店。

因為若是留在飯店，一定會遇到登和子。

見到她，就必須說點什麼才行。

不，或許也不是非說不可，但見了面又不吭聲，這也是一種訊息吧。

這樣……應該很不好。

但是在飯店裡躲躲藏藏地避著她也很怪。就算關在客房裡，登和子負責他的房間，遲早一定會過來。要求更換負責的女僕就更欲蓋彌彰了。

太棘手了。

因為棘手，久住決定拋開這件事。

所以他決定假裝有事，一早便匆匆出門了。明明這不是在市區周邊閒晃就能忘掉的小事。

他也覺得自己實在卑鄙。

但這應該不是可以隨便敷衍打發的事。若要真誠地面對，他需要時間。從自己渺小的人生經驗當中，久住找不到合適的應對方法。只是煩惱一晚，不可能想得到什麼。

因此唯一的法子，就只有在登和子過來上班之前離開飯店。久住先前也天天出門遛達，所以這樣的行動應該還算自然。

不過不管去到哪裡、做什麼，久住終究滿腦子都在想這個問題。比起懶得想、嫌麻煩，久住更強烈地認定他應該要思考、應該要設法吧。

為了那姑娘……

不，久住也不知道這真的是自己的真心嗎？或許不是。也許……久住只是單純地覺得這樣下去實在太難看了，所以四處逃避而已。

這樣的話，久住這個人不僅卑鄙，而且還是個愛慕虛榮的蠢蛋。

「所以我會去憾滿淵，也是為了逃避。不，現在跟您一起坐在這間蕎麥麵店，也一樣是在逃避。我只是四處逃離不期然地直面的麻煩事罷了。」

「我理解您的感受。」

關口拿起筷子。碗裡應該沒有蕎麥麵了。就算還有，也都泡爛了。

「但也不能不回飯店吧。我的話，就算直接回東京也無所謂，但您還有工作在身。」

沒錯。

「您說的沒錯，我是在拖時間。也是苟且地在想，也許像這樣拖著，就會想到某些好方法。會告訴關口老師這些，也是……希望能借重您的智慧吧。」

這半是實話，半是客套話。久住確實想要求助別人，但對於眼前這個人，久住是沒有太多期待的。並不是因為關口這個人其貌不揚，個性又自虐。久住認為這種情況，根本沒有第三者能夠解決。因此他預期關口會消極地回應說「別抬舉我了」、「我沒辦法」，但他有些猜錯了。

關口就這樣拿著筷子，苦惱地盯著麵碗裡面，說：

「什麼都不必說吧。」

「就算見到她也一樣嗎？」

「對。您剛才說要借重我的智慧，但其實對我毫無期待吧？我想她也是一樣的。不管是安慰還是斥責，都無濟於事。」

「您是說，她根本就不期待我？」

「也不是期待，這件事……您這個外人本來就莫可奈何，不是嗎？」

一點都沒錯。

「就像老師說的，我是完全無關的陌生人……只是個短暫停留的過客。我不久後就會離開這裡，可能再也不會造訪。可是，那麼她……」

「正因為這樣……她才會告訴您吧？」

「正因為這樣？」

「哦……我認為信任或是親密這樣的關係，並不構成讓一個人傾吐祕密的理由。有時這樣的關係，反而更令人難以啟齒。尤其是重大的祕密，有時反而更不願意讓身邊的人得知，不是嗎？沒什麼關係的人，才更容易訴說祕密。」

「或許是這樣吧……」

「那位姑娘當然知道您是客人。也就是說，她明白您與她的人生不會有什麼深刻的交集。所以……」

「所以才告訴我嗎？咦？還是她唬了我……嗎？」

「是有這個可能呢。」關口說。

就久住的觀察，登和子不是會做這種事的姑娘。他相信登和子是個老實人。更根本的問題是，昨晚的登和子看上去完全沒有捉弄住客的餘裕。

久住這麼說，小說家說「若您這麼感覺，應該就是這樣吧」。

「有些事情即使想要傾吐，也怎麼樣都說不出口。因為會忍不住設想到各種後果。有時說出來，也會造成不可挽回的憾事。但您只是萍水相逢的過客，所以才能對您吐露真情，會不會是這樣？」

「也就是說，如果是這樣的話……」

「就算是這樣，也是一樣的。」

關口在相遇之後，第一次口齒清晰地說。

「不過這是根據我自身的經驗導出來的結論，所以或許並不符合您的情況。」

說到這裡，關口突然自信全失一般，音調陡然下沉，接著說：

「人對於他人的期待，其實並沒有我們所想像的那麼深。我也是，每次遇到什麼事，都卯起來努力想要回應他人的期待，但大多都是失敗收場。我想要做的事，根本就是自不量力吧。但我身邊的人比我冷靜多了，他們早就知道我做不到，本來就不期待，所以也不會失望。」

或許吧。

「我並不是自命不凡，而是即使明知道做不到，還是忍不住要去做。有時就是會不由自主要去做。」

關口隨手放下筷子，稍微轉頭眺望遠方。並不是那裡有什麼，就只有一排泛黑的布袋福神擺飾品。

「前年夏天……」

關口開口，神情懷念地說了起來。

「我想要拯救一名女士。我真的是拚了命，無論如何都想要救她。但結果失敗了。」

「那個人……」

「死了。」關口說。「我無法滿足任何人的期待。我詛咒自己的無能。可是，事實上並不是這樣的。」

「意思是……？」

「嗯，後來我的身邊陸續發生各種可怕的事，死了很多人。」

「死了很多人？」

關口做出嚥下的動作，以陰鬱的口吻說「死了很多人」。

眼神變得空洞。

「前年的武藏野分屍案，最後過世的人與我緣分匪淺。在逗子的事件當中過世的作家，最後一個與他進餐的人也是我。去年年初的箱根命案，我眼睜睜地看著好幾個人死去，在伊豆，我淪為命案嫌犯，遭到逮捕。」

「這還真是……」

如果久住猜得沒錯，這些全是轟動社會的大案子。

「也有人說我是遭到作祟了。」關口悲傷地笑。

「不是被害者被作祟，而是關口老師被作祟嗎？」

「沒錯。若是有人遭到作祟，那一定是我。不知道是我被捲入、是我招惹，還是我引起的，總之我遇到太多淒慘的事了。每一次我都會陷入相同的情緒。」

「您覺得自己有責任嗎？」

「不到責任那麼明確，只是單純的自我嫌惡吧。我總是會變得視野狹隘，迷失方向，只是像無頭蒼蠅一樣亂轉。我無法解決問題，也無法讓事情落幕。不僅無法讓狀況好轉，甚至只會讓局勢更混亂。我最好不要扯上關係，就算扯上關係，也最好什麼都別做。」

「每個人都是這樣的吧。」久住說。「這些是警察的工作啊。」

「也不一定喔。」關口說。「總而言之……我很無能。對於現實世界發生的事，我完全無力。這一點我心知肚明。可是……我還是學不到教訓。每次遇上什麼事，我就會一而再、再而三，想要為誰派上用場、想要滿足別人的期待。去年夏天也是如此。我想要保護一個稱不上有什麼關係、幾乎是初識的女子。可是那個人也……」

一樣死去了……

那……

是指由良邸的事件嗎？

久住無法問出口，但他覺得應該是。不過假設真是如此，關口說他遭到作祟的說法，或許雖不中亦不遠矣了。

「若說我被作祟，應該就是吧。」

關口淒涼地笑了。

「我想了很久，然後到了最近，稍微覺得有點明白了。」

「明白了什麼呢……？」

「對我有所期待的不是別人，其實是我自己啊。雖然不清楚是想要挽回最初的錯誤，還是不願意承認那是錯誤，總之抱有期待的人是我。只是這樣罷了。」

——啊……

久住完全能夠理解。

「那些行為都不是為了別人，而是為了我自己。是一種自我正當化吧，因為不想承認這件事，所以硬是說服自己是為了別人。所以也才會感到心虛，害怕看到結果。因為害怕，所以拖延。可是，這都只是幻想。」

「幻想嗎……？」

「這陣子我在想，如果能夠讓心中類似對自己的期待消失，就能更海闊天空地思考，也能表現得更豁達自在吧。反正對我這種沒用的人，沒有人會寄予期待，既然如此，積極奮起也沒有意義……啊，這樣說，聽起來實在很自輕自賤，但我也不是在說什麼都不用做、什麼都別做。」

「意思是……把失敗視為理所當然嗎？」

「這也是，不過假設沒有人期待，卻成功做到了什麼，就等於超越了期待值，對吧？」

關口說著，明明一點都不熱，卻出了一層薄汗。他用指頭抹去額上的汗水，說了聲「抱歉」。

「我不擅長大發議論。」

關口大大地吁了一口氣。

「您和我遲早都得回去飯店。只能回去了。早晚還是會見到那個人的。」

沒錯。

就像關口說的。

或許就是有了想要表現、有所貢獻、受到感謝這些庸俗的欲望，才會窒礙難行。倘若久住真心體恤那姑娘的感受，真心為她的將來著想，給她的回答好不好，應該都是其次吧。

所以這和登和子無關。一切都只是久住的自尊問題吧。同時也如同關口說的，久住不可能永遠躲下去。

他非回飯店不可。

既然如此……

關口低著頭。

久住認為，這名看似有些忸怩的小說家，是盡其所能地在為久住著想，甚至做了一番情非所願的自我剖白。即使不清楚這是經過算計的行動，或碰巧如此發展，但應該都是出於為久住設想的心。

這名小說家看似陰沉、難以親近，但其實古道熱腸。也因此久住覺得拿定主意了。

「您似乎比您以為的更能滿足周圍的期待喔。」久住說。

關口扭曲嘴唇一笑，回應「請別說笑了」。

似乎剛好中午了，幾名客人走進店內。兩人趁此機會，離開蕎麥麵店。

久住說要請客，感謝關口作陪，但關口執拗地堅拒不受。彎腰擺手拒絕的動作誇張得滑稽，害得久住不得不立刻放棄請客的主張。

因為他笑出來了。

看來不知不覺間，久住對這位有些難以親近，而且其貌不揚的文士萌生好感了。

久住想要和關口再多聊一些。

儘管心情方面已經立下決心，思考方面卻依舊一片紛雜。他想在回飯店之前盡量整理一下狀況，冷靜一下腦袋。然而卻也沒有個去處，結果兩人在日光的街頭四處漫步，閒逛土產店。

大街上到處是餐館和土產店。

仔細一看，街景雜亂，也摻雜著一些難說美觀的老屋和歇業的商家。但也許是因為路幅寬闊，沒有高大的樓房，看得見群山，絲毫不覺得閉塞。加上莊嚴地點綴各處的神社佛閣和山脈，整個地區呈現出極為井然有序而美麗的印象。

真正是神域。

「我四處逛了十天左右，覺得日光這裡和常見的寺院門前町那些地方，風情又有些相異呢。若問我怎麼個不同，我也說不上來，不過有種不是神社也不是寺院的……難以形容的幽靜，或是美麗。這果然是太古以來的信仰勝地的風範嗎？」

久住這麼說，關口說：

「是嗎？氛圍確實就像您說的那樣，但也許是因為這裡從明治時期開始，被修整為外國人休閒區的關係喔。」

「咦，是這樣嗎？」

關口的見解，是久住從未想過的。

「我也只是聽說一些毛皮而已，不是很清楚，但聽說日光這裡曾經荒廢過許多次。每一次都重新復興了，但應該不是恢復成原本的樣貌。」

「原來是這樣嗎？我還以為日光從以前就一直是這個模樣……但仔細想想，東照宮也是德川家康死後才興建的呢。」

「是啊。據說這塊土地有段時期，是眾多僧房林立的大規模寺院區，但後來領地大半都被豐臣秀吉〔註〕沒收了，為了起死回生，寺院和下一個掌權者德川結盟……這裡祭祀著初代將軍，不可能怠慢呢，也會勤於修葺。不過，這也只到明治維新為止。」

「說的也是。」

明治維新以後，幕府被推翻了。

「明治政府首先頒發神佛判然令，把佛寺和神社分開來。寺院受到排佛毀釋的風潮波及，似乎受到嚴重的打擊，東照宮也失去德川幕府這個最強大的靠山，聽說有段時期荒廢得很嚴重。進入昭和年間以後，保存和復興運動興起，加上被指定為國家公園，又因為逃過戰禍，才能又復興成為現在的樣貌……」

您覺得呢？——關口問。

「覺得什麼？」

「神域是受到護佑的嗎？」

「什麼意思？」

久住停下腳步。

關口超過久住，蹣跚地前進了兩三步，停了下來。

「當然，建築物應該都被修復了，似乎沒有任何問題……但我只是想，這裡會不會只是被打造成了一處風景名勝區而已？」

關口不知為何一臉抱歉地接著說：

「當然，現在仍有許多人虔誠地信仰著這裡的神祇吧。並非信仰消失了，但比方說，我覺得對外國人而言，無論是神道教還是佛教的神佛，或是家康，都跟他們沒什麼關係。我自身……不，我沒有出國旅遊過，但是在照片那些看到天主教的大教堂等等，也只覺得好美、工藝真是驚人而已，其中沒有任何信仰。」

久住也是一樣的。

「來到此地的人，大半只要有美景和宜人的氣候就滿足了。建築物也是，就連佛像，也被當成美術品看待，不是嗎？就算不是外國人，即使是日本人，就連佛教徒自己，感覺現今對佛寺佛像的認知都是如此。當然這也包括我在內……」

說到這裡，關口望向遙遠的男體山。

「不……」

「怎麼了？」

「也不盡然呢。」

關口小聲說道，臉上微泛笑意。

「這塊土地追本溯源，是山岳宗教的修行場呢。也就是說，那些寺院、神社，都是後來才進來的東西。也許不管被再多的事物所覆蓋，本質都沒有改變。那麼，即使再被觀光所覆蓋，也是一樣的呢。那些山脈……」

就是這裡的本質嗎？——關口自言自語道。

那麼。

等於是久住在這處神域轉來轉去，卻都沒有觸碰到日光的本質了。因為久住唯獨沒有踏進山裡。

「無論是基於什麼樣的動機來訪，只要這塊土地有那座山，或許都是一樣的。因為……山從數百年、數千年前，就一直雄踞在那裡。」

註：豐臣秀吉（一五三六～一五九八）為戰國及安土桃山時代的武將，織田信長的家臣。在信長死後統一天下。

鳥飛了過去。

「關口先生。」

久住叫了小說家的名字。

「殺人是很嚴重的一件事，對吧？」

這個問題實在可笑。

「嗯……問題應該在於對誰來說很嚴重……不過無論在社會、倫理以及個人等任何面向，都不可能不嚴重……我認為啦。」

「就是說啊。被害人、家屬、涉案人，不管對任何人來說，都是很嚴重的一件事。但是對於下手的本人來說，又是怎麼樣呢？」

「這……」

關口的眉毛垂成了八字形，額頭擠出皺紋。

「不是有連續殺人案嗎？對於犯下這種案子的凶手來說，殺人應該不是什麼大不了的事吧？」

關口的表情更加痛苦地扭曲了。

「我不知道。」關口說。「這幾年，我接觸過許多殺人凶手。其中也有像您剛才說的連續殺人犯。但是對他們而言，這是多嚴重的一件事，身為他人的我無從知曉。想想行為帶來的後果，我不認為不嚴重，那也確實是重大犯罪，但行為本身……」

也許對他們根本沒什麼──關口說。

「這樣啊。那麼……也有可能遺忘嘍？」久住問。

「遺忘？」

「對。既然不是什麼大不了的事，也有可能忘記吧？」

沒錯。

登和子原本一直都忘記了。

關口想了一下，說「我覺得不是這樣」。

「不是？意思是不會忘記嗎？」

「不是的。人的記憶是不會消失的。所謂忘記，只是找不到而已。」

「找不到……？」

「對。人的腦袋裡面，乍看之下井井有條，但其實也是一片混亂。腦袋這個房間是有限的，然而東西一旦放進去，就再也無法取出來。因此人才會拚命整理、分類收藏。可是還是趕不上增加的速度。所以……」

「會找不到？」

「沒錯。有些人不擅長整理，即使是擅長的人，也不是就能全盤掌握。小東西會掉到桌底下、櫃子後面、抽屜深處等地方。但只要尋找，就一定找得到。所以不是因為沒什麼，所以忘記了。」

「不是嗎……？可是東西會不曉得跑到哪裡去吧？如果是重大的事，不管房間再怎麼凌亂，也不會丟失吧？您說反了啊。」久住說。

「確實，重大的事，不會不小心丟失到某處。但如果是沉重到難以承受的事，有時候人會故意把它藏到看不見的地方去。」

「藏？意思是刻意遺忘嗎？這種事做得到嗎？」

就算想忘，也忘不了吧？

久住從昨晚一直到剛才，都一直努力不去思考登和子那番重大的告白，卻完全做不到。愈是叫自己別去想，就愈忍不住會去想。

「那不是刻意的行為。」關口說。「那叫無意識……不，這樣說感覺很膚淺呢。想要遺忘、決心要遺忘，這樣的狀態，其實是清楚意識到的狀態，對吧？因為有這件事，才會想到它、思考它。」

「唔……確實如此。」

「當一件事的重大程度超出了自己能夠承受的界限時，在想要遺忘，或是感到厭惡、難受之前……它就已經被收納到某處去了。一定是這樣的。」

我之前就是這樣——關口說。

「我在房間裡弄丟了那個沉重無比、碩大無朋的東西。」

「這……是指對自己不利的事，人根本就不會記住嗎？」

久住問，關口欲言又止，模稜兩可地說「若說對自己不利，確實是這樣吧」。

「確實是對自己不利，但那不是一般所謂的不利，而是會威脅到自我、否定自我存在的不利。這和面子、社會性那些不太有關，和感情也有一段距離。怎麼說，在浮上意識之前，大腦就先把它排除了。」

「根本不會被大腦意識到，是嗎？」

「從不會浮上意識表層的意義來說，是這樣沒錯，但並非沒有被意識到。大腦確實意識到這件事了。所以才會把它藏起來。」

藏起來嗎……？

「那件事太過巨大、沉重，絕對不會消失。不會消失，所以才必須藏起來。是有這種情形的。不僅發生在腦內，還會發生在現實。明明就在眼前，卻視若不見。所以……」

所以。

「忘掉殺人如此重大的行為……也是完全有可能的事嗎？」

「或許有可能呢。」關口回應。

原來如此。

就是把殺人看得太重，才會遺忘……或許是有這樣的事。若是不把它當一回事，反而根本不會忘記吧。

「這種情況或許並不一般。」關口說。「我自己也曾經很長的一段時間，一直忘了一件重大的事。雖然這裡說的重大，是對我而言的重大，對一般人來說，可能只是芝麻小事。每個人的器量大小都不同嘛。像我這種遍體鱗傷、疲憊不堪的人，能夠盛裝情緒的容器本來就小，一點無聊小事都會讓它滿出來。或許只是這樣罷了。」

關口笑了。

「人各不同嘛。我的情況，對他人而言無足輕重的事，有時對我卻是會扭曲人生的重大變故。而且我腦袋裡的房間應該也很小，沒什麼收納空間，所以連普通的記憶都雜亂無章。我也不擅長收納整理，總是亂成一團。要是被藏起來，就更難找到了。所以我不能拿來當成基準。」

就算是這樣。

殺人對任何人來說，都是件大事吧。

居然也有人把它當成不足介懷的小事嗎？當然也有這種人吧，但久住覺得一定寥寥無幾。雖然或許只是他想要這麼相信。

「不，我完全明白了。關口老師，我可以再請教一個問題嗎？就是……如果被藏起來的記憶不會遺失……」

那麼也會再次想起來嗎？

因為它會造成否定自我的巨大衝擊，所以才會被藏起來吧。那……

「會想起來的。」關口說。

「即使是因為那樣的理由被藏起來也一樣嗎？」

「因為記憶本身不會消失。或許也有人一輩子都不會想起來，但一旦想起就完了。」

「完了？」

「對。因為那並非不小心丟失，或是太亂了找不到，那簡而言之，是一種欺騙。」

誰騙了誰？

「我的大腦欺騙了我的感情，或是自我，總之是我自己。我會崩潰，所以大腦拚命隱藏。可是，仙人打鼓有時錯，一旦矇騙被揭穿，它就會堂而皇之地……現身。」

「這……如果是因為會害自己崩潰而隱藏的話，曝光之後，會怎麼樣？」

「會崩潰啊。」關口無力地說，無精打采地往前走。

「那……」

那種事。

根本不要想起來才好。

「可是，唯獨這件事，實在是無可奈何。那不是刻意要去想起來的。就好像……」

詛咒解除一般。

「即使不願意，就是會想起來。」

「為什麼……會想起來呢？不是刻意要去想起來的吧？」

「在遺忘的期間，連自己遺忘了什麼都不會有自覺。這樣的事物，是不會去想起來的吧。」

「有時候會覺得好像忘了什麼重要的事……確實，就算有這種感覺，也沒有方法想起到底忘記了什麼呢。即使想方設法回憶，也是徒勞無功。」

「最可怕的是，有些記憶連自己忘記了都不記得。」關口對著前方說。「我這麼覺得。我認為，我們的大腦被灌輸了記憶是生存不可或缺的觀念。」

「被灌輸？」

這個說法……久住不太理解。

不必思考也知道，記憶就是生存所必要的。聽說有些疾病會讓人失憶，那一定是相當嚴重的病。所以根本沒必要特地再灌輸這樣的觀念。因為，這不是自明之理嗎？

走在前面的關口稍稍轉向久住：

「實際上，遺忘十分可怕。見聞到的事物、學習到的知識、自己的過去，所有的一切都不再屬於自己，這真的很可怕。就像腳下的地面整個消失一般，令人不安。然而另一方面，不是都說……人藉由遺忘，才有辦法活下去嗎？」

「什麼？」

「若是記得所有的一切，人大概就活不下去了。因為人的大腦，處理能力沒那麼好。所以才要整理一番，把不需要的東西收到深處，只留下必要之物，放在容易取用之處。我們被教導，人都是有意識地在這麼做。」

「但這些事並非刻意為之嗎？」

「應該不是吧。」關口說，再次停下腳步。「這不是能刻意做到的。」

「不行嗎？」

「就像您剛才說的，就算想要遺忘，忘不了的事就是忘不了。」

確實。

一點都沒錯。

「遺忘這件事，應該是在潛意識當中進行的。但許多人不這麼想。人們相信，記憶是透過意識控制的。因為我們被教導記憶是生存所必要的，所以才會以為是我們在控制記憶。因此萬一無法控制，就會感到害怕吧。若是人真的能控制記憶，就不可能無法想起應該記得的事吧？」

「唔，是會有一時想不起來的情況啦。」

「這種情況，不是又會突然想起來嗎？」

「是啊，有時突然忘記，又毫無前兆地想起來……」

「有前兆的。一定有。任何情況，都一定有某些契機。」

「是……這樣嗎？」

「對。我認為任何事情，都是因為外界的某些因素刺激了潛意識而想起來。」

是這樣的嗎？

「您說的外界因素，是指調查，或是有人提點這類嗎？」

應該是吧。想起突然忘記的事，會有什麼理由嗎？

「那樣就不叫想起來了吧？」關口說。「調查，或是聽別人提點，想到了和忘記的事情相關的其他記憶，才會以為全都是靠自己想起來的，只是這樣而已吧？」

唔，應該是吧。

「回想起來的契機，我認為應該是顏色、氣味、聲音、刺激這些在表意識不構成意義的事物。但若是承認這件事，就必須承認意志無法控制記憶，所以才忽略那些契機，是不是這樣呢？」

關口說的這些，久住也大概能夠理解。
「那麼，被封印的記憶也……」
「是一樣的。」關口說。「我認為一定有一把鑰匙。」
「鑰匙……？」
「對，鑰匙。沒有忘記某件事的自覺，從某個意義來說相當危險。因為沒有自覺，就會毫不設防。完全不曉得什麼東西是會打開那道門的鑰匙。所以才會不不小心撿到。」
「撿到……鑰匙嗎？」
「對。一旦撿到鑰匙，不管情不情願，門都會打開，被隱藏的記憶被釋放出來。如此一來……」
關口說到這裡頓住，微微側頭。
久住望向他的視線前方。
一家老舊的相館前，設有類似街頭燈台的東西，對邊站著一名男子。男子豎起大衣衣領，盯著相館店門口，氣質總有些陰險。
「您認識那個人嗎？」久住問，關口說「不，可能只是相似」，但眼睛緊盯著那個人不放。一望可知，對那人十分關心。
雖然不可能是注意到關口在看，但男子突然攏起大衣前襟，匆匆背過身離去了。關口又繼續盯著他的背影，歪起了頭。
「怎麼了？」
「沒事……」
那個人不可能在這種地方——關口小聲說完後，說「應該是認錯人了」。
接下來是一段沉默。
關口突然屈身，張大了眼睛，慌忙打圓場說：
「不、不好意思。然後……呃……」

「啊，噢，就是……」

一旦想起來。

——就完了嗎？

關口是這麼說的。

就完了嗎？久住問，關口回應「就完了吧」。再也不可能回到原本，也很難再忘記吧——他說。

這樣嗎？那麼她——櫻田登和子，會怎麼樣呢？不……

「請等一下，關口老師，您剛才說您自己曾是這樣，對吧？關口老師打開了門鎖吧？那您不是想起了、呃……讓自我崩壞的過往記憶嗎？」

關口抿起嘴唇，露出與他的舉止格格不入的剛毅表情，答道「沒錯」。

「我……在可怕的事件當中，意外地喚醒了禁忌的記憶。這件事，我不太想提起。」

既然對方不願提起，久住也不想追問。

但……

「那，老師您完了嗎？」

「咦？」

「哦，關口老師現在就在我面前，對吧？像這樣和我交談。您……人好端端的吧？也就是說，您克服了無可奈何的記憶，不是嗎？」

「咦？」

關口的神情頓時不安起來。

就好像被抱離母親懷抱的嬰兒。

「我……」

根本沒有克服——關口咬牙擠出聲音說。

「我說的完了，意思是再也不可能遺忘了。記憶就如同刻在憾滿淵的梵字。沒有看出它，它就形同不存在，但一旦看出來了，就再也不可能忽略。除非岩壁磨滅，或岩石碎裂，否則梵字絕對不會消失。碑文會半永久地留存下去。一旦想起來，不管再怎麼痛苦悲傷，人都只能抱著那塊石碑活下去。會失去無知的樂園。此後，就只能承受下去。」

「您……承受著痛苦嗎……？」

「我也說不上來。」

關口的臉皺成了一團。

「不知道呢。我就像這樣還活著，所以應該是應付過來了……不對，不是這樣。」

我光是活著就很吃力了——關口說。

「原本我就有類似自毀願望的心性。活著這件事本身讓我痛苦。我只是吸氣、吐氣，其餘就只是隨波逐流……我就是這樣一個人。所以，唔……」

「但我看起來不像。」

「是、是您太瞧得起我了。」

「也許吧。不，一定就是這樣吧。畢竟我今天才第一次跟關口老師交談，不可能清楚您是怎樣一個人。但在我看來，以結果來說，關口老師現在活得很好。」

關口的表情扭曲得更厲害了。

「我請教老師，先不論內容，根據老師的說法，那段禁忌的記憶之所以會被封印，是因為它十分嚴重，甚至會威脅到老師的自我、否定老師的存在……是這樣，對吧？」

關口垂下目光。

「如果那麼可怕的記憶被釋放出來，當時老師的自我怎麼了？老師的存在……被否定了嗎？如果老師真的光是活著就很痛苦、是如此軟弱的人，不是應該早就崩壞了嗎？」

「沒錯。我是崩壞了。」關口回答。

「可是……老師還是撐過來了。老師抱著那塊一輩子都不會消失的石碑，還是像這樣活得很好……」

那麼。

「請老師見見她吧。」久住說。

「我嗎？」

「拜託您了，老師。或許已經無可奈何、無可挽救了，但我還是想要設法。可以請您幫幫我嗎？關口老師。」

「請別叫我老師了。」關口說。

狸（一）

是鳥。

雞也算鳥吧——木場說。

眼前雞肉正咕嘟嘟熬煮著。長門說「這是鬥雞喔」。

「鬥雞不就是性情火爆的雞而已嗎？」

木場不太了解兩者有何不同。他只覺得鬥雞就是凶猛的雞，因為成天打架，所以肉質較為緊實。

「鬥雞是鬥雞。」長門說。「嗯，是雞的一個品種吧。」

「那不就是雞嗎？」木場說，青木笑道：

「前輩還是一樣，粗暴簡單。照這樣看，前輩也分不出鰻魚和泥鰍吧？」

「囉嗦。管它是鬥雞還是鴨子，還不都是鳥？伊庭叔討厭鳥啦，對吧？上回才說過你受夠鳥了，不是嗎？居然還跑來這種店。」

「我喜歡鳥肉。」伊庭回道。「我受夠的是鳥的標本。標本又沒有肉。肉跟內臟都挖掉了。我愛吃鳥肉。」

「話都是你在說。」木場說。「要討厭，統統一起討厭省事多了。」

「什麼歪理啊？你是怎樣？愛吹毛求疵，又莫名粗枝大葉耶，木場。你才是，要吹毛求庇就吹到底，要粗枝大葉就粗到底。不過，五十次兄跟這種傢伙搭檔，也真是夠衰了。漫長的刑警生涯，最後的搭檔居然是這傢伙，倒楣啊。」

「不是最後啦。我去年就被調走了。」

木場修太郎是一名刑警。

去年六月開始，他調到警視廳麻布署刑事課，但是在那之前，他任職於本廳刑事部刑事課。在本廳的職涯裡，搭檔的夥伴是刑事部最資深的老刑警，長門五十次。

不，長門與其說是搭檔，或許更應該說是負責看管木場這匹脫韁野馬的監督人。在本廳的時候，木場幾乎每個月都鬧出問題。站在木場的角度，他認為就是遇到爛案子罷了，但多少也是受到他天生有些衝動又愛唱反調的個性影響。這一點他自己也不否認。

「都半年以上的事啦。老先生後來也跟別人搭檔了吧？」木場說。

「阿修是我最後的搭檔啊。」長門說。「夏季過後，我也換了單位，被調到閒差去了。也沒跑現場。喏，大磯的案子那次出動，是我最後一次跑現場。雖然那時候也活像個倒茶老頭。」

長門笑了。已經成了個單純的慈祥老爺爺。

老公僕上個月中旬退休了。

已經不再是司法警察官了。

「這麼說來，當時承蒙照顧了。」青木行禮說。

青木文藏也是刑警，是木場的後輩。

他因為和木場一起違反服務規章，被調到小松川署轄下的派出所，但和木場不一樣，他去年就回歸本廳了。

因為青木是個模範生。

「我可不記得照顧過你。」長門笑著吃鬥雞肉。「倒是青木，藤村身體不舒服嗎？聽說發燒？」

藤村是小松川署的老刑警，在派出所勤務期間似乎特別關照青木。聽說他和長門是老相識，但木場沒見過。

「啊，藤村大哥只是感冒而已。而且他說天一冷，腳上的舊傷就會作痛，我請他好好休養。我都已經回去本廳了，當他的代理人也很怪，但小松川署沒有其他和長門先生認識的人……」

「我們這一代，很多人都在戰爭裡非死即傷嘛。因為年紀太大，被徵兵的人是不多，但都在空襲裡死得差不多嘍。」

「是啊，藤村大哥也這麼說。啊，其實署長好像也勸藤村大哥提退休，但好像被底下的人挽留了。所以他說還想再做一陣子。」

「藤村很受愛戴嘛。」長門說。「哪像我，就是個累贅。」

「哪裡，五十次兄也一路堅守第一線直到今天，實在了不起，不像我，兩三下就不幹了。不過當個普通的臭老頭，也是樂得輕鬆。」

伊庭銀四郎以前也是刑警。

戰前他似乎任職於長野的警察單位，但開戰之後，一度辭去警職，戰後又再次受雇於東京警視廳，經歷特殊。

三年前他退下第一線，木場是在去年夏天與他相識的。

現役刑警時期，他的綽號似乎是鷹眼伊庭銀。

綽號的由來，是因為他觀察力過人、眼神懾人，以及擅長一瞪就讓嫌犯從實招來。木場在本廳的時候，也被稱為「鬼木場修」，但這簡而言之，就只是在損他塊頭巨大如鬼罷了。

相對地，長門被人稱為「佛陀五十」。不是因為他慈眉善目，而是因為他會在命案現場念佛號而被起的綽號。

雖然木場這個後輩不曾這麼叫過他。

這裡是中野的鬥雞鍋店。

既然叫鬥雞鍋店，就像長門說的，賣的不是一般肉雞，而是鬥雞吧。肉質彈牙，相當美味。

是以長門退休為名目而舉辦的一場小宴會。

本廳搜查一課自己似乎開過簡單的送別會，但應該頂多就是在刑警辦公室角落喝一杯而已。公僕沒工夫享用什麼美食，案子也不會考慮到刑警的方便。

因此眾人才又另約一席。發起人是青木。

話說回來，聚在這兒的全是些粗人。

撇開不管做了多少年，都像個黃毛小子的青木，若是如同預定，由藤村這名老刑警來出席，幾乎就是老人會了。而且長門和伊庭都身形矮小，只有木場高壯魁梧。

「這家店，記得是我跟阿修搭檔遇到的第一起大案子那時候的店吧？」

長門問，青木搔了搔頭：

「唔，只是巧合……不過沒錯。」

「喂，我可沒聽說。怎樣，是跟前年年底的黃金骷髏有關的案子嗎？那不是神奈川的案子嗎？」

「喏，這裡是那時候過世的宇多川，和關口先生最後一次用餐的店啊。」青木說。

「啊？」

關口是木場軍旅時代的長官。雖然是長官，但關口優柔寡斷，心志軟弱，個頭矮小，一點都不可靠。現在好像在寫小說，但木場沒讀過，也不覺得賣得好。然而卻不知怎麼個陰錯陽差，復員後雙方依然沒有斷絕關係，到現在仍有往來。不僅如此，在座每個人都認識關口。

關口這個人老是**被捲入**案子，頻率高到匪夷所思的地步。要不是他主動招惹的，就是被什麼給作祟了。

「剛好就是久保的葬禮那天。我也去參加了。葬禮後，關口先生他們過來這裡用餐。我在葬禮途中就先告辭了……」青木說。

「久保是武藏野的案子裡過世的久保嗎？喂喂喂，好死不死，怎麼偏挑這種店？真晦氣。」

等於是命案關係人的葬禮隔天，另一起案子的被害人最後光顧的店。

「簡直不吉利到家了。今天可是慶祝老先生人生第二春開幕的好日子啊！」

「這裡很適合我們啊。」長門笑道。「到底看過多少人的遺體，數都數不清了。身後去到那兒，不曉得會怎麼樣呢。會挨他們的罵嗎？」

「老先生還替他們念過佛，他們感謝都來不及吧。可以順帶幫鍋裡的鬥雞也念個佛啊。」木場貧嘴道。

「好好品嚐吃下肚，就是最好的超度啦。」伊庭開口。「哪有什麼天堂、地獄，生命就是我吃你你吃我，努力活到最後一刻，然後翹辮子，這樣而已。念佛這回事，說到底也是為了自己吧？俗話不是說嗎？善有善報。對吧，五十次兄？」

伊庭大嚼鬥雞。

「是啊，總之我好幾年沒嚐到這麼美味的東西了。老光棍的晚飯，向來很寂寞嘛。酒也是，當刑警的時候，根本沒機會坐下來好好喝一杯。」

「別說啦，我跟青木還是現役刑警，好嗎？」

「不說青木，木場你不是成天蹺班嗎？認真的刑警才不會那樣牛飲。」

伊庭說著，向木場勸酒。木場沒有推辭，伊庭便怪道：「你看看，大酒桶一個。」

簡直是老狐狸聚會。

「是伊庭叔倒酒我才喝的。話說回來，這次的改革似乎搞得風聲鶴唳，基層還會有多少人留下來？我一直以為自己一定也要丟飯碗了。」

上個月中旬，通過了警察制度改革綱要。長門就是配合這次改革辭職的。木場真心相信自己也要被解雇了。

「沒這回事啦。」青木笑道。「就是換了個名稱，基層人員幾乎都沒有變動吧。只是國家地方警察廢除，變成道府縣警而已。然後成立警察廳，取代國家警察本部，所以高層應該有不少變動吧。」

「就是那個。我還以為東京警視廳也會配合其他府縣，變成東京都警呢。這樣更清楚明瞭，不是嗎？說起來，有警察廳又有警視廳，不混淆嗎？」

「有很多考量吧。」長門說。「高層有高層的爾虞我詐。應該是討論了很久的結果吧。」

雲端的神仙在搞些什麼，都不是木場能夠聞問的。

「既然都弄出個樣子，順利推動，那就好了啊。應該是想要加強中央的指揮權吧。但就算制度變了，偵查人員的工作還是一樣啊。而且要是把人都給換掉，就沒法維持治安了。」長門說。

「可是，老先生不就被迫走路了嗎？」

「就算制度沒變，我一樣要走路啊。」長門又笑了。「我也不曉得被勸退休多少次了。像最近，每次換部長、換課長，我就被叫去面談。反而是居然讓我待到這把行將就木的年紀，我才覺得不可思議呢。」

伊庭聽了苦笑：

「木場還沒被免職，我才覺得不可思議。五十次兄也是，居然能忍受這小子。幸好我在他進來的時候就已經不在了。」

「伊庭先生在警視廳待了幾年？」青木問。

「大概五年左右吧。」伊庭說。「五十次兄賴了幾年？」

「四十年，還是更久吧。記不清楚嘍。嗯，最一開始是在築地的派出所，從築地署升到本廳的時候，我也是卯足了勁的。可是十七年前老伴過世以後，就剩下惰性了。除了工作以外，也沒其他事可以做了。」

「當刑警的老婆實在不幸啊。」伊庭說。「你叫青木，是吧？你也要好好記住。要是討了老婆，可千萬要好好善待人家。警察的工作是很重要，但也不值得為了這工作，害心愛的老婆哭泣。」

「為什麼只跟青木說？」木場抗議。

「跟你又無關。」伊庭酸回去。「木場你啊，不只是沒女人緣，連刑警的飯碗都快丟了吧？這種人不需要浪費唇舌跟他說什麼娶親的竅門。我說青木啊，認真工作是很好，但可不能把自己逼到工作家庭只能二選一。我是因為成家的覺悟不夠，等到發現不對的時候，已經太晚了。噯，不管是我還是五十次兄，都不是多機靈的人嘛。」

「銀兄以前看起來很疼老婆啊。」長門說。「噯，別人的家務事，外人是看不出來的，所以我這話若是冒犯到你，先說聲抱歉，不過銀兄退休的時候，我真心羨慕吶。因為你說要跟嫂子一起度過餘生。可是……」

「一下就死了嘛。」

「才剛要起步的節骨眼遇上這種事，你一定很難受吧。我自己是做夫妻的時間不長，所以也沒有長相廝守的真實感。就只是有一天過一天地幹著刑警，噯，這往後的日子該怎麼過呢？」

「你們這幾個老頭是要悶死人嗎？」

木場仰頭喝掉玻璃洋杯中的酒。其他三個人都是用日式小酒杯。

「又不是在守靈，我可是來開歡送會的。還有什麼怎麼過，愛怎麼過就怎麼過啊。我知道咱們彼此都是窮光蛋，但已經了無束縛了吧？那就隨心所欲吧。要是無事可做，發呆也好啊。很多人一退休就翹辮子了嘛。我啊，就算老先生死了，也不會給你念佛的。念佛是老先生的拿手好戲嘛。」

「已經可以不用再念了吧。」長門喝光杯中物。

「我已經不想再聽啦。」木場說。「死人聽了可能會開心，但周圍的人只會愈聽愈悶。」

「一點都沒錯。」伊庭笑道。「五十次兄，你是打哪時候開始念佛的？我是鐵打的不信神佛，連刑警辦公室裡的神棚都沒拜過。」

「我雖然信神佛，但也不是比別人虔誠。我父親是堅定的信徒，我從小就聽著誦經聲長大。所以……我想想……」

「果然是嫂子過世以後才開始的嗎？」伊庭問。

「不，再更早一些呢。那是地震燒掉的築地本願寺開始重蓋的時候，所以是昭和九年，或更早一些吧。不，差不多那時候吧。」

「也記得太清楚了吧，老先生？那時候出過什麼事嗎？」木場說。

「那不是什麼歡樂的時代嘛。」長門說。「當然，戰爭時更要艱難多了。開戰前的十年左右，整個社會氣氛莫名緊繃，有種神經耗損的感覺，對吧？什麼是對的、什麼是錯的，好事壞事都難以區別了。」

「任何時代不都是這樣的嗎？」

「是這樣沒錯，可是阿修，比方說那個時候，出版法修正，唱片也開始審查了。不管是民謠還是西洋歌曲，都有專門人員審查，覺得歌詞有問題，就要求改掉或禁止販賣。」

「歌詞要怎樣有問題？」

「違反公共善良秩序啊。」

「那現在不是也一樣嗎？GHQ〔註〕也在幹一樣的事吧？搞得糟粕雜誌都全軍覆沒了。」

「現在已經禁止審查了。」青木說。「憲法第二十一條禁止審查。」

「這樣喔？可是現在不是也一樣，這個不行、那個也不行，沒品的雜誌都被撿舉了，不是嗎？」

「猥褻圖畫發行取締屬於刑法，所以是警察的責任。不過包括這個在內，禁止審查的問題，一直都有詳細的討論。就算要設下某些規範，現在也在討論設規範是否算是審查。」

青木這樣說，長門以歌唱般的語調說「討論很重要嘛」。

「那個時候應該也有討論吧？」木場說。

「是這樣沒錯。」長門說。「嗯，當時應該也有過一番議論。我跟銀兄學的是大日本帝國憲法，審查是被允許的。從明治的時候開始就有審查。然後，我不曉得是官員還是學者，但那些人應該也討論過吧。」

「那不就好了嗎？」

「是啊，結果修訂了法令……那時候和現在相反，變得更嚴格了呢。所以不光是出版和戲劇劇本，連唱片都要審查。」

「變嚴格？可是不就是些民謠嗎？」

「不是民謠就全都是好的啊。」伊庭說。「在我老鄉那裡，有些歌實在不敢讓小姐小朋友聽見。老頭子只要喝醉，都會變得沒品嘛。」

「伊庭叔自己也是老頭子吧。」木場說。

「噯，阿修說的沒錯，就算現在審查制度已經廢除，也不是說什麼東西都可以任意出版。有些東西一看就讓人覺得不能出現在公共場合。」

「那當然吧。」木場說。「管他哪個時代，隨便露屁股是會被抓的。」

註：即駐日盟軍總司令。日本俗稱的GHQ，為總司令部（General Headquarters）的縮寫。

「你是抓人的那個吧？」伊庭說。「抓人的自己露屁股，算什麼事？我第一個就先踹下去。嗳，戰前的氛圍確實很憋。那個時候，青木還是個小毛頭吧？」

「我沒那麼年輕喔。開戰的時候，我已經差不多十七歲了。」

「伊庭叔，你別看這小子這副模樣，他可是特攻隊回來的，開過零戰的。雖然生得一張娃娃臉，又老老實實的，但也差不多要三十啦。」

「那是我有眼無珠了。」伊庭瞪大了眼睛。「嗳，實際上在那個時代，就算沒露屁股，只是長得一副會露屁股的嘴臉，就會被抓了。」

「先不管屁股……」長門說下去。「不行的東西就該禁止、取締，這合情合理。但問題是，那什麼東西行、什麼東西不行？沒有個明確的基準。」

「有基準吧？」伊庭說。「當時上頭有教審查基準那些的。雖然早就不記得了……」

「冒瀆皇室尊嚴那些，對吧？」

「沒錯。我想想……否定君主制度的言論、煽動共產主義或無政府主義……唔，現在回想，是不無令人質疑之處啦。」

「對。嗳，以那個時代的基準來看，是有非這麼規定不可的理由吧。而且那時候警察是歸內務省警保局管的嘛。內務省是個超級大機關，是政府機關之王。不管是地方行政、土木建設，連神社都歸內務省管。」

「連神社都管嗎？我……還真是無知吶。」

木場什麼都不知道。他並不覺得自己活得渾渾噩噩，但對於不感興趣的事，就徹底沒興趣，就算聽了也不會記得。但也不太會因此遇到問題，這就是問題所在。

「內務省廢除那時候，真是震驚全國。那應該是七年前的事……雖然跟咱們基層人員無關啦。剛好又遇上新憲法頒布還有選舉，人心惶惶，我還破獲了地下交易。」

木場也是如此。

雖然處於美軍占領下，但確實也有種異樣的解放感。長門說戰前更要令人窒息，這話就連單細胞不動腦的木場也深有體會。

「內務省解散，警保局也沒了，取而代之，成立了國家警察本部，變成東京警視廳和國家地方警察這樣的體制，然後這次廢除了國家警察本部，用警察廳來取代，就是這樣吧。雖然是很籠統的說明。」

青木這麼說。這些內容，木場也是第一次知道。

「警察廳跟神社應該沒關係了吧？」

「沒關係了吧。」青木笑道。

「可是警察署往前回溯，不是內務省嗎？以前是有關係的吧？」

「所以說，內務省是非常大的機關，裡面有神社局這個機構。管理警察的是警保局。警保局有警務課、保安課、監獄課，還有……總之，囊括一切警察行政。」

「哦，特高也是吧？」

「特高警察應該是歸保安課管的。」

東京警視廳特別高等警察部——即所謂的祕密警察，負責偵緝危害國家體制者。戰後遭到廢除，由新設立的警備課、公安課取代，木場是這麼聽說的。

「雖然特高並不是就直接變成了公安啦。聽說以前那些特高，戰後根據ＧＨＱ的人權指令，幾乎都遭到罷免、免除公職了。」

「雖然好像又回來了。」長門說。「我聽說內務省解體後，之前遭到放逐的特高相關人員有許多又復職了。櫻田門（註）的公安課好像也有一些前任特高喔。不過那是獨立的部門，所以我不清楚。」

說起來，那是不會拋頭露面的組織，實際上究竟在做些什麼，沒有人清楚。木場也認識一名公安，老實說，對他的印象就是教人摸不著底細。

註：警視廳的辦公大樓位在櫻田門，因此也會以櫻田門做為警視廳的代稱。

「而且，先前決定改革的新體制一旦施行，道府縣警的公安部就歸警察廳指揮了呢。各警察單位的警備部頂頭上司，也成了警察廳的警備部，所以好像也有部分人士認為警察廳就是重新組織後的內務省警保局。所以阿修說的，或許也不完全算錯。噯，新憲法就像青木說的，禁止審查，而且也已經沒有思想犯、不敬罪那些了，所以並不完全相同。」

「也是啦。」

「現在有現在的基準，就是在討論這樣的基準是好是壞、該如何解釋啊。雖然從這個意義來說，戰前也是如此。只是啊……」

「過去的基準太嚴格、或是太偏頗嗎？」

伊庭問，長門偏了偏頭：

「不，仔細深思一下，我覺得基準本身並沒有那麼過分。不能冒瀆皇室這一條也是，不只是皇室，任何事物本來就不該隨便冒瀆。只是解釋有個範圍，結果變成交給各人判斷。到底怎麼樣才算是冒瀆皇室？這部分十分模糊呢。」

「所以才要討論吧？」

「所以才會歧見紛陳。」

木場也覺得八成會變成這樣。

「基準不是那麼容易就可以決定出來的。每一方都有自己的道理。每個人的說法，都有正義、信念那些。但另一方面，有些地方雙方也沒什麼歧見。有些意見中庸，也有些南轅北轍。」

「那當然吧。」

「可是啊，要逐一細查太困難了。因為會愈想愈不明白到底什麼才是對的。最後做出判定的，就是權力。警保局底下除了警務課和保安課以外，還有圖書課，就是這個單位負責審查，這裡的人員必須區分孰好孰壞。這樣一來，規則就必須更單純一些，否則沒辦法判斷。比方說不管斜上方、稍前方那些，只管左邊或右邊。最簡單明瞭的做法，就是把事物兩極化，去掉其中一邊。就是這樣做錯了。」

「錯了嗎？」

木場討厭道理，喜歡簡單明瞭。

「不是蒐集各種看法，選擇人人信服的最好的一條路，而是把事情分成非左即右的兩個極端，消滅其中一邊。這是在把人撕裂成兩邊。」

「聽不太懂吶。」

「人一旦被撕裂，就不會再對話、走近彼此，而是攻擊意見相左的人。我覺得不應該是這樣的。但是像這樣把事情不斷地簡化，到最後人們就會接受就是如此。我就是討厭這樣。」

「這跟念佛無關吧？」

木場往長門的小酒盞裡倒酒。

「也不算無關。我之前說過嗎？那起『死吧團〔註〕』的案子。」

這件事木場聽長門提過。

「是一群想要自殺的瘋子引發的案子嗎？他們也在櫻田門前面鬧事，對吧？記得是老先生把他們抓到保安室……」

「是這樣嗎？」伊庭很吃驚。「那是十五還十六年前的事了吧？」

「對。導火線的案子，比那早上四、五年……對，是昭和八年吧。」

「喔。」

這件事木場記得很清楚。

註：死吧團（死のう団）為一九三〇年代法華教派的新興宗教「日蓮會」的青年部所組成的「日蓮會殉教眾青年黨」的俗稱，該組織發起一連串滋騷事件。

當然，說到昭和八年，木場還是個十五六歲乳臭未乾的小毛頭，所以並非直接知道。他只是記得長門對他說過的內容。

記得是接到通報，說逗子山中有一群可疑的黑衣人在生火聚會，引發騷動。山裡的那群人是死吧團，也就是日蓮會的教主及他的一干親信。後來不曉得是特高還是公安介入，偵查日蓮會，揭發他們正在計畫恐怖攻擊的陰謀——印象中是這樣的情節。

「那個時期對這種事非常敏感。人之道教團被徹底擊垮，大本教也被摧毀了，對吧？大本教的情況，理由是不敬罪呢。說到不敬，應該是冒瀆了皇室的尊嚴，但依我個人的看法，陛下應該並沒有生氣吧。」

「老先生，你這話太大逆不道了吧。」木場說。

「我已經不是公僕了。」長門說。「是不必顧忌任何人的普通老頭子了，愛說什麼就說什麼。所以，雖然我不曉得那是不是皇室成員或宮內省的意思……這是我自己的想像，但總之大本教對國家體制有害吧。」

「那個死吧團是企圖進行暗殺或破壞，所以可以理解，但其他教派呢？也不是做了什麼壞事吧？」

「不知道。」長門說。「也是有神社局的意思吧，信仰不同的神明，這件事若說不適當，確實是不適當吧。明治那時候，連佛教都遭到排斥嘛。」

「叫人民只能信神道嗎？」

那麼木場更要不敬多了。他這麼說，伊庭說「我也一樣」。

「我對那些毫不關心。在天皇玉照前面是會立正，也不記得做過什麼不敬的舉止，但也沒有特別崇拜。」

「就是啊，或許我也是。」

長門這麼說，端起小酒盞，垂下視線。

「只是，即使沒有不敬的意思，只要被認定不敬，那就是不敬。人之道教團的教祖也被判不敬罪，但戰後被撤銷了。」

「沒辦法啊，戰後天皇不再是神了嘛。」

長門將手中把弄的酒盞湊到嘴邊：

「阿修，我這個人啊，雖然有信仰，但不懂宗教，所以也不曉得宗教是好是壞。沒錯，其中應該也有些教團在做壞事，但就算是那樣的宗教，信徒也相信那是對的。」

「不管再怎麼相信一樣東西，至少還判斷得出是非對錯吧？」

「是嗎？可是結果我們也沒能判斷出來，不是嗎？上一場大戰也是，雖然應該也有很多人排斥戰爭，但大多數的人不是都覺得那場仗非打不可嗎？不管再怎麼正當的意見，若是不利於國家體制，就會遭到打壓。」

都忘了。

「也是。」

「信徒啊，是打從心底深信不疑的。就是深信不疑，才能連自己的命都捨出去。都敢自殺了，所以或許也殺得了人。當然那是犯罪，所以無論如何都必須阻止，也一定要嚴懲。害人的行為是不能被容許的，可是啊，思想信念那些，真的可以制裁嗎？那個時候我真是想了好多。」

這麼說來，印象中長門以前說過瘋狂的信仰很可怕什麼的。

「教義啊、宗派那些，我一竅不通。我就只是個刑警嘛。可是我看到了很多屍體，覺得死者實在可憐。就算沒有念佛，每個人也都會至少合掌膜拜一下吧？就算什麼都不做，也會在內心默禱。你們不會嗎？」

「會啊。」伊庭回應。「我的想法是，屍體已經不是人了，只是人的殘骸，但還是覺得必須對那個人的生前表示敬意。所以從這個意義來說，我不會簡慢地對待屍體。確實，就算是不信神佛的我，也至少會默默行個禮。」

「我也會合掌。」青木說。

木場呢？他從來沒有在意過這個問題，但應該會抬個一手，拜個一拜。

「我也是一樣的……在那之前。」

「死吧團那時候嗎？」

「逗子山中的案子，是葉山署的管轄，與我們完全無關。臥底的、抓人的，都是特高，神奈川和日蓮會鬧得不可開交。至於集團自殺，搞到後來還對警方提告什麼的，真是令人搖頭。」

「血盟團事件〔註〕也是那個時候嗎？」伊庭問。

「那是前一年吧。和犬養首相遭到暗殺同一年，所以是昭和七年。噯，這些危險的事件接二連三，也難怪內務省會神經兮兮。所以好像甚至搞出拷問這種手段，鬧到神奈川的特高警察反過來被告。就在這樣一片紛亂當中，年關過去……所以是昭和九年的事吧，五月還是六月，發生了一起殺人案。」

「跟死吧團有關嗎？」

「不，跟那邊沒有關係。案子發生在上野。現場是上野公園的……就在寬永寺的五重塔和東照宮之間吧。」

長門仰頭，閉上皺巴巴的眼皮。

「死者是年約三十的男子，遭人毆打致死。他就像這樣，上身半裸，倒在草叢裡，看了實在可憐，所以……」

老邁的退休刑警放下手中的筷子，雙手合十。

「我像這樣拜了拜。」

退休刑警的手指乾癟，指節突出，似乎還有皸裂。

他的指頭竟如此破舊嗎？

這幕景象，木場應該看過好幾回了，但他從來沒有仔細觀察過長門的手指。連長門的臉，他都沒有正眼瞧過半回。

長門放下了手：

「我對那名死者也不是有什麼特別的感情。只是那時候，社會氣氛莫名肅殺，而且我正在為剛才說的那些問題煩惱。」

「老先生在煩惱啊？」

「現在我已經磨耗得什麼都不剩了，但那時候還血氣正盛啊。雖然也不算年輕了，不過還是有澎湃的熱血。然後，可能是心裡頭有日蓮會那件事吧，我忽然陷入沉思，想要拜久一點，結果發現有人在瞪我。」

「誰在瞪老先生？」

「特高啊。」

「特高幹麼瞪老先生？」

「死者好像是某個新興宗教的狂熱信徒。不是多大的宗派，但糟糕的是，教祖好像不斷地做出煽動無政府主義的偏激言論。死者生前也相當招搖地活動。結果我蒙上了也是信徒的嫌疑。」

「因為老先生在那裡亂拜嗎？」

「噯，看上去就像在虔誠祭拜吧。實際上或許我也拜得很認真。」

「一般不會幫死人念佛嘛。」

「那個時候我沒有念佛。」長門說。「再說，那個死者信的，不是佛教類的新興宗教。要是我念佛，可能還不會招來懷疑。然後呢，我那個習慣就是從這時候開始的。」

「呃，我不懂。老先生，你因為這樣被盯上吧？要是因為這樣就不再拜了，我還可以理解，怎麼會是因為這樣而開始拜？被特高懷疑，所以你故意作對繼續拜嗎？一般不會就此罷休嗎？」

「木場，你也太遲鈍了。要是就這樣再也不拜，豈不是更啟人疑竇嗎？」伊庭說。「會變成特別只拜那個死人啊。」

「啊，也是。」

「嗯，就是這樣。後來我被盯稍了好一陣子，似乎遭到監視，所以我也對其他死者一視同仁地拜。不，拜得還要更久。唔，那個宗派叫什麼去了呢？總之不是佛教類的。所以我故意……」

「念佛嗎？」

「不是念佛，正確名稱是正信念佛偈。我覺得比起說一句『南無阿彌陀佛』就結束，長一點比較好，所

註：以井上日召為盟主，俗稱「血盟團」的右翼團體，於昭和七年（一九三二）二月至三月，陸續暗殺政要的事件。

以故意在那裡念給人看。我父親以前會念，所以我是耳濡目染學起來的。從此以後就成了習慣。」

「有夠無聊。」木場有些傻眼。「原來是這種理由？那老先生，後來你就一直念了二十年之久？太蠢了吧？」

「是啊。也沒理由停下來嘛。」長門說。

「開始的理由愈無聊，就愈容易持續啊。」伊庭說。「動機太強，反而沒法持續的。如果什麼都沒想，就不知道哪時候該停吧？我一直以為五十次兄是信仰虔誠，原來也不是嗎？」

「我連父母的忌日都經常忘記呢。老婆的墓是不會忘記去拜啦。在老婆墓前，我就不會念佛。」

「總覺得鬆了一口氣。來，乾杯！」

伊庭的外貌凶悍不遜於木場，但今天笑得格外歡暢。

去年夏天，兩人第一次一起喝酒時，伊庭整個人相當暴戾。木場覺得是刑警生涯積年累月的淤塞終於爆發了。那些疙瘩，或許隨著讓木場和伊庭結識的那起事件落幕，也跟著煙消雲散了。

木場這麼說，伊庭臉上掛著賊笑說「才沒煙消雲散哩」。

「我現在還是走不出來啊。幹這一行，有太多掙扎了。」

「而且也不是什麼愉快的工作嘛。」長門說。「不全是可以順利解決的案子，而且幹得愈久，遇到的懸案也就愈多。」

「就是啊。我也是遇到沒破的案子，心煩了好幾年。不過仔細想想，就算破案了，事情也不是這樣就完了啊。」

「怎麼說？」青木問。

「我們的工作只到抓人為止，接下來就是檢察和法院的事。這是沒辦法的事。所以嘍，我想得很開，只能好好查案，好好抓人。可是咱們處理的是人，自己也是人，不是那麼容易切割清楚的。對吧，五十次兄？」

「是啊。移送檢調之後怎麼了，咱們也沒那個閒工夫去關心嘛。」

「案子不會等我們吶。」

「對啊。就算牽掛，也干涉不了判決。信心十足地逮到的嫌犯最後竟不起訴，或就算起訴了，卻被判無罪，這樣的情形也並非沒有。無罪也是形形色色，但有些情況甚至是抓錯人呢。那就形同放任真凶逍遙法外了。」

「那真的很難受呢。」青木說。「冤案的可能性總是如影隨形。」

「對啊。我們沒有半點要製造冤案的念頭，跟面子、績效那些也無關。可是在判決出來之前，我們都相信嫌犯是有罪的。因為要是連自己都不信，根本不可能把人送到檢方手裡嘛。」

各種累積啊──長門嘆道。

「已經不會再累積啦。你現在就只是個普通的老頭子了。要積就積體垢、積欠債就夠啦。」

「阿修你自己呢？」長門遞出酒壺問。

「我？噯，我在本廳的時候，遇上的全是些瘋狂的案子嘛。到底是有破還是沒破，都搞不清楚了。比懸案還要糟糕。可是……後悔是沒有啦。」

不滿倒是一堆。

木場基本上偏好勸善懲惡。然而他涉入的案子，卻完全不符合這樣的形容。

涉案人當中，沒有純粹的惡人，也沒有純粹的善人。不僅如此，就算謎團解開了，或是凶手落網了，也不同於讀物或電影，現實的案子不會就此結束。拖泥帶水，沒完沒了。

絕不會像武打劇那樣，將惡貫滿盈的大魔頭一刀兩斷，痛快落幕。

在這個意義上，木場極為不滿。

但若問他是否有什麼悔恨、留戀，答案是否定的。

「沒有後悔是好事啊。」長門說。

「就是啊。」伊庭也附和。「後悔這回事啊，木場老弟，沒有是最好的。因為這種東西啊，就像刻在了石頭上，是不會消失的。除非石頭化成灰……也就是會一直留到死為止。再怎麼用力擦它，也不會消失，就算蓋起來，也還是在那裡。」

是這樣嗎？

「伊庭叔不是在去年的事件做出了結，豁然開朗了嗎？」

「確實，因為你那個瘋狂的朋友，事情解決了。心裡頭的疙瘩也拿掉了。但已經刻下去的東西，是不會消失的。只是終於能夠接受抱著那塊碑到死罷了。」

伊庭攪動鍋子，說「料吃光了」。

「來煮收尾的粥吧。」青木說。

一名臉頰紅得古怪的店員過來，一邊生硬地熱情招呼，一邊放進白飯雞蛋等等。老狐狸用一種看孫子的眼神望著店員。木場還喝不夠，自己拿酒瓶往玻璃杯裡倒酒。

「說到懸案……」長門邊吃粥邊說。「我遇過一個奇妙的案子。剛才說著我想起來了。不，不是想起來，就像銀兄說的，它一直刻在某個地方吧。」

「奇妙？怎麼個奇妙法？」

「哦，雖然前年的那起黃金骷髏騷動也夠奇妙了。」

「那不叫奇妙，是胡鬧。」

確實，那起案子呈現出來的樣貌，完全超出了人類的智識，但最後揭曉一看，只是場複雜的噩夢，木場也沒再去回想，因此連細節都忘了。

「唔，是嗎？現在還在審判中，我聽說似乎相當棘手。我不清楚整件事的全貌，所以就只覺得是一起不可思議的案子。」

「哪有什麼不可思議。」木場說。

伊庭和青木都笑了。

「或許是吧，那個……」長門啜著火鍋粥，娓娓道來。「對，剛才提到的上野的案子，被人打死的新興宗教的信徒。那起案子，其實只是普通的強盜案，隔天歹徒就落網了。歹徒是個江湖走販，是為了劫財而行凶。說什麼想要被害者身上的衣服，所以才把人給剝光了。跟什麼信仰、思想都無關。然後，緊接著就在那之後，應該不到一星期吧，又發生殺人案了。」
「老先生說的緊接著，就是你被特高監視，開始對死者念佛的案子嗎……？」
「對，沒錯。我們接到通報，說芝公園發現屍體。轄區警察趕過去一看，竟發現三具屍體。」
「有三個人被殺了？」
「是啊，這可是大事。」
「三個人很多呢。」伊庭說。「我待在長野那時候，遇過一起強盜滅門案，當時的被害者有三個人……那是登門搶劫。因為放了火，被害人當然也多……不過現場是公園的話，不是弓部那些嗎？」
「弓部」是刑警的行話，指的是強姦強盜這些強字開頭的犯罪。
「對，沒有搶劫財物的痕跡。而且那也不是有人會經過的地方。也不是事故。地點在東照宮後面。」
「等等，不是在說那之前的案子嗎？東照宮不是在上野嗎？」
「不，我說的當然是芝區的東照宮。不是增上寺旁邊，喏，那座古墳還是什麼那邊……不是有一間東照宮嗎？那裡的後面不是有一片濃密的樹林嗎？」
「原來芝區也有東照宮？」
木場完全不曉得。
芝公園他知道。他去過幾次。寺院也很大，所以依稀有印象。除此之外，他只想得到在空襲中燒燬的高級日本餐廳紅葉館。說起來，原來東京有古墳？
「東照宮全國各地都有喔。」青木說。
「這樣嗎？不是只有上野和日光有喔？」
「栃木的日光和靜岡的久能山是東照宮的本山——啊，東照宮不是寺院，所以應該叫本宮嗎？總之就是這樣，好像全國各地有很多間。因為那是祭祀德川家康的神宮啊。」
「噢。」
家康是東照神君——是神明。東照宮是把家康祭祀為神的地點，也就是神社吧。但就是這一點木場不懂。他就是覺得家康是人，一直把東照宮當成類似墓地的地方。既然是墓，到處都有豈不奇怪？

木場再次了解到，德川幕府的第一任將軍在明治維新前，是這個國家最偉大的人。

「有這麼多間？」

「應該有上百間吧。我不是中禪寺先生，所以不清楚……」青木接著說。

中禪寺是木場的朋友，家業是神主，職業是舊書店老闆，副業是祈禱師，說有多可疑就有多可疑，但是在木場身邊一堆麻煩的熟人朋友當中，堪稱極為**正派**的一個。只是他愛賣弄道理，口若懸河，而且對神社佛閣異常精通。

「哦，我……一直以為上野的東照宮類似寺院的別院，或是一座大墳墓，芝區那裡的神社，我都以為是稻荷神社之類的地方。我知道了，是那一帶啊。」

「就是那一帶。」長門說。「總之，我們趕過去一看，確實倒著三個人。三個人排成川字型，兩個男的，一個女的。」

「排成川字？喂，又不是父母小孩擠在小和室裡排排睡。是命案嗎？」伊庭說。

「人死了。」長門說。「躺在右邊的男人頭破血流，應該是被鈍器打死的。剩下的兩個應該是被利刃刺死的，腹部鮮血淋漓……」

「怎樣搞的？現場記得那麼清楚，死因卻這麼模糊。是忘記了嗎？」

「沒有驗屍。」

「啊？」

「消失了。」

「什麼東西消失了？」

「就屍體啊。」長門說。

「等等，屍體消失？怎麼回事？」

「就是不見了啊。」長門回應。

「不見？屍體嗎？不，這太奇怪了吧？你說死者在眼前像煙霧一樣消失了？還是漸漸透明，就這樣不見？」

「不是那樣。」

「不是的話，就像伊庭叔說的，屍體是物體耶，已經不會動了。除非有人對它做什麼，否則不可能自己怎麼樣。」

「是啊……」長門把碗放到桌上。「所以我才說不可思議、令人費解。」

「我說老先生，那是怎樣？接到通報說有人死了，趕到現場，卻沒發現屍體，是這樣嗎？要是這樣就懂了。不是有人謊報，就是弄錯了。不是死了，只是醉鬼倒在地上而已，這是常有的事。」

「那樣就沒什麼奇妙的了。發現屍體的是清掃公園——在公園撿垃圾的人，第一個抵達現場的是派出所的警員，然後轄區刑警到場，我們是接著才到的。我到場的時候，確實就在那裡。」

「屍體嗎？死的嗎？」

「我也親眼看到了。對死者拜過了。不是路倒，明顯是他殺。唔，我本來猜想是殉情或是爭吵——比方說兩人殺了其中一人，再一起殉情……也不是沒有這種事。但屍體排得很整齊，所以我們認為應該還有另一個人。」

「那屍體怎麼會不見？」

「現場有幾個人？」青木問。

「我想想，芝愛宕署的警官和偵查人員，大概有十來個吧。本廳有包括我在內的四個人。發現者也還在。還有，不知道為什麼特高也跑來了。雖然像是在監視我……」

「所以老先生又念佛了嗎？」

「是啊。嗳，我們依照程序，把現場圍起來，禁止閒雜人等進出，然後鑑識人員過來，拍了照……」

「那是什麼時候？」

「傍晚……不，我到的時候，天色已經黑了。應該快晚上八點了吧。所以是在晚上六點半或七點的時候發現的。」

「那裡是芝公園的深處吧？很黑呢。」

就算不知道神社的名字，木場也知道這些。

「唔，是很黑啊。也沒有路燈。然後拍了照，做了記號，就要把遺體搬走，對吧？」

當然了。

「人員像這樣，把遺體放上擔架，一具具搬出去。順序是……看似被打死的男屍先搬出去，然後是女屍、最後的男屍，像這樣往返搬運。然後三具遺體都搬走了，人又過來了。」

「什麼人？」

「搬屍體的人員啊。他們問剩下的在哪裡，可是哪有什麼剩下的，早就搬光啦，所以我說都搬走啦。接下來尋找有無遺留物品，然後轄區展開初步調查，在附近四處問案那些。我們回去署裡一趟，徵詢指示。然後在芝愛宕署設置搜查本部，準備明天早上召開搜查會議……沒想到，」

隔天一早，整個天翻地覆——長門幾乎是笑著說。

「說遺體不見了。」

「什麼？」

怎麼可能？

「是被偷走了嗎？」伊庭問。

「照一般想，會是這樣呢。」

「莫名其妙，誰要偷那種東西？那是他殺屍體吧？凶手偷的嗎？」

「要是凶手偷的，那就太厲害了。」青木說。「沒有屍體的話……就可以瞞天過海了。」

「真是胡說八道。屍體已經被發現，警察都來了，現場照片也都拍了吧？到處都有偵查人員晃來晃去，不是嗎？要是凶手滿不在乎地跑來這種地方，光這樣就夠異常了，還把屍體帶走，哪有這麼瘋狂的事？」木場說。

「不就發生了嗎？」伊庭說。「五十次兄何必撒謊？」

「是這樣沒錯啦。就算是這樣……我知道了，老先生是老糊塗了吧？會不會是記錯了？那是幾十年前的往事了吧？」

「所以說……那是昭和九年，印象中應該是六月的事。雖然日期不記得了。」

「那不都二十年前的事了嗎？做夢夢到的吧。」

「不可能。事情都刻畫在腦海裡了。我也是，上回的事件，我因為從來沒放在心上，所以幾十年來一次都沒有想起來過……但其實我根本記得一清二楚。」伊庭說道。

「可是我覺得這難以想像啊。我是沒有兩位那麼老江湖，但也經歷過不少。就算是戰前，也不可能發生屍體從現場被偷走這麼荒唐的事吧？」

「每個偵查人員都跟阿修一樣的想法啊。」長門說。「所有人都不信有這種荒唐的事。沒錯，警車沒辦法開進公園裡面，所以應該是停在日比谷大道那裡吧。人員說他們在那裡等候指示。然後有人叫他們去搬屍體，他們照著指示過去，卻說屍體已經搬走了。指示搬運的轄區刑警則說他下了令，然後有人來搬，所以一點都不覺得有什麼不對。」

「也就是說，裡頭有人假冒警察官？這有辦法做到嗎？不是有制服嗎？」

「可是也只有這個可能了。我也認為除此之外，沒有別的解釋了。只是如果真是這樣，那真是丟臉丟到家了。」

「是啊。我猜應該沒有人承認過失吧？多半都會相互推卸責任……噯，我也知道警方傳統上就是有這種壞毛病。」

「就像銀兄說的。我們本廳人員只是挨了課長和部長一頓罵，說人就在現場，搞什麼東西，但芝愛宕署是從上到下鬧得沒個開交，爭論下令了沒下令、搬了沒搬。」

「真是難看吶。」

「不，這樣說他們就太可憐了。剛才阿修不就說了？不可能發生這麼荒唐的事。每個人都這麼想。」

唔……也是。

「我們當晚是四處打聽了一下，但也是在詢問殺人棄屍的問題，沒人想到會有小偷把屍體搬走。現場很乾淨，沒有留下任何物品。公園也不是犯罪現場。到了這地步，線索全斷了。」

「沒有屍體也沒輒嘛。然後呢？」

「對，大概鬧了一星期左右吧。我們也被芝愛宕署找去，協助了調查，但實在是無從著手。不管是要調查身分還是死因，都沒有辦法。」

「可以抓盜屍賊吧？」

「毫無線索。沒有目擊者，什麼都沒有。勉強要說的話，在場的偵查人員和鑑識人員是目擊者。可是沒有半個人有印象。」

「喂喂喂，運屍的不是外人嗎？」

「就算是，也看不出來啊。」

看不出來嗎？

「也是呢。木場老弟啊，你認得現場搬運遺體的人員的臉，記得他們的名字嗎？」

這……不好說。

「別說那些人了，自己署的署員長相跟姓名，你全部記得嗎？我以前待的是地方警察，所以規模也小，但只要換到另一個課，就沒半個認識的人了。不，連課裡不同單位的人都不認得，畢竟會調來調去嘛。」

「我也不認得啊。就算認得，也不會特地確認身分。在現場……嗯，就只會看現場嘛。偵查人員的臉……」

才不會去注意。

現場有許多警官和鑑識人員，但他們就像是淨瑠璃或歌舞伎表演中一身黑衣的黑子〔註一〕。在認知當中，他們是**不存在**的。

「不會去看吶。」木場說。

這時女店員端茶過來。

木場還沒喝夠，接連拿起桌上的小酒壺，把剩下的酒全集中倒入自己的杯裡，大口喝光。

「不過臉就算了，從服裝看不出來嗎？警察一看就知道，刑警應該是穿便服，但就算是當時，作業人員也不是穿便服吧？應該是是穿工作服吧？」

「會不會是類似的衣服？」青木開口。「比方說國民服、國鐵的工作服……那叫菜葉服〔註二〕嗎？那種衣服不是都長得滿像的嗎？」

「當時距離全民都穿國民服的時期還早吧？國民服是開戰前夕才冒出來的東西。就算是類似的衣服，也得預先準備，否則沒辦法冒充啊。」

「反過來說，只要有所準備，意外地不會曝光，對吧？」青木說。

「唔，預先準備的話，想冒充什麼人都成吶。」

「預先準備，也就是預謀計畫嗎？」伊庭板起臉孔說。「那會是什麼計畫？完全搞不懂凶手的用意。凶手到底想做什麼？這有什麼好處？把屍體丟在外頭，讓警察發現，然後再巧妙地偷走，我覺得這些行徑毫無邏輯可言。是覺得好玩嗎？」

確實。

完全就是為了捉弄警察的計畫。但就算是這樣。

「不惜……準備真的屍體嗎？」伊庭說。

太離譜了。

「這不太可能呢。不過五十次兒，這要是犯罪，真的很巧妙呢。真是個盲點。不過為什麼非得把屍體從

註一：黑子是全身黑衣、黑布蒙臉的舞台輔助人員，在歌舞伎中協助表演或舞台轉換，在人形淨瑠璃中則是負責操縱人偶。

註二：菜葉服（ナッパ服）為國鐵作業員的工作服，為青綠色。

現場偷走……理由完全不明白。」

「就是不明白啊。然後到了最後……應該就當做**沒這回事**了吧。」長門說。

「怎麼可能？」木場說。

「可是後來就沒消沒息啦。」

「可是就這樣不管，豈不是太不負責任了嗎？不是有屍體嗎？」

「有啊。」

「千真萬確吧？」

「千真萬確啊。要是信任我這雙昏花的的老眼，我也親眼看見了。我還在三具遺體前念了正信念佛偈呢。沒錯，那是我第一次對著遺體念佛。」

這樣啊。那應該會印象特別深嗎？

「當然，不是就這樣丟著不管了。不是因為無從查起，所以停止調查了。對，芝愛宕署的年輕刑警也考慮到盜屍的可能，似乎持續追查了一陣子，但好像一無所獲。」

那樣一來，也實在沒轍了——長門說。

「要是偷走屍體，應該只能用汽車搬運。可是似乎沒有人看到可疑車輛，也沒發現那種車子的痕跡。」

「可是啊老先生，最讓殺人犯頭痛的問題，就是要如何毀屍滅跡……這是我們的常識吧？只要屍體沒了，命案也就不存在了嘛。」

「沒錯。」伊庭說。「不管狀況證據再齊全，要是沒有屍體，案子就難辦了。視情況，連要成案都很困難。所以凶手才會把屍體搬走吧？」

「所以了，把屍體搬走之後要怎麼辦？我是不曉得是拿去埋了還是燒了，但總要想辦法處理吧？還是凶手有那種技術，可以把屍體收拾得一乾二淨？那應該從一開始就這麼做了吧。如果犯罪現場不是公園，表示凶手是刻意把屍體搬到那裡擺好的吧？」

「是啊。」

「這太奇怪了啦。擺在那裡，不就是棄屍在那裡嗎？假設是正準備收拾的時候被人發現，然後警察來了，只好設法把屍體弄走……接下來凶手把屍體怎麼了？有三具對吧？」

「有三具。」長門說。「後來也沒發生其他地方發現類似屍體的事。雖然要是發生在管轄之外的其他府縣，警視廳也不會知道。各地方各行其事也不是今天才開始的事了。雖然好像也向關東近縣的地方警察打聽過了。」

「就這樣消失了嗎？」

長門從一開始就是這麼說的。

「沒錯。那三具屍體，是只在這個世上存在了幾小時的……幻影屍體。」

「幻影啊……」

「噯，應該是真的無計可施吧。屍體消失，也就是案子消失了，遑論尋找凶手。而且地點也不好，那裡是東照宮的後面，對吧？所以也有人說是被狸貓給迷騙了。」

「跟狸貓有什麼關係？」

「因為家康吧？」伊庭說。「家康的綽號就是奸詐的老狸啊。」

「哈！」木場嗤之以鼻。「這才是可笑的牽強附會吧。去他的狸貓。民間故事的話，或許也是有這樣的情節啦，什麼迷騙……這不是可以當成笑話帶過的事吧？被狸貓騙去吃馬糞、泡糞桶，這種情節才好笑。」

「我同意。人命關天嘛。可是，剛才不是也有誰說了嗎？案子不會等我們……」長門說。

「是啦。」

「一直有新的案子進來，自然就優先去查新案了。我也立刻被分派別的案子了。當時還有強盜集團之類的橫行嘛。就在這當中……局勢愈來愈不穩。我剛才說的唱片審查，也是那年夏天開始的。七年後就開戰了。」

「是開始防空演習那一年嗎？」伊庭問。

「是啊，一片肅殺，又忙翻天了。所以雖然不是無關緊要的事，卻也沒有心力去處理。……如何？很奇妙，對吧？」長門說。

「後來……就沒有下文了，是吧？」木場說。

「對。就算是命案，也已經過了追訴期了。屍體消失，就這樣無疾而終。我也真心覺得是被妖怪捉弄了，又或是做了一場夢。不過現在我想到了，應該……」

有鑑識拍的照片——長門如此做結。

虎（二）

「誰？誰被殺了？」可兒卓男發出走了調的怪叫聲。

「又沒有人這麼說！」寺尾美樹子當下否定。

「只是冨美說去委託偵探了而已。那個偵探超沒膽的，說什麼局長的爸爸可能也是被人殺了，嚇得要死。這裡是笑點，好嗎？就算真的是這樣，也是都二十年前的陳年往事了，那個偵探卻怕成那樣，未免太好笑了吧。」

有夠窩囊的，教人看不下去——寺尾說著，皺眉搖頭。實在尖酸刻薄。寺尾看上去四十多歲，但其實還不到三十。

兩人是御廚的同事——前輩藥劑師。

可兒主要負責寒川藥局的會計和庫存管理。年紀大概四十五、六，但可能是因為體格瘦弱，加之沒有主見，看起來只有三十開外。本人似乎也對此相當在意，最近開始在下巴蓄起了鬍鬚，卻是弄巧成拙。御廚覺得他看起來就像戴了假鬍子的小朋友。

「我只是在擔心。」可兒不知為何挺直了背說。「要、要是寒川先生有個什麼萬一，那該怎麼辦？我們都要流落街頭了。」

「你啊，要說擔心，冨美比你更擔心，好嗎？要是寒川先生發生什麼事，會流落街頭的不是你，而是冨美吧。而且工作的話，現在不是也做得好好的嗎？也有幫手。」

可兒總是被寺尾駁得體無完膚。

「你啊，少在那裡亂烏鴉嘴啊。」

「不是的。現在還好，可是，可是喔，寺尾，院外處方藥局現在還很少見，所以賺不了錢啊。光靠這項業務，藥局經營不下去，所以寒川先生才會辛辛苦苦申請藥種販賣業的執照，登記一般醫藥品販賣業……」

「嘰嘰咕咕什麼啊。」

「我說寺尾啊，要是寒川先生有個什麼萬一，登記會被註銷吧？因為我們藥局不是法人，也沒有繼承人啊。」

「不是有富美嗎？」

「他們又還沒有登記結婚。到時候只能從頭來過了。」

「所以叫你少在那裡觸霉頭。」寺尾說，瞄了御廚一眼。「你啊，說話前也先想想富美的感受，好嗎？要是覺得人已經死了，還會去找什麼偵探嗎？——寺尾說完，豪爽地大笑，接著看向御廚，連聲抱歉。

「我的話是不是比他更傷人啊？」

「不會，我沒有受傷。」

御廚很擔心寒川。這是真的，但不管現在誰說什麼，狀況都不會改變。而且她很清楚，不管是可兒還是寺尾都沒有惡意。她不可能因為他們的話而受傷。

寺尾說著「反正也沒客人，沒關係吧」，端出竹簍盛裝的蕃薯乾。

「那，怎麼樣？那個偵探帥嗎？」

「咦？」

「玉枝不是說嗎？是個讓人神魂顛倒的美男子，而且還是有錢人，對吧？」

「那個人不在。聽說正在休假。在那裡的是一個據說以前當過刑警的、像個落魄文人的偵探……助手。」

「太可惜了。」寺尾說。「我去買了玉枝說的雜誌回來讀，上面提到什麼赫赫有名的華族偵探華麗擊垮來自關西的冒牌靈感偵探。」

「這麼有心。」御廚說，寺尾回道「那當然了」。

「我也是戰爭遺孀啊。夢想釣到金龜婿也不為過吧？」

「金龜婿……」

「沒錯，妳很不幸的，富美。被後母趕出家裡，含辛茹苦，好不容易結了婚，小孩才剛出世，丈夫就被抓去從軍了，而且還戰死了。好不容易生的寶寶也在空襲中過世了。聽了都讓人忍不住替妳掬一把同情淚。可是，妳現在不是有了寒川先生嗎？」

「……他不見了啊。」

「他一定會回來的啦！」寺尾大聲說。「就算不拜託什麼偵探，也一定會回來的。」

「可是……」

「可是什麼？他不是有妳嗎？他才不會丟下妳不見。」

絕對會回來的！——寺尾斬釘截鐵。

寺尾總是直來直往，有話直說。有時聽了很刺耳，有時話很嚴厲，讓人聽了難過，但她絕對不會撒謊，或是只憑臆測就亂說。然後說到最後，一定會哄人開心。所以可以確定的是，她沒有惡意。

「看看我，我什麼都沒有。家裡就只有個站都快站不起來的老太婆。我不想就這樣枯萎地終老一生啊！就算夢想被有錢的美男子愛上，也不算過分吧？」

「人家是特權階級的資本家吧？那種人才不可信。」可兒嘀咕道。

「什麼話！你不是說，華族制度廢除了，財閥也解體了嗎？如果人家現在有錢，那不是人家的實力嗎？」

可兒口中嘟噥著「才沒這種事」之類的話，但完全被寺尾豪爽的笑聲給蓋過去了。既然是可兒說的話，一定是有見識的，但庸俗的寺尾不可能聽得進去。

「可是就我看到的，似乎也不是那麼有錢……」

「這樣嗎？可是聽說那整棟大樓都是他的，不是嗎？有自己的大樓，那當然是有錢人啦。」

也許……是吧。

「窮的是那個看門的助手還是小弟吧。那，怎麼樣？那個又窮又沒膽的小子答應了嗎？」

答應了。

「可是，他說嚴重缺少線索。然後他說要先去查一些東西，再過來這裡，要我們多多配合。」
「來這裡？來這裡做什麼？」
「來調查啊。」
「寒川先生又不在。」寺尾說。「不是委託他找人嗎？跑來人不在的地方調查什麼？對吧，可兒兄？」
「妳想得太簡單了，寺尾。」可兒無意義地拿起算盤。「失物尋人要先從起點找起……這可是基本。」
「又在那裡神氣兮兮。」寺尾撇開臉去。「又不是狗，難道要來這裡聞聞寒川先生的味道，再四處去聞去找嗎？」
可兒露出不勝厭煩的表情：
「那，難道妳要叫人家瞎找一通嗎？又不是看卦的，怎麼可能找得到。」
「不是啦。我不曉得那個手下怎麼樣，可是雜誌上說，那裡的偵探好像有千里眼那一類的神通力喔。」
「那是……」
根據益田含糊不清的說明，那似乎並非靈術或魔法之類的能力。益田說，那說起來只是一種體質。據說玫瑰十字偵探社的偵探長——榎木津禮二郎這個人體質特殊，無關自己的意願，就是會**看到**別人的記憶。雖說實在難以置信，但若是真的，大部分的事，一定都逃不過他的法眼吧。
只是，那個人並非依靠這份異能來從事偵探工作——益田如此強調。益田說，偵探長反而是因為體質造成的古怪個性，才會跑來幹偵探這一行，但這番說明才是讓御廚無法理解。她只理解到偵探長是個相當古怪的人。
「他好像是個很奇怪的人喔。」她說。
外表出眾、家世良好，才華洋溢，似乎也有相當的財力，但應該是個怪人吧。
「怪人嗎？這根本不算障礙。」寺尾說。
「什麼東西的障礙？先不管這個，總之那個人說他也想和其他員工深入聊一聊，還有這家店也是，如果可以，他想調查一下寒川先生的房間。」

「房間主人不在耶？」

「所以才說如果可以的話。」

「富美同意的話，應該就沒關係吧。」寺尾說。「富美就像寒川先生的太太嘛。」

——這。

真的是這樣嗎？

在這之前，也不是沒有提過要登記結婚的事。去年春天寒川也提過。富美沒有拒絕，但也沒有答應。態度消極。

沒有理由拒絕。雖然兩人年紀相差了十歲以上，但御廚也不是黃花閨女了。不，她早已不年輕了。

但應該是寡婦身分，以及失去過孩子，加上陰暗又有時殘酷的過往人生，讓她裹足不前。

寒川雖然沒結過婚，卻是已年過四十的鰥夫。就算娶個年近三十的寡婦，也不算奇怪。這話寒川說過好幾次了，御廚也都明白。所以只能說，就是不知怎地下不了決心。

寺尾說她是養成了不幸的毛病。

但御廚不覺得自己有這樣的毛病，何況她根本不覺得自己有多不幸。遭到後母虐待時是很痛苦，但因為被趕出家門，也不再受虐了。離家後雖然吃了不少苦，但認識丈夫以後，那些苦也緩解了。雖然在戰爭中失去了丈夫，但這樣的災禍並非只發生在御廚一個人身上。在大後方，所有人都一樣苦。

說到她唯一的憾恨，就是沒能守住幼小的生命。

女兒因營養不良而衰弱，在東京大空襲的當下過世了。不是遭到轟炸而喪生，而是在她背著女兒四處逃命時，不知不覺間嚥氣了。她放下女兒，想要餵奶，發現嬰兒已經一動不動。

明明是深夜，戶外卻是漫天火舌一片赤紅，熱風轟隆隆肆虐著。御廚怎麼也無法理解女兒已經死了，接下來幾天就抱著女兒的屍體度過。

這令人心碎，但……

御廚不知道那場空襲死了多少人。十萬人，或是更多，有數不清的人死去了。女兒僅僅是這眾多犧牲者當中的一人。和御廚同樣心碎的人，肯定是不計其數。

所以。

她從未覺得自己特別不幸。死去的女兒很可憐，一回想起來，她現在還是會掉眼淚，但因此她不想認為自己是不幸的。

正當御廚走投無路，是寒川對她伸出了援手。不是邂逅那麼誇張的事。御廚飢腸轆轆地只是杵在焦原之中，寒川詫異她怎麼了，出聲向她攀談，如此而已。

寒川是個好心人。

他是出於同情，或是憐憫，御廚不得而知，也不重要。或許寒川只是缺少做生意的人手。

為了幫忙寒川的工作，御廚進了藥學的專門學校女子部——當然是在寒川的全面資助之下——也參加了五年前開辦的國家考試。

就像一場美夢。

因此敗戰後的八年多，御廚十分幸福。每當想起孩子，她便心如刀割，現在也還是會夢到空襲那一晚，但她還是不覺得自己不幸。

起碼……

在寒川失蹤之前，她如此相信。

寺尾說兩人形同夫妻，但御廚不這麼認為。都是御廚不好。因為每次寒川提起類似求婚的事，御廚自己就會打哈哈來轉移話題。

碰到那種狀況，御廚似乎就無法嚴肅面對。而她猜想，寒川則是會想太多的個性。寒川一定是認為，御廚依然心傷未癒。

因此御廚和寒川與其說是男女關係，更只是一對相濡以沫的孩子。兩人甚至連手都沒有牽過。

這個樣子，也算是寺尾說的那種關係嗎？

而且如果兩人真的那麼親密，寒川會對她不告而別嗎？會有辦法超過一個月都不聯絡嗎？

雖然御廚也覺得，或許就是這樣的。

「我不能作主。」御廚說。

「我覺得不是誰來作主的問題。」可兒說。「事關我們的生計。走錯一步，我們可能都會丟掉工作。我們當然擔心寒川先生的安危，但也同樣地擔心自己的未來。其實，我稍微看了一下寒川先生的書桌。」

「你擅自跑進去他房間？」寺尾說。

「什麼擅自，我也負責藥品的庫存管理，好嗎？一顆、一包都不能有差錯的。絕對不能發生配錯藥或賣錯藥的情形。所以我都會逐一確認。雖然妳老說我斤斤計較、神經兮兮，但對於帳簿，我可是小心再小心的。」

「所以怎樣？」

「所以……年底寒川先生交給我的文件有缺，所以我進去找。就是那個時候，唔……」

「你不就擅自亂看了嗎？」

「是啦，我看了。我找了一下，看看有沒有任何線索。」

「有嗎？」

「就算跟妳說，妳也不懂吧。」可兒說。

「這麼瞧不起人！」寺尾回道。

「那……」

御廚開口了。她總覺得心虛，所以不曾仔細查看寒川的書桌。因為她覺得調查就代表了懷疑。

「……可兒兄找到什麼了嗎？」

「沒有，御廚。雖然是找到了一些東西，但看不出到底有什麼關聯。」

「你也看不出來嘛！」

寺尾好像吃完蕃薯乾了。

「我當然看不出來啊。我只懂數字而已。我的工作是出納和庫存管理，所以那個……偵探嗎？等偵探來了，我會告訴他。調查是他們的工作吧？」

「你啊，富美回來前你不是才在說偵探不可信，只會被當肥羊宰嗎？現在又換一套說法啦？」

「那是因為妳一直說些什麼千里眼啊靈術那些蠢到不行的事。我是說，那種騙小孩的偵探，八成不值得信任。但妳找的偵探不是那樣的吧？御廚。」

「我也不知道。」

感覺可疑是事實。

這時客人上門了，這個話題就此打住。

御廚似乎是會完全投入眼前的個性。對此看法或許見仁見智，但御廚覺得是好事。因為在當下這一刻，不論是往後的不安，還是過去的時運不濟，都會從腦中消失。

有幾個說頭痛牙齒痛，症狀最好去看醫生的客人上門。後來又來了個要買希洛彭〔註〕的老人，教人吃不消。

就算告訴他三年前已經禁賣了，老人也不聽，說沒賣了就調給他，還大吼說藥行不就是開處方賣藥的地方嗎？都拿錢上門了卻不賣，真是豈有此理！因為鬧個沒開交，可兒出來懇切地說明興奮劑取締法、國際條約那些，但老人聽不懂，賴著不走，吵著什麼都好，給他提神振奮的藥就是了。可能是因為鬧得太凶，平常都會來買絲瓜水的婦人一臉嫌惡地離開了。

老人實在太死纏爛打，寺尾終於忍無可忍了。她嘰哩呱啦地碎念人只要上了年紀，本來就會倦懶，想要提振精神，就早睡早起，看是要乾布摩擦還是沖冷水澡都行，把老人趕了出去。老人撂話說不會再來了，寺尾回敬說不用來了，還落井下石地大喊：

「不管上哪都不會有人賣你啦！」

寺尾把頭伸出玻璃門，好陣子就定在那裡。御廚奇怪她在做什麼，正在看著，聽見寺尾說：

「你幹麼？這裡沒賣希洛彭。法律禁賣了。」

「嗄？」

定睛一看，廣告海報另一頭，益田正一臉窘相地站在那裡。

「我又沒有要買希洛彭。」

「哦，看你一臉渴望希洛彭的樣子。你那不是以前的潦倒文士髮型嗎？以前有個就像你這樣的小子，穿著邋裡邋遢的輕便和服，好幾次跑來買希洛彭。」

「我、我跟文學完全沾不上邊。高尚的東西我完全不懂。我是個俗人。一團庸俗。」

「他是偵探。」御廚出聲。

「偵探？這副德行？」

「呃，託您的福，雖然這副德行，但我就是偵探沒錯。不過這家藥行也太火爆了吧。」

「怎樣？你又不是客人，少在那裡批評。有事就快進來，站在那裡妨礙生意啦。」

寺尾抓住益田的手臂，把他拖進店裡。

「美珠姊很火爆的。」御廚說。寺尾的名字是美樹子，但本人的發音怎麼聽都是美珠子，所以御廚都這麼叫她。

「對啦。」寺尾應道。「誰叫你挑錯時機上門。」

「我完全不在意，沒事的。這樣的對待我非常習慣了。啊，御廚小姐，您好。」

「不好意思，剛剛來了個難搞的客人。」

「我了解。以客為尊、客人就是天，這樣的風潮實在令人質疑呢。雖然這不重要啦。啊，我是玫瑰十字偵探社的益田龍一。」

益田分別向寺尾和可兒行了個禮。

寺尾「哦？」了一聲，掛上打烊的牌子，拉上簾子。

註：希洛彭（Philopon）是過去大日本製藥販賣的鹽酸甲基安非他命製劑，在當時被視為恢復疲勞的藥物。一度被當成興奮劑的代名詞。

「離打烊時間還早吧？」益田說。
「沒關係。醫院已經關門了，一般客人就算藥店沒開，也不會怎樣。」
「可是，可能會有醫院的病患上門啊。」
「拿處方箋的病患看到關門，非配藥不可的話，自個兒會敲門，到時再開門就行了。比起那些，偵探更重要吧。」
寺尾碎唸著，搬出圓凳子給益田坐，拖出自己的椅子，在他正對面坐下來。
「那，你要問什麼？」
「請問……」
「我是寺尾，那個是可兒。」
「殼？殼先生……？」
「可能的可，兒童的兒。」可兒說。「你大概聽錯了。是寺尾的發音先錯了。我是寒川藥局負責會計的可兒。」
「是……」
寺尾對著應該很傻眼的益田說「喏，快點問」，接著上身往前探去。是覺得偵探很稀罕吧。或是還沒有放棄尋找金龜婿的野心？
「我是非常想要請教兩位各種事情，不過在那之前，請容我先做個報告。」
益田敷衍寺尾之後，打開記事本。
「我呢，在御廚小姐回去以後，立刻去了下谷，調查了那位佛師笹村先生。因為不管怎麼說，那個人應該就是寒川先生失蹤的關鍵。」
「我也這麼認為。」可兒說。「寒川先生就是遇到那個人以後，才開始變得不對勁。而且佛師？這年頭還有這種行業嗎？」
「當然有啊。」益田說。「現在還是會製作佛像，也會修補舊佛像吧，所以依然有許多需求。佛像的樣式，好像有非常繁瑣的規定。像菩薩、如來那些，不管是姿勢還是手上拿的東西都不一樣。一般的雕刻家或工務店是處理不來的，非找佛師不可。」

「原來如此，有道理。我還以為佛師是奈良還是鎌倉時代才有的職業。哦，我是天主教徒，所以覺得佛像看起來都一樣。」

「我是法華宗的。」寺尾說。「拜的是南無妙法蓮華經。」

「兩位的信仰跟這件事沒什麼關係呢。」益田說，朝御廚看了一眼。

「那，那個笹村先生在哪裡？」

「沒找到人。」

「沒有這個人嗎？」寺尾說。

「表示那是假名，或謊報身分呢。」可兒說。

「不是的。」益田當即否認。「唔，我理解兩位懷疑他的心情，但兩位似乎存有相當深的偏見或是成見，所以希望你們不要誤會。笹村——他的名字叫市雄，真的有這個人，也確實住在下谷。」

「可是你剛才說沒有這個人。」

「我是說他不在。」

「什麼啦，講清楚啊。」寺尾說。

「不，不是單純的短暫出門，而是從去年秋季左右就一直不在。如果是失蹤，表示他比寒川先生更早就失蹤了。」

益田說到這裡打住，再次看向御廚。

「真的嗎？他先前都住在那裡嗎？」寺尾問。

「對，我也問過周邊街坊了。他的風評不錯。」

益田把記事本翻頁。

「笹村先生可能是為了工作方便，不是住在長屋，而是租了一棟房子，鄰居說他是大概三年前搬來的……人很熱情，似乎是個好相處的人。技術似乎也很不錯，工作方面也很順利的樣子，一直都有和尚啊老人家來委託，只要在他家，就一定聽得到鑿子的聲音……」

「只要在家？」寺尾問。

「他好像經常出門旅行。」益田說明。「感覺像是每完成一尊佛像，就會出門旅行一趟。短則三四天，長則一週的樣子。每次出門前，他都會向左鄰右舍打招呼，請他們幫忙留意家裡，回來的時候也會帶上土儀。禮數很周到呢。」

所以不是什麼可疑人物——益田辯護地說。

「那他跟這件事無關嗎？」寺尾說。

「我並沒有這麼說。聽著，因為有點可疑，就認定八成就是這個人搞的，這只是主觀偏見。這是不同的兩碼子事。」

「是說，三天兩頭就出門旅行，這年頭這麼不景氣，他手頭倒是很闊綽嘛。庶民才沒辦法去什麼旅行呢。旅行從以前就是特權階級的娛樂。像我家的老媽子，這輩子就只旅行過那麼一回，而且還是去身延山進香呢。近得要命。」

對於寺尾的打岔，益田感動地附和「好像江戶時代喔〔註一〕」。

「我是不曉得做佛師這一行有多賺。也許完全憑各人本事，名師的話，能日進斗金也說不定。感覺笹村先生算是生意興隆的。但就算是這樣，也不可能三天兩頭就去旅行。佛像的工很細，不是那麼快就能完成的。大件的要好幾個月，甚至要耗上一年半載。」

「那沒辦法那麼常去旅行吧？你不是說他搬過去才三年？」

「小件的不用花那麼久啊。有些大概一個月就能完工了。笹村先生好像擅長做……那叫念持佛〔註二〕嗎？小小的佛像，還有安放在佛壇裡的佛像……」

寺尾說「我們法華宗不拜佛像」，可兒也附和「我們也不崇拜偶像」。

「所以說，兩位的信仰請先擱一邊吧。總之，笹村先生好像平均兩個月會出門一趟。從他送的土儀猜想，似乎是去逛關東近郊的神社佛閣了。右鄰的老太婆說，應該是去旅行順便觀摩佛像吧。呃，那位老婆婆叫伊藤稻……」

「益田先生不必要的資訊也太多了吧？」御廚說，益田回應「現在判斷是否不必要還太早」。

「稻婆婆也有可能是重要的關鍵人物啊。有時候在初步調查時認為無關而排除的人，結果是凶手或被害人呢。像去年的大磯的案子，完全就是這樣。」

而且啊——益田上身往前傾。

「這世上的事，看似無關，其實都在某些地方彼此相關的。俗話說，『颳大風，賣桶子的就賺大錢〔註三〕』，這話是真的喔。因為有人擤鼻涕，害得遠處的某人慘遭殺害，這也不是沒可能的事。這我也在去年切身經驗到了。」

「那麼，那個稻婆婆很可疑嗎？」寺尾問。

「所以還不曉得啦。」

「那用不著連名字都向我們報告吧？」御廚說。

「不，萬一大家其實知道這個人呢？那頓時就變得可疑萬分了，對吧？」

「也是啦……」

「我之前遇到的案子，就是感覺無關而沒留意的人名，其實至關重要呢。而且我曾經因為沒有好好調查身分，而蒙上莫須有的嫌疑呢。差點就蒙上不白之冤了。」

註一：江戶時代禁止平民自由旅行，但參拜寺院神社是例外之一，可以輕易申請到通過關所的證明文件。

註二：念持佛是個人置於寢居處，日常祭拜的小佛像，尺寸多在四、五十公分左右。

註三：「颳大風，賣桶子的就賺大錢」（風が吹けば桶屋が儲かる），有「蝴蝶效應」的意思。颳大風便會掀起沙塵，沙塵導致許多人視力受損。視力受損的人只好去彈三味線（盲人的職業），使得製作三味線的貓皮不足。貓被抓去做三味線，導致老鼠猖獗，咬壞木桶，因此賣木桶的店便大發利市。

「小……小偷。竊盜罪。當然是冤枉的。我中了圈套。所以說……」

「什麼罪嫌？」

細節很重要的——益田強調。

「所以……那個叫笹村的佛師確實住在下谷。不過，只是向鄰居打聽實在不夠，所以我還去了笹村家，嗯，我進去裡頭看了看。」

「隨便闖進去嗎？那不是宵小行徑嗎？」

「什麼話，我有確實向房東取得同意的。笹村先生出門旅行的時候，不光會向兩鄰招呼，也會向房東……」

「姓鈴木嗎？還是田中？」寺尾插話。

「都不是，房東叫大柴金彌，六十八歲。有顆像金棗一樣又紅又禿的頭，看上去很和善。然後，笹村先生出門旅行前，還有一回來後，都一定會去向大柴先生報備一聲的樣子。房租也是一次先付半年，從未遲繳，是個模範房客。然而去年入秋時分……大柴先生說不記得正確日期了，笹村先生上門來，說又要出門旅行。奇妙的是，那時候不知為何，他又繳了房租。」

「怎麼會說不知為何？」寺尾問。

「哦，因為夏天的時候他才剛繳過半年的房租，距離下次付款還有四個月左右。不過對房東來說，早收錢也沒壞處，就收下了。他也讓我看了帳簿和收據存根。」

「這可怪了。房租這東西，只有拖欠沒有先付的。庶民可都窮得跟鬼一樣啊。」

「我偶爾也會忘記付房租而挨罵。可是，這樣笹村先生等於是一口氣預付了十個月份的房租呢。」

「然後人就沒回來了嗎？」御廚問，益田說「聽說就此一去不回」。

「都已經過了五個月，人一直沒回來，但房東已經收了房租，也不能把房子怎麼樣。」

「說到去年秋天，那是寒川先生去日光的時期。」

「沒錯，很令人好奇，對吧？」益田把記事本翻頁。「所以，我問房東知不知道笹村先生去了哪裡，結果幸好，大柴先生說笹村先生來道別的時候，他問過這回是要去哪，然後笹村先生說要去栃木那邊。」
「是去日光嗎？」可兒激動起來。「就是日光吧。栃木除了日光，還有哪裡好去？」
「不不不，沒這回事。栃木縣還有那須，還有宇都宮啊。雖然我都沒去過啦。而且笹村先生說的是栃木**那邊**，搞不好只是栃木的方向，連栃木縣都不是。」
「又不是詐騙話術。」可兒說。
「因為不確定，所以我請房東讓我進屋，看看能不能找到什麼線索。哦，我灑淚編了一套話，說我信仰虔誠的祖母病危，想要趕快委託笹村先生做個念持佛，就算要追到他旅行的地方去，也要委託他。」
「你這人也太壞了。」寺尾說。
「這就是偵探的工作啊。總之，屋裡沒什麼可疑的東西，也沒找到線索。是有做到一半的不動明王像啦。要是就這樣罷休，好不容易編造的說詞就白費了，所以我還找到笹村先生出門前交貨阿彌陀像的客人那裡那裡去了。」
「居然知道有這樣一個人。」御廚說，益田說「是碰巧」。
「其實那個客人是房東大柴先生介紹的，而且更幸運的是，他就住在這間藥局附近。聽說他委託笹村先生刻一尊佛壇供奉的阿彌陀如來像，我拜見了一下，那尊如來像做得實在很棒。然後那位……」
「要說名字了，是吧？」寺尾說。
「是啊，是住在南池袋的喜田庄助先生。喜田先生說佛壇在空襲時被燒夷彈燒焦了，側邊經過修繕，牌位也重做了，但本尊一直沒法修，佛壇長達九年就那麼空著。然後老朋友大柴先生說，這樣的話，我的房客裡頭有個不錯的佛師，把人介紹給他。結果笹村先生比預定完成的日子提早三天把佛像送來。喜田先生原本懷疑是不是倉促趕工，但仔細檢查後，發現成品無懈可擊。喜田先生開心極了，請笹村先生進家裡坐，還端茶招待，聊了好一會兒。那是……」
去年九月十五日的事——益田說。
「九月十五日嗎？」御廚說。

「對，剛好是電影《請問芳名》上映的日子，喜田先生說孫子吵著要看，所以他記得很清楚。兩人天南西北地聊著，笹村先生提到隔天要去旅行，喜田先生就問他要去哪裡。結果……」

「他招認了嗎？」寺尾說。

「什麼招認……寺尾小姐，妳果然還是誤會什麼了吧？唔，直接說結論的話，好像……就是日光。」

「什麼嘛，不就是日光嗎？」可兒說。「你是不是在吊人胃口啊？這是什麼聲東擊西作戰嗎？你的報告是有什麼玄機嗎？」

「沒有玄機也沒有天機啦。如果我在房東那裡問完就覺得夠了，會怎麼樣？」

「會怎麼樣？」

「那樣一來，笹村先生的去向就模糊不清，日期也模糊不清了。好像在入秋時分去了栃木那邊，和九月十六日出發去了日光，這兩者可是天壤之別呢。」

「是不一樣啦，可是是怎麼查到的，要必要一五一十全部交代嗎？」可兒正經八百地問。

「當然有必要啊。聽著，這些事情，過程也是很重要的。我可不是在邀功，要人稱讚我辛苦。御廚小姐，寒川先生是在那陣子去了日光，對吧？」

「寒川先生去日光的時間是……」

御廚並不記得確切日期。對益田也只說是九月。

「是笹村先生去日光的一星期前。九月九日星期三，他說要休假一個月，可是結果二十一日就回來了。雖然九月一整個月都沒進店裡。」

可兒代替御廚回答。

「這樣啊。那麼寒川先生和笹村先生也有可能是在當地會合的。」

「唔，這麼想比較合理吧。」可兒正經八百地說。

「可是，笹村先生去了日光就再也沒有回來了。就這麼有去無回。他是還在日光呢，還是……」

「還是什麼？」寺尾緊咬不放。「你是要說他被殺了嗎？」

「那、那寒川先生……」

「是凶手嗎？所以畏罪逃亡……」寺尾說。

「你們啊……」

益田的臉垮了下來。應該是在用表情表現他受夠了。

「怎麼會是這樣？寒川先生回來過一次吧？」

「所以啦，他犯了罪，先逃了回來……」

寺尾說到這裡，瞄了御廚一眼，說「啊，對不起」。

「當時寒川先生是什麼樣子？」

可兒和寺尾對望。

「唔，樣子是有點怪啦。」寺尾說。

「不知道，我又不認識殺人犯，不曉得殺人犯是什麼樣子。」可兒說。

是是是——益田說著，從椅子站起來，半彎著腰，走到不知為何擺在那裡的人體模型前，再整個人轉過來。

「我就是來請教這件事的。雖然已經從御廚小姐那裡大致聽說了，但我想知道在其他人眼中，寒川先生看起來是什麼樣子。他第一次的日光之行前後，還有失蹤之前……」

「嗯，父親的事，寒川先生從以前就一直耿耿於懷。我也聽他說過幾次……那件事確實是有些不自然。」可兒說。

「有些……嗎？」

「有些而已吧。年紀輕輕失去父親，是很令人同情，但不管再怎麼不自然，既然警察都說是事故死亡了，應該就是事故吧。」可兒撫著下巴鬍鬚說。「還是偵探先生認為戰前的警察不可信任？那麼我也同意。因為我曾經什麼都沒做，卻遭到特高拘捕。」

「你是被誤認為活動家了吧？」寺尾說。「看你一副就是活動家的嘴臉。」

「真失禮，寺尾。我絕對不支持帝國主義或極權主義，雖然我一貫秉持這樣的主張，但也絕對不是無政府主義或極左活動家。我是善良的小市民。」

「你動不動就愛說什麼陰謀。」

「我是因為善良，所以才會多疑。而且說到昭和九年，不是小林多喜二〔註〕遭到刑求死在監獄的隔年嗎？就算發生什麼事，都沒什麼好奇怪的。」

「殼先生，這部分的事，不管我們在這裡如何推測討論，都沒有意義，也得不出結論。」

「是這樣沒錯啦。」

「所以問題是，寒川先生自己對父親的死抱有多大程度的懷疑。寒川先生的想法，就像殼先生剛才說的那樣嗎？」

「你的發音好像怪怪的。」可兒說。「我不是殼，是可兒。所以說，寒川先生雖然是在懷疑，但我覺得只是有點懷疑的程度——至少去年夏天以前是這樣。他好像四處調查了很多東西。若說他放不下，應該就是吧。」

「這樣啊……」

「唔，就算是事故死亡，那個發現者把遺體搬到診所後就消失不見，確實是很不自然。反過來說……」

奇怪的也只有這個地方——可兒說。

「因為假設有人墜崖死亡，一般發現的話，都會報警的。就算是二十年前，應該也是一樣的反應，才不會費上九牛二虎之力，把遺體搬到診所呢。所以這個地方很奇怪。奇怪歸奇怪，但都已經過了二十年了，要找出不知道是誰的發現者，是異想天開吧？中間還隔了一場戰爭呢。益田先生，這是你的專業吧？要是叫你找出那個發現者，你有辦法做到嗎？」

「沒辦法啦。」益田火速回答。「除非運氣奇佳，否則不可能。」

「區區一介藥劑師更是不可能找到了。寒川先生這個人很普通，而且明事理，我認為他從一開始就知道不可能，也就是捨棄了去找的念頭。然而卻還是無法釋然，這種心情我也能夠理解。所以他才會轉為調查長年不曾關心過的父親的工作。」

可兒打開書桌抽屜，取出像文件的東西。

「這是我從寒川先生的書桌……」

「喂，你居然擅自拿人家的東西！真是半點都馬虎不得。難怪會被特高盯上。」寺尾說。

「真失禮，這、這又不是什麼犯法的事，也、也不是違反公共善良秩序的行為，是為了找到寒川先生……」

「請不要自己人鬧內鬨。」

寺尾狠狠一撇頭。

可兒望向文件：

「就是，日光一帶現在被列為國家公園，對吧？是在昭和九年十二月四日指定的。根據寒川先生的註記，他的父親寒川英輔博士，在日光被指定為國家公園的上一個階段，被召集參加先遣調查團，派遣到日光……好像是這樣。」

「喔……」

益田把這段話記到記事本上。

「國家公園的調查團嗎……？」

「內務省主導成立了一個叫國家公園調查會的組織。現在說到日光，已經是日本首屈一指的觀光勝地了，但是在變成今天這個規模以前，似乎有過一番迂迴曲折。聽說有段時期荒廢得很厲害。我是不曉得啦，這份筆記上是這樣說的。不過外行人也可以理解呢。因為德川幕府倒台，政府頒布了神佛分離令。」

「這又怎麼了？」寺尾問。

註：小林多喜二（一九〇三～一九三三），無產階級小說家，作品描寫反抗國家權力的勞工與農民。著有《蟹工船》等。

「還怎麼了，日光東照宮祭祀的是家康啊。能整修得那麼金碧輝煌，都是因為幕府叫全國大名〔註一〕出錢維修吧。而幕府垮了啊，被新政府打倒了。然後新政府把神社和寺院分開，迫害寺院。東照宮雖然是神社，但裡頭祭祀的可是朝廷敵人〔註二〕的始祖呢。」

「不是很懂，原來是這樣？」

「就是這樣啦。然後，類似復興運動的風潮好像從明治一直延續到大正，日光好像很受外國人歡迎，但據說國家完全沒有規劃維護。都不出錢喔。然後進入昭和時期，總算成了國家公園預定地，準備進行整修……」

「就是它的事前調查嗎？唔……知道那位寒川博士過世的日期嗎？」

可兒和寺尾都看向御廚。

「寒川先生的父親的忌日……我記得是六月二十五日。」御廚說。

「喔。那麼博士過世不到半年，日光就被列為國家公園了呢。」益田回應。

「會是這樣呢。」

「不會太快嗎？短短半年就能準備好嗎？」

「你真是外行呢。」可兒說。「益田先生，整修這回事，是要正式列入了才會開始的——寒川先生調查的這份筆記上面這麼說。栃木縣完成『日光國家公園設施計畫案』，是在昭和十年，隔年的事。也就是說，國家總算決定要掏錢了，縣政府也終於開始行動了——似乎是這樣。那次調查，就是為了遊說國家出錢的準備工作吧。」

「真夠兜圈子的。那麼，調查團不是國家組織的？」

「好像沒有紀錄呢。」可兒翻著文件說。「國家計畫制定國家公園，似乎是在昭和相當初期的階段……我看看，上面說，國家公園的建設，旨在提供國民休養、運動及娛樂。內務省成立國家公園調查會，似乎是昭和五年的事。」

「博士不是那個調查會的成員？」

「好像不是呢。」可兒說。「那個調查會是國家主持的，而且也沒什麼好隱瞞的，所以也有紀錄。調查會是由所謂的專家學者所組成，裡面好像沒有寒川英輔的名字。」

「那麼，寒川英輔先生參加的先遣調查團，並非國家所組織……那麼是栃木縣組成的嗎？還是民間？」

「這……其實隔年縣政府推出的那個計畫案，裡面好像也沒有寒川先生父親的名字。所以應該是為了被列入預定地的遊說、以及被列入之後迅速計畫立案的預先籌備吧。雖然不是非官方組織，但也不算官方。是縣政府還是市政府某個單位，或是冀盼日光復興的熱心人士，又或是雙方合作策畫的吧。事實上，熱心人士的民間團體過去好像也在自主進行觀光資源的復原及保存工作……」

「不清楚到底是什麼來頭嗎？」

「不清楚吧。對了，那個佛師……」

「笹村先生。」

「那個人好像查到了寒川先生父親的名字，對吧？」可兒說，又翻了翻文件。「我看看，上面說，找到了一份『日光山國家公園選定準備委員會名簿』，寒川英輔名列其中。這份名簿，寒川先生也沒有弄到，所以不清楚主辦單位是哪裡。不過名簿上面的姓名抄了下來。」

可兒遞出一張紙，益田接了過去。

「喔，有些畫了紅線。」

「應該是過世的人吧。」

「喔，死了很多呢。是二十年前就已經是老人家了嗎？印象中學者都是老人，印象啦。咦，沒被畫掉的人好像註記了什麼……字好小。」

註一：大名是江戶時代領有一萬石以上俸祿，直屬於將軍的武士。

註二：在日本，朝廷的敵人指的是與天皇敵對的勢力，德川舊幕府被明治新政府列為朝敵。

「寒川先生去找過上面的人問話喔。」寺尾說。「非常熱心。他打電話、寫信，然後興沖沖地出門，每次都垂頭喪氣地回來。對吧，富美？」

「有……垂頭喪氣嗎？」

「有啊。我之前都沒仔細聽是怎麼回事，一直以為一定是為了女人。」

「女人？」

御廚對這類事情極度遲鈍。確實，寒川應該是寺尾說的喪氣樣，但她一次都沒有把這件事和異性問題連結在一起。原來一般人會如此解讀嗎？

「因為他出門時都興沖沖的嘛，所以我以為是被女人甩了，所以我就跟他說啦，你都已經有了富美，怎麼還在外頭亂搞呢？……結果寒川先生說他去見的都是些老頭子，而且全都老糊塗了，什麼事都不記得了。」

「喔……確實，上面寫著『無記憶，僅記得寒川之名』。」

「旁邊。」

「嘿？」

「你看旁邊。」可兒說。「上面不是有『嚮導』嗎？」

「嚮導？啊，有呢。『曰，記得有嚮導』，這邊是『有精通日光山之嚮導』，噢噢，嚮導啊。」

「還寫了名字喔。」

「名字？誰的名字？啊，一堆密密麻麻的字。好方正的字。哦，這個嗎？『此人記得嚮導之名。KIRIYAMA KANSAKU……這個嗎？』

「對，就是這個。我猜想，寒川先生第一次去日光，目的之一應該就是去找這個人。」

「KIRIYAMA，漢字是桐山嗎？還是霧山？」

「這很重要吧？」可兒說。「我也是今早才發現的。御廚說她要去委託偵探，我希望能幫上一點忙，重新細看了一下，結果發現了這個名字。」

「原來是這樣。那，寒川先生找到這位KIRIYAMA先生了嗎？從日光回來時，寒川先生有沒有說什麼？」

「沒聽他提到什麼呢。」寺尾說。「我剛才也說過，他的樣子很奇怪，那模樣實在是難以形容。是興奮嗎？只是……是啊，不是失望的感覺。」

你說呢？——寺尾問可兒。

「這個嘛，不是沮喪的樣子，但……也不是問題解決，或謎團冰釋的感覺。不是豁然開朗的樣子，反而是謎團變深了……不對，謎團增加了……不……」

都不是呢——可兒整顆頭都歪倒了。

「相反呢。原本散漫無章的東西凝聚起來，或者說原本模糊的東西變清楚了，是這種感覺吧。抱歉說得這麼抽象，但他也沒告訴我們具體的細節，所以我們也只能感覺。」

「不是謎團解開的感覺？」

「我自己覺得不是。」

「寺尾小姐呢？剛才妳說寒川先生犯罪逃回來……」

「都怪你說些可怕的事啦。偵探就是這樣，什麼事都跟殺人扯在一起，動不動就說是犯罪。聽冨美轉述，膽小鬼可兒兄都嚇得發抖了。」

「我才不膽小。」可兒說。「我……我只是崇尚和平、拒絕暴力行為，好嗎？」

「殼先生的主張可以也暫時先擱一邊嗎？寺尾小姐也是，我現在是在請教寒川先生的事。怎麼樣？」

「就算問我怎麼樣……」

「不，就是，御廚小姐說……」

——石碑。

——石碑在燃燒。

「啊。」

可兒有了反應。

「寒川先生好像說過呢。不過當時我跟他說，石碑不可能燃燒吧。石碑不是刻有文字的石頭嗎？啊，一樣是石頭，太小的就不叫做碑吧。總之，石頭不會燃燒吧。」

「是啊，隨便一塊石頭就算雕刻著東西，也不叫碑呢。我是沒有研究啦。那麼，墓石也算是一種石碑嗎？」

「算吧。」可兒說。

「假設是的話，先不論大小，石碑在燃燒是什麼意思？石頭不管再怎麼加熱，都不會起火燃燒吧？意思是被燒得火紅嗎？」

「那應該會說被燒紅吧。」可兒說。「所謂燃燒，還是指冒出火焰的狀態吧。熊熊烈火。」

「熊熊烈火？墓石冒出火焰嗎？我可沒聽說過墳墓著火這種怪事。就連我媽娘家的檀那寺〔註〕失火那一次，墓地也都好好的沒事。」寺尾說。

「總之，雖然不解其意，但大家都聽到寒川先生這麼說了，是嗎？」

「他嘴裡一直嘀咕個不停啊。」寺尾說。

益田望向御廚：

「御廚小姐問過寒川先生，對吧？」

「對，可是……」

「我知道，寒川先生叫妳不要問比較好。其他兩位呢？」

「我沒問。」寺尾說。「實在不好問。不，寒川先生應該不是在隱瞞，但我覺得既然他不說，應該就是不想說。要是想說，不就會主動說出來嗎？我覺得硬要打聽也惹人厭。我是替人家著想。畢竟我是個成熟的大人。」

「我問了。」可兒說。「我是個成熟的大人，所以關心了一下。只是，寒川先生說了類似『我也不知道，就是不知道，所以才在調查』的話。也有可能是巧妙地避開了我的刺探。唔，我想寒川先生對御廚的回答才是實情吧。畢竟我只是個小雇員嘛。」

「耍什麼彆扭。」寺尾咒罵。

「不是彆扭，我只是陳述事實，我又不是寒川先生的未婚妻，跟他的關係沒那麼親。」

「未婚妻？寒川先生的未婚妻是誰？」益田睜圓了眼睛。「御廚小姐嗎？跟寒川先生有婚約？」

「什麼？妳居然沒有告訴人家？」寺尾大皺眉頭，瞪向御廚。御廚之所以沒說，是因為她認為這件事與失蹤案無關。而且。

「我們沒有訂婚。」

「可是他跟妳求婚了吧？」

「只是提過而已。什麼都沒有決定，而且我也沒有答應。我覺得跟這次的事無關……」

「有關吧？寒川先生有可能是因為求婚遭到拒絕，傷心過度而失蹤了啊。」寺尾說。

「不是那種感覺啦。」可兒說。「寒川先生對御廚的態度很普通啊。就我看，他們兩個沒什麼奇怪的疙瘩。感覺寒川先生反倒是沒工夫管什麼婚事。不，就是這樣。」

「你這種木頭人，哪懂什麼微妙的男女感情？」寺尾說。

「寺尾，妳啊……」

「我……我沒有拒絕，雖然也沒有明確答應。就像可兒兄說的，發生了許多事，結果這件事就不了了之了。」

「還是希望可以跟我說一聲吶。」益田說。「不過，兩位的關係我大致理解了。這件事我晚點再請教御廚小姐。先不管這些，我現在想要請教的是，寒川先生從日光回來後，有沒有表現出任何與他的失蹤有關的徵兆？」

「唔，寒川先生一直在想事情，查東西。十月以後，他也到店裡來了，但經常外出，還說不好意思給我們造成負擔，發獎金彌補我們。」寺尾說。

註：檀那寺即家族信仰、家墓所在的寺院。

「獎金！真教人羨慕。」益田說。

「身為勞工，這是天經地義的權利。難道你沒有拿到符合勞動付出的報酬嗎？」可兒說。

「呃，感覺也像是微妙地符合，所以先不計較了。那麼，寒川先生呢……不管是對於戀愛還是工作方面，都心不在焉嗎？」

「算是心不在焉嗎？大概十一月中旬開始，他不是關在房間裡，就是外出不在。臉色也變差了。」寺尾說。

「是在調查什麼嗎？據御廚小姐形容，感覺像是在思考有獎徵答的謎題……」

「謎題？是像畫謎的東西嗎？還是像『二十道門』〔註〕那個節目的問題？」寺尾問。

「總之是謎題。」

「感覺更嚴肅一些。」可兒說。「如果說像在挑戰某些困難的考試問題，確實是那種感覺。不，大概就是吧。」

可兒取出另一疊紙。

「你又隨便拿人家的東西……」

「所以說，這不是犯罪，也不是侵犯隱私。我是擔心寒川先生，所以才在蒐集線索。御廚說我也就罷了，寺尾妳沒資格對我說三道四。」

請看——可兒說，把那疊紙放到櫃台前面的玻璃櫃上。

「上面有許多數字和記號，對吧？」

御廚也沒看過這樣東西。確實，上面好像並排著橫書的文字。

「這什麼東西？」益田發出怪叫。「簡直像天書。」

「我也不懂。」可兒說。

「你不是很擅長數字？」寺尾說。

「我是擅長計算。那是我的工作啊。加減乘除對我一點都不難。就算摻雜了記號，只要是四則運算的範圍，就難不倒我。但遇到化學式的話，兩位才是專家吧？」
「倒也不是。」寺尾說。「要知道，我們只是把現有的東西調配在一起而已。瓶子和袋子上都有寫，看就知道是什麼了。但也只是這樣而已。我們又不是學者。」
「這是化學式嗎？」
御廚問，可兒交抱起手臂：
「好像不是。可能是物理學的算式，但不是寒川先生的專門吧？」
益田拿起最上面一張紙，也沒怎麼細看便說「徹頭徹尾完完全全看不懂呢」。
「我在當警察的時候，連支出憑證都寫不好，老挨會計課的罵。我很不擅長數字，更別說加減英文字母，這完全超出我的認知範圍了。這到底是什麼？」
益田把紙遞過來，因此御廚也接過去看了看。確實，只看得出是算式。
「上面畫了個叉。」
並排的算式上面畫了個大大的叉。
「對啊。」可兒說。「是表示弄錯了嗎？還是已經算完了？還是計算之後發現錯了？其他地方也畫叉了呢。」
益田轉向御廚。他的表情變得陰沉。
「總覺得這個案子的發展愈來愈讓我害怕了。那份手稿裡，有沒有其他內容是用可以理解的語言寫下的？」
「沒有呢。」
「你也回得太快了吧，敖先生。」

註：「二十道門」（二十の扉）是一九四七年至一九六〇年間，每週六晚間播放的日本猜謎節目。收聽率長期居冠，為國民人氣節目。

「住址、電話號碼、重要的事那些，寒川先生應該都跟你一樣寫在記事本上。這應該只是單純用來計算的紙吧。是草稿紙嘛。」

「那，寒川先生在失蹤前，一直在做這些莫名其妙的計算嗎？」

「應該是吧。」

「已經算完了嗎？雖然也不曉得是不是計算啦。記得御廚小姐說，大概剛進入十二月的時候，寒川先生興奮地從房間走出來？」

這我就不知道了——可兒和寺尾異口同聲說。回想起來，那時候可能只有御廚在。

「然後他說什麼去了？踩到老虎尾巴……？」

「老虎尾巴？」

沒錯，寒川是這樣說的。

「這疊紙請暫時借給我吧。」益田說。

蛇（三）

是蛇啦——那名姑娘說。

人很嬌小，一張嘴卻嘰嘰呱呱個沒完。久住覺得那張臉似曾相識，卻想不起是在哪裡看過。不過應該也只是看過類似的圖畫或人偶。

久住回到飯店以後，結果沒有經過櫃台，直接進了關口的客房。他的鑰匙依然寄放在櫃台，因此表面上人還在外面。

說不清是受邀還是不請自來。關口一直想向他介紹那位難伺候的朋友。關口熱心地建議，**那類問題**，比起問他，那位朋友更適任，務必找他談談。

到底是怎樣一個人？

要不要先來我房間？關口邀久住說。雖然不清楚理由，但應該是為了介紹那個人吧。

但那個人好像已經外出了。

本來就聽說他下午要出門，而且他們回到飯店時，已經快下午三點了，人不在是當然的。

那麼似乎也沒理由去關口的客房，但又覺得這時候折回櫃台很奇怪，而且久住也不太想在飯店裡閒晃，因此算是順水推舟地進了關口的客房。

然後，這名嬌小的女僕端來關口剛才叫的咖啡，接著就一直說個沒完。

明明沒有人問她任何事。

「絕對是蛇啦，不好意思唷。」

女僕——奈美木節這麼說。

完全不懂是在對什麼不好意思。

根據關口在路上的說明，這位名叫阿節的女僕極度聒噪，而且粗心大意，做事馬虎。不過絕對不是因為她很懶惰，或是漫不經心，雖然她很勤奮、拚命想把事情做好，但就是會落得那種結果的樣子。若是寬容地看待她有些愛管閒事好打聽的部分，反倒是個容易親近、好相處又勤勞的人。

簡而言之，就是不適合做這一行。

粗心大意、做事馬虎、愛管閒事又好打聽的話，不管人再怎麼好，都做不來飯店女僕。總覺得懶鬼或許還更適任。

現在也是，阿節一看到久住，也沒打招呼，就驚訝地說：「啊，是登和子姊客房的人。」接著自動自發地說起了登和子的事。雖然對久住來說正好方便，但相對地，也確實有些吃不消。

關口可能已經習慣了，只是苦笑。

「登和姊子人真的很好。喏，我是那種不熟悉的事情做不好的人，而且太纖細了，常常跌倒嘛。」

「呃……這樣啊。」

久住不可能知道。

「每個人都笑我。像女總管栗山女士就會生氣。會瞪我呢。還有浩江姊，明明就跟我差不多粗心，卻奚落我。浩江姊不是每三天就會走錯客房一次嗎？」

這久住也不可能知道。

「可是每次我跌倒，她就在旁邊鼓噪。照子姊也是，明明自己偷吃東西挨罵，看到我失手卻哈哈大笑。只有登和子姊很好心，她會扶我起來，也會幫忙我的工作。」

「喔……」

「不過在我進來之前，被笑、挨罵的都是登和子姊。所以……」

她才了解我的感受吧——阿節站在門口說。關口臉上掛著苦笑，說：「噯，坐吧。」

「咦，我可以坐嗎？如果是客人要求，就可以光明正大摸魚了。」

我不客氣了——阿節說著，在椅子坐下來。久住原本擔心她不趕快回去，可能又會挨罵，但似乎不勞他操心。

「雖然想招待妳喝杯咖啡，但杯子只有兩只，還請擔待。」

關口說，阿節便說「哎呀，客人真好心，還關心女僕，真是個好人」，接著說「那我喝水好了，不好意思唷」，拿起自己端來的水壺，往自己端來的玻璃杯倒水，一口氣喝光。

「其實，很多客人把女僕當成奴隸還是傭人。尤其是日本人。」

「日本人嗎？」

「日本人。尤其是愛擺架子的人。一副我是付錢的大爺，什麼吩咐都要照辦的態度。明明服務內容又不包括擦鞋子按摩那些。他們不熟悉西式客房，就自己亂搞一通，像洗手間，弄得亂七八糟，再來罵髒，真是差勁透了。外國人都會給小費，而且很有禮貌。」

「小費？」

問出口後，久住才想到是打賞。

「啊，那……」

「不用啦，上面交代連住好幾天的日本客人，不能收他們小費。雖然人家要給，我都會默默收下啦。不過要是事後被老闆抓包，會被開除喔。」

「那太糟糕了。」

「先不管那個……」關口打斷東扯西聊的對話。「妳說那位櫻……櫻田小姐？她怎麼了？」

「什麼叫怎麼了？」

「小節，不是妳自個兒說的嗎？說妳進來之前，挨罵的都是櫻田小姐。」

「我說了嗎？有喔。」

「我也想知道。我一年前也來住過這裡，但登和子小姐看起來不像個粗心大意的人。雖然當時她剛實習結束，做事沒那麼俐落……」

「那個時候我還沒進來。」阿節說。「我還在織作家。」

「織作……」

「就是被滅門的織作家啊。」阿節說。「我進來這家飯店以前，一直都是補睦子姊的缺。睦子姊待過的地方，幾乎都會完蛋。」

睦子姊又是誰？久住不想打斷話頭，瞄了關口一眼，只見關口縮著肩，一臉莫名其妙。他也不認識吧。

「總之，那個時候的事我不知道，但我進來的時候，登和子姊是**菜雞**。」

「菜雞？」

「就最弱的一個啦。」

「她被人欺負嗎？」

「也不是被欺負啦。這個職場沒那麼陰險。基本上大家都很好，感情也都不錯，不過，登和子姊是大家調侃的對象。新人尤其容易這樣。現在換我變成那個逗弄的目標。」

「阿節小姐是資歷最淺的嗎？」久住問，阿節卻說「不是」。怎麼回事？

「前陣子進來的倫子莫名八面玲瓏，那叫什麼，五蟹可擊……」

「妳是要說無懈可擊嗎？」關口說。

「就是那個蟹。一般來說，人總是會有一兩個或五六個缺點，不是嗎？但倫子沒有。她可以把床單鋪得一絲皺褶都沒有。」

「我的床……皺巴巴的呢。」

「是我鋪的嘛。」阿節說。「我不是偷工減料，可是不曉得為什麼，就是會鋪成那樣。也不是存心搞人喔。我是打從心底想要好好服務客人的，可是就是會變成那樣。客人是老闆親人的朋友，對吧？所以這樣的客人都會派給我。」

「因為是不重要的客人嗎？」關口笑道。「那位櫻田小姐……也跟妳一樣嗎？」

阿節微微鼓起腮幫子，說「登和子姊不一樣」。

「她做事很小心、很仔細的！但有點小心過了頭，所以手腳比別人慢了一些些，但工作都做得很好。她不會跌倒，床也鋪得很平。」

「是啊。」

確實，久住對這部分沒有不滿。在這個意義上，登和子的表現完美無缺。

「那豈不是無從調侃起？」

關口問，阿節連珠炮似地說了一串「不是不是不是的」。

「所以就是蛇啊。」

「蛇？」

「對，蛇啦，蛇。唔，換成是我，應該也會調侃一下吧，不好意思唷。」

「不，我才要說不好意思，可是完全聽不懂耶，阿節小姐。妳說的蛇，到底是什麼？」

阿節說著「她很怕蛇啊」，再倒了一杯水，一口氣喝光。

「登和子姊討厭蛇。」

「一般人都討厭蛇吧？不，應該是因人而異，蛇也沒有過錯，但畢竟是蛇嘛。喜歡蛇的人應該才是少數……」

你呢？關口先生？久住問，關口給了個極為含糊的答案說「我倒是還好」。

「這樣嗎？我就很討厭蛇。婦人的話，應該會更討厭吧？蛇很恐怖，又會咬人，還有毒，不是嗎？」久住說。

「毒蛇好像其實並沒有那麼多喔。會毒死人的蛇，好像就只有飯匙倩和蝮蛇吧？四線錦還是赤煉蛇好像不太咬人，也沒有毒吧？不過……蛇可能不太討喜吧。」關口回應。

「不是那種普通的討厭。」

是討厭到不行討厭得要命討厭得要死——阿節大力強調。

「登和子姊怕蛇的程度，已經到了滑稽的地步。她只要看到細細長長的東西，全部都當成蛇。所有繩索，也統統看成蛇。所以她沒辦法繫帶子，也沒辦法把繩子打結。」

阿節皺眉，說「那真的很累」。

「呃，這要是真的，應該很不方便……」

但去年久住來訪時，完全沒有注意到。

不過仔細想想，身邊也不會有什麼像蛇的東西。他這麼說，阿節反駁說：

「倒也不是喔。真的很不方便的。她因為沒辦法繫和服腰繩，才選了這份工作。因為女僕穿的是洋裝，不是嗎？」

「什麼？沒辦法綁腰繩？……這也太離譜了吧？對吧，關口先生？」

「會嗎？」

「什麼會嗎，就是好嗎？所以登和子姊沒辦法摸繩子。少了繩子，和服就穿不起來了嘛。對吧？」

「不，這應該是言過其實了吧？」

就連小孩子都不會這樣吧。或許是會把別的東西誤認為蛇，誤認的當下或許會嚇一跳，但看清楚就知道了。繩索是不會動的。

「我才不會撒謊呢。」嬌小的姑娘不服氣地說。她所有的一切都很小巧，但天不怕地不怕的態度讓人覺得很可靠。

「只要是像蛇的東西，她看到就怕，根本不會去摸。起初我以為是玩笑話，或是太誇張了，但原來是真的。所以登和子姊才會被大家調侃。要不然愛吃鬼照子姊和喜歡禽獸的浩江姊比登和子姊更古怪多了。要說發呆，那就是桃代姊。桃代姊都在沒有人的地方出神。」

「不過，嘲笑害怕的人不太好吧？那樣不是太可憐了嗎？」

「可是就是會笑啊。這個，」阿節扭轉身體，指示身上的圍裙腰部。「還有這個後面的。」

「圍裙的腰帶嗎？」

「對對對，這與其說是繩子，更像一條細長的布，不是嗎？因為是平的嘛。」

正確地說，那應該不算繩索。是兩片裁成長條狀的布縫合而成的東西。

「登和子姊連這個都怕。要是這前面的圍裙部分被什麼東西遮住，只剩下繩帶，她就會嚇到跳起來尖叫。看到這種反應。不是會忍不住發笑嗎？小孩子就算了，都那麼大的人了嘛，用不著怕到這種地步吧？而且還不是地震或打雷，只是條圍裙呢。比起可憐，會先好笑起來。」

「這看起來不像蛇啊。」關口說。

如果只是驚鴻一瞥，或許也有可能看錯。

「就算冷靜下來一看，發現不是什麼蛇，也一樣不行嗎？」

「不行。」

「這又是為什麼？」

「因為登和子姊根本沒辦法冷靜下來細看。」阿節說。「不看就不知道到底是蛇還是繩索，不是嗎？但因為害怕，所以沒辦法仔細看。換句話說，永遠都擺脫不了害怕。」

「這可真是難辦。」關口一臉疑惑。

「很難啊。很嚴重啊，對本人來說。」

「她是討厭人家調侃嗎？」久住問，阿節說「不是啦」。

「那不是在欺負人嘛。大家感情都很好嘛。登和子姊也沒放在心上。因為她也知道自己很奇怪。所以讓她苦惱的，就是那奇怪的地方。蛇。」

蛇嗎？

「她本人向我傾訴過這件事。不管是誰，都會想要改掉奇怪的地方嘛。她還曾經因為這樣，被工作的地方辭退。而且又不能穿和服。光是路上掉了一條繩子，就會把她嚇到發抖。很困擾，對吧？」

「真的有這種事嗎？」久住問關口，關口說「不能說沒有」。

「應該已經變成一種神經症了吧。」

「我也這麼對登和子姊說，說那應該就是某種恐懼症，就像是一種病。」

「小節真是博學多聞。」關口佩服地說。

「當然嘍。別看我這樣，我在別人家幫傭了很久，見識過太多事了。這就叫耳聰目明嗎？」

「妳應該是要說耳濡目染吧？」關口說。

「就是那個。」

是一種病嗎？

去年服務久住的時候，登和子就有這樣的病症了嗎？久住完全沒發現。

久住這樣說，關口環顧客房，說「客房裡沒有像蛇的東西嘛」。確實沒有像蛇的物體。固定窗簾的也是鏈子。

「有這類疾病的人，如果周遭沒有害怕的物體，就能表現得跟平常人一樣嗎？」

「那當然了。」關口回應。「沒有令人害怕的物體，應該就能心平氣和吧。因為不會有任何問題。反過來說，唯一的對策，也只能避開恐懼的事物了……所以端看害怕的事物是什麼，有時候處理起來相當困難。害怕日常生活中常見的物體的話，就很麻煩了。像尖端恐懼症的人，連鉛筆或筷子都會害怕。繩狀物……也可以說是俯拾皆是呢。」

「這種病治不好嗎？」

「我也不清楚。高處恐懼症或幽閉恐懼症那些，以前我聽主治醫生說是可以漸漸習慣的。可是到底有多少效果，就不得而知了。而這種情況……相當特殊呢。」

「這種事……是不是有什麼原因呢？」阿節說。

關口漫應了一聲，說：

「好像也有這樣的例子。」

「我聽人說有耶。所以我也跟登和子姊說，應該有什麼原因。我聽說這種事之所以會變成這樣，一定都是有理由的，所以只要發現背後的原因，就會不藥而癒，不好意思唷。」

「沒什麼不好意思的。」關口說。「以耳濡目染而言，妳真是很博學呢。聽說確實有這樣的事。」

「那……登和子姊有救了。」阿節說。

「但並不確實啊。」關口說。「只是也有這樣的例子而已。」
「那不就有嗎？」
「有是有啦……」
「所以我叫登和子姊想起來。」
「想起什麼？」
「想起她討厭蛇的理由啊。討厭成那樣，真的太異常了啦，不好意思唷。過去一定發生過什麼事，否則不會討厭成那樣。因為那實在是討厭得太誇張了。」
「然後呢？」久住稍微探出上身。
起初阿節滿口蛇，讓他一頭霧水，但……確實也覺得這似乎跟**那件事**有關。
「什麼然後？就這樣啊？」
「不，妳不是建議登和子小姐想起來嗎？那她怎麼回答？」
「這位客倌怎麼這麼八卦？」阿節把一雙小眼睛瞇得更小說。「這種事哪可能一下子就想起來？對吧？要是別人叫你想，當下就想起來，那應該早就自己發現了。」
說的也是。
「然後登和子姊就陷入沉思了。我是在過年前跟她說的，對，那時候應該才十一月，後來登和子姊就一直鬱鬱寡歡。」
「後來？」
「對。也就是，我想要說的是，登和子姊會悶悶不樂，有可能是我害的，還有就算是我害的，我也沒有惡意，也沒有做壞事，我只是想要解釋一下這一點。所以說，一切都要怪蛇。」
「喔……」
久住看向關口，關口也正在看久住。是傻眼了嗎？
「因為登和子姊不是負責客人的客房嗎？她其實不是那麼陰沉的人。我得替她澄清一下。」

久住說「這我明白」。

「是嗎？可是就算陰沉，床單還是可以拉得平平整整，真奇妙。」

「的確很奇妙。」關口含糊不清地說。

「先不管這個，她——櫻田小姐，假設她沒有立刻想到原因，那她是否說了什麼？」

「她是說什麼都想不到。」

阿節仰望天花板，或者說仰望像水晶燈的照明燈具，片刻後說「對了」。

「蛇不是黏黏滑滑的嗎？」

「什麼？」

「我一直以為蛇黏黏滑滑的。結果登和子姊說，那應該是鰻魚那些，蛇是粗粗乾乾的。」

「是這樣嗎？」關口問久住。

「我沒摸過蛇，但蛇的體表是被鱗片覆蓋，不是黏膜，而且雖然有些蛇棲息在濕地……但黏黏滑滑的的確是鰻魚呢。」

沒錯，蛇並不黏滑。

「我是北國長大的，雖然沒看過大蛇，但小時候會挖泥土玩，挖出過紅色的蛇。那是地潛蛇（註）呢。那時候還小，所以會抓著那蛇甩來甩去，再遠遠地拋出去。」

真是很殘忍。

「摸起來冰冰涼涼的，但並不黏滑。那種觸感……我記得很清楚。」

已經是近二十年前的事了。

「這種事都會記得呢。」阿節說。

雖然記得，但直到上一刻，久住一直都忘記了。這不是做為知識累積的記憶。久住沒有蛇的表面並不黏滑的知識，也不曾想過這個問題。

然而他卻記得……

「我沒有摸過蛇，所以無從記得，是從外觀猜的。因為蛇看起來油油亮亮的，所以有這種印象。」阿節說。

「我聽說以前蛇被歸為蟲類，小節妳會不會是把蛇和蚯蚓那些混淆在一起了？」

「也有人這樣問過我。其實比起蛇，我更討厭蚯蚓耶。」

「誰問妳的？」關口問，阿節說「就登和子姊啊」。

「她明明那麼討厭蛇，卻知道蛇摸起來不是黏黏滑滑的，一般誰會知道這種事啊？」

「是嗎？」

「她一定摸過蛇。」阿節說。「因為這種事，小學校不會教，書上也沒有寫。就算書上有，這種沒用的知識也派不上用場，才不會記得呢，所以我覺得那一定是親身體驗。」

我覺得這絕對跟登和子姊怕蛇有關係！——阿節大力主張。

「客人，你是幾歲的時候抓蛇甩來甩去的？」

「咦？唔，幾歲喔，七歲還八歲，差不多這個年紀吧。」

「後來也會繼續甩蛇嗎？」

「怎麼可能？現在我覺得蛇恐怖死了，才不敢摸哩。就甩過那麼一次而已。」

「那麼久以前的事，而且只摸過一次，卻記得很清楚，對吧？」

「唔，是啊。」

「登和子姊說她沒有摸過蛇。」

「她怕蛇怕成那樣，不會去摸吧。」

「所以說，要是沒摸過，不可能知道蛇的觸感。她一定摸過，但是忘記了。」

註：地潛蛇學名為Elaphe conspicillata，屬於游蛇科，為日本特產的無毒蛇。

「啊……」
就是關口說的那回事嗎？
可怕的記憶被藏到某處了嗎？
「阿節小姐覺得那就是原因？」
「不曉得。」阿節歪起了頭。「我覺得這要是原因，我指出的時候，登和子姊的恐懼症應該就好了。」
「不，她並沒有想起來吧？」
「也是呢。太難的事我不懂，都是聽來的嘛。本人主張沒摸過，所以應該是沒有想起來吧？我倒覺得一定摸過。」
是只有身體的感覺被記住了嗎？不，考量關口說的內容，也許應該說此外的記憶被封印起來了才對。體驗本身的記憶被藏匿，但只有觸覺成了**漏網之魚**……是這樣嗎？
有這種事嗎？
一股無以名狀的不安湧上心頭。
「要是治好了，登和子姊就不會那麼陰沉了。她簡直就像變了個人。」
「那位小姐變得那麼多嗎？」關口問。「是從那件事以後嗎？」
「我不太確定，還是跟她聊完，過了一段時間以後？或許跟我完全沒關係。沒關係的話，我也樂得輕鬆。可是，登和子姊的確是變了。話變少了，也不笑了，然後都沒有人敢調侃她了。因為覺得鬧她也不好笑，所以現在都變成我被捉弄。」
「這樣啊。」
不管是說話口氣還是動作，一點都不像個女僕。就像關口說的，阿節這姑娘不壞，也教人討厭不起來，卻冒冒失失，粗枝大葉。不像女僕的女僕東張西望環顧室內，接著「哎呀」了一聲。
「我在這裡聊了多久？」
「這個嘛，前前後後快三十分鐘了吧。咖啡也都涼了。」

「咦！」

「怎麼了？」

「客、客人，熱水壺裡的咖啡還是熱的。倒是，我真的摸魚摸過頭了，會被栗山女士罵。」

「會挨罵嗎？」

「她會瞪我。」阿節彈也似地站了起來。「我得走了。今天登和子姊請假，人手不足。」

「請假？登和子小姐沒有來嗎？」久住問，阿節說「好像請病假」。

「生病啊……」

「所以她最近那麼陰沉，或許是身體不舒服的關係。那就跟我無關了。」

阿節拿起銀色托盆，行了個禮，退出客房。緊接著傳來一道巨大的聲響。

「跌倒了呢。」

關口從熱水壺裡倒出咖啡說。

「她這人很有趣，但我覺得似乎不適合做這一行。八卦成那樣，應該不行吧？」

接著小說家望向久住的杯子。久住完全沒碰。

「可是……那位櫻田小姐嗎？這下得知了不少關於她的事，這種時候是很方便啦……這麼說來，她今天缺勤的話，你也不必那樣一大清早就出門了呢。」

「是這樣沒錯……」

久住內心起伏不安。

登和子會請假，會不會是因為久住勉強問出那件事的關係？久住出於好奇，還擺出「我會幫妳」的得意嘴臉，逼她做出了情非所願的告白……

「你在擔心嗎？」關口說。

「是啊，掛心不下。雖然這可能也是我自私的、自我意識過剩的反應。」

「是啊……」

關口把菸灰缸拉過去，四處拍打自己的身體。應該是在找菸吧。結果沒有找著，姿勢歪斜的小說家無所事事地兩手開開合合，最後安頓在腿上。

「唔，櫻田小姐似乎真的有某些心理方面的問題呢。雖然不清楚她的蛇恐懼症和過去的殺人有什麼樣的因果關係……」

——蛇嗎？

「這蛇，會不會就是關口先生說的鑰匙？」

關口低吟了一聲：

「從你和小節的話聽來，實在不太可能無關，但不能貿然認定。更重要的是，我還沒有詳細聽你說明。」

「啊……」

這麼說來確實……

「在說明之前，剛才阿節小姐說的內容，實際上真有那樣的事嗎？」

「哪樣的事？」

「哦……假設登和子小姐真的是蛇恐懼症，那樣的恐懼症，是過去的某些經驗造成的……」

「我認為有這個可能。」關口回答。「或許不能斷定所有恐懼症都是源自於過去體驗，但就像我說過好幾次的，只能說也是有這樣的例子。某些體驗引發了這類心理障礙，是有這種情形的。」

「可是，我以前做過一次布景人員，從梯子上摔下來扭傷了。從此以後，用梯子的時候都會膽戰心驚，也會特別小心。是有這種一朝被蛇咬、十年怕草繩的經驗，但和這又不一樣吧？」

「是啊。知道可怕，刻意避開的情況，不能叫做恐懼症呢。沒有意識到，但心理深層依然強烈地抗拒，所以才會做出病態的反應……這種情況，是想不透害怕的理由的。」

「就只是害怕？」

「是啊。真的是毫無理由，或是沒有意識到理由吧。即使原因是過去的體驗，也……不會意識到呢。」

「這種情況，只要想到造成原因的體驗，就會治好了嗎？就像那位姑娘說的。」

「這很難說呢。」關口抱住了頭。「我只能說，也是有這種情形。」

「假設這樣就可以治好，我也不懂這治好的原理是什麼。」

這回關口交抱起手臂，一臉苦惱地歪起了頭：

「這個嘛，也不是治好……好吧，即使就像小節說的那樣……比方說，那位櫻田小姐的恐懼症就算好了，也絕對不可能喜歡上蛇、或是不再害怕蛇。」

「這樣嗎？」

「只會不再那樣病態地排斥蛇而已。會變成像你用梯子的時候特別小心那種程度的害怕吧。」

原來如此。恐懼症能獲得緩解，但害怕的情緒不會消失嗎？

「對了。」

不好意思說件粗俗的事——關口先這麼聲明，說了起來。

「我有個朋友，這人滿瘋癲的，在做顧釣魚池的工作，他這個人呢，只要吃了牡蠣，就一定會鬧肚子。不管牡蠣再怎麼新鮮，還是煮過，每吃必拉。我本來以為他就是那種體質，但似乎不是。」

「哦，體質的話，應該就完全不能吃嘛。」

那應該根本就不會想吃吧。

「沒錯，他是吃了才瀉肚子，所以也不是沒吃過卻討厭。我問過他，本人說他熱愛牡蠣，是熱愛喔。就是想吃得不得了，才會忍不住要吃，可是吃了又會壞肚子。雖然就算不能吃牡蠣也不會怎麼樣，但我因為好奇，細細問了他一下，他說戰前吃了都沒事。」

「那麼是直到十三、四年前都還能吃嗎？」

「戰時沒有牡蠣可以吃嘛。然後我再進一步追問，得知他在復員後，有一次吃到不新鮮的牡蠣，嚴重腹瀉，差點送掉小命。這就是開端。好像從此以後，他再也沒辦法正常吃牡蠣了。」

「呃，可是只有那時候吃到的牡蠣是壞掉的吧？」

「當然。當時糧食匱乏嘛，實在不可能弄到什麼像樣的食物。也不是能吃到那種高級食材的時代。」

久住雖然被徵兵，但沒有出兵。他以補充兵身分被移送到戰地的途中遭遇事故，就在拖拖拉拉之中，迎接了終戰。所以戰爭對他來說，比起悲壯，更是只留下了丟臉的回憶。

「就像關口先生說的，那個時代連吃的都成問題，所以可疑的東西也照吃不誤。也就是說，你那位朋友就是那麼愛牡蠣，就算牡蠣可能有問題，還是要吃？」

「就是那麼愛吧。而且他在復員船上得了瘧疾，當時也在鬼門關走了一遭，所以人也相當衰弱吧。但總算是活著歸來了，一時鬆懈，看到熱愛的牡蠣，什麼都顧不得了。總而言之，那好像是一次媲美痢疾的嚴重下痢，聽說他住院了十天之久。還說付不出住院費，走投無路。」

那個人。

「忘了這件事嗎？」久住問。

「不不不。」關口搖手。「沒有，他記得很清楚。就像你說的，他也知道當時吃的牡蠣好像臭掉了。所以此後他都會慎選食材，為了避免食物中毒，比別人更加注重新鮮和衛生。畢竟曾經差點因此而送命嘛。然而不管他再怎麼小心，只要一吃牡蠣……」

「就一定拉肚子？」

「對。就算是許多人一起吃，也只有他一個人會鬧肚子。他每次都會想些看似合理的理由來說服自己，像是剛好感冒身體不適、可能是肚子著涼了，但似乎不是這樣。只要吃牡蠣就一定腹瀉。很快地，他再也沒辦法吃牡蠣了。」

「是為了小心起見嗎？」

「這應該也是理由之一，但每次吃就飽受折騰，實在也沒法再繼續喜歡下去了吧。然而，當他發現這樣的症狀，是第一次差點送命以後才出現的，就立刻不藥而癒了。現在他可以正常吃牡蠣了。」

「喔……。請等一下，他並沒有忘記那件事吧？」

「都拉到住院了，沒那麼容易就忘記。原因是牡蠣，臭掉的牡蠣，這些他也都記得。」

「那根本不用再去發現吧？」

「但之前他都沒有把這兩件事連結在一起。」關口說。
「連結？」
「請想想看。住院的時候，他剛從瘧疾大病初癒，而且牡蠣臭掉了。但從此以後，他都會慎選食材，而且人很健康。牡蠣是新鮮的，身體狀況也十分良好，兩邊的條件截然不同，對吧？」
「唔，是啊。」
「沒錯。然而即使如此，他還是鬧肚子了。總不可能只有他吃到的牡蠣都是臭的，所以他認為理由顯然在別的地方。」
「這是正確的認知吧？」
「沒錯。所以他才會把第一個例子當成特殊案例。也就是說，他並沒有把那次體驗，和後來的症狀連結在一起。」
「應該也沒有關係嘛。」
「對，沒有關係。然而他平素並未意識到、無法意識到的深層意識卻不是如此。」
「怎麼說？」
「深層意識應該是被牡蠣嚇到了。」
「被嚇到？」
「對。我認為他的深層意識把牡蠣和腸胃問題直接綁在一起了。那次慘烈的體驗，化成了潛在的恐懼，刻畫在他的心裡，應該是這樣吧。」
「即使理智明白，自己無從干涉的內心深處卻感到恐懼……是這樣嗎？」
「沒有感覺。」關口說。「不會感覺到。是被刻印在意識深底……是肉體對深層意識起了反應吧。胃腸對精神壓力很敏感嘛。」
我也動不動就鬧胃痛——關口摸了摸肚子說。
「因為想到了和第一次體驗的關係，他終於發現平常看不見的部分的刻印……應該是這麼回事吧。」

「發現之後會怎麼樣？」

「唔，每個人應該都不一樣，不過他的情況，那個刻印就失效了。因為那個刻印根本就是誤會一場。」

牡蠣這種食材，和腸胃問題沒有關係——關口說。

「只要是理性的人，都會這麼想。但是深層的部分是沒有理性的。不過一旦意識到這件事，怎麼說呢，就可以依靠理性做到某程度的控制……應該是這樣吧。」

關口沒什麼自信地左右擺頭。

「依靠理性控制？我不懂。」

「在沒有意識到這件事以前……都無計可施吧。它被隱藏起來，除非被揭露開來，否則永遠都會是那樣。以剛才談到的來說的話……」

「剛才談到的？哪件事？」

「哦，就是遺忘、想起來那些啊。倘若丟失浮現在意識表面的記憶，就叫做遺忘，那麼那些記憶**打從一開始就被忘記了**。」

是這樣嗎？

「假如從一開始就沒有意識到，那些記憶與其說是被遺忘，更應該說打從一開始就**不存在**吧？」久住說。

「不，它們還是**存在**的。」

這句話關口說得莫名清楚。

「所有見聞到的事和體驗，並不一定都會被意識到，也不是全部都經過明文描述、井井有條地記憶下來。即使未被意識到、糊里糊塗，仍然會先統統記下來再說。我認為……記憶是更加草率不精確的。」

「或許是吧，但……」

「沒錯，久住先生好像記得小時候摸過的蛇的觸感，但你平日就會意識到這件事嗎？」

「呃……不會。」

久住連自己記得這件事都沒有意識到。只有手掌記得那模糊不清的觸感。

久住望向自己的手。

「你是不是沒有特別意識到，也不曾用語言描述？可是你並沒有忘記……」

確實如此。

沒打算要記住，也沒想要去記住，從一開始就根本沒有意識到，然而久住卻沒有忘記這件事。當然，也不可能明確地用語言文字表述。

「這是我的意見，所以請姑且聽之就好……」

關口更加沒自信地看向久住。

「牡蠣的口感、滋味、氣味，這些感覺是沒辦法明確地用語言描述的，對吧？瀕死之際的肉體創傷、疼痛和不適、恐懼那些，不是也一樣嗎？」

或許吧。

味覺也是，只能用甜、辣等字眼模糊地表現。但滋味並無法用如此簡單的詞彙充分表達吧。

他覺得恐懼也是如此。

語言無法掬取的事物意外地多。

「這種無法明確向他人傳達的事物，對自己也是無法傳達的。」

「對自己傳達？」

「對。轉換成語言，就是這麼回事吧？」

「也就是重新去認識嗎？」

「從一開始就是了。」關口說。

「從一開始？」

「我認為一件事在體驗的當下，就沒有被確實地意識到。可是體驗並非不存在。確實是體驗到了。可是怎麼說，那只是在極深的地方被認知，並非被明確地意識到……應該是這樣的吧？」

「沒有被意識到……你說記憶嗎？」

「我那個朋友的例子，應該是牡蠣的味道和口感，與對死亡的恐懼那些，在那極深的地方牢牢地、深刻地結合在一起了。」

「可是……實在好混亂啊。我無法理出頭緒。抱歉一問再問，你那位朋友吃壞肚子差點送命，這件事他確實意識到，也記得吧？」

「沒錯，他明確地記得自己因為吃到不新鮮的食物，食物中毒住院這件事。但是在他的認知裡，他並不是因為吃了牡蠣而差點死掉。一般不會這麼去想吧。」

「那麼，是深層意識的部分如此去認識嗎？」

「那應該不是認識吧。」關口不知為何落寞地說。「它就只是**存在**於那裡。因為碰不到，所以無法抹消、也無從改變。因為根本意識不到嘛，真正就像是……」

刻在石上的文字——關口說。

「我那個朋友的情況，應該是這件事對身體造成了影響吧。從理性的角度思考，是不會把牡蠣和身體不適之間畫上等號的。因為新鮮的牡蠣不會引發食物中毒，只有臭掉的牡蠣才會造成中毒。」

「你是說，那不是知識、理論這些用腦袋去理解的事物，而是肉體的記憶嗎？」

「我也說不明白。」關口說。「如果用比喻來說的話，應該就是吧。」

「是比喻嗎？」

「不就是比喻嗎？人常說不要用大腦思考，應該用身體記住，這也是一種比喻。因為知覺、思考的都是大腦，若是做為記憶被知覺到的話，那依然是大腦的領域。可是，也有不被知覺到的記憶。」

這樣啊。

若是換個說法，說肌肉、骨頭或內臟記得，確實很怪。

「都說手是自行活動，但那依然是大腦下令去動的。只是下令的部位和思考的部位不同。像內臟器官是不隨意肌，但也並非各行其是，各動各的。就算它們會相互影響，把它們統合為一個生物的，依然是大腦。雖然是有隨意、不隨意之分……」

不隨意，是無法自由操縱的意思吧。但還是受到掌控。否則人就無法生存下去了。意思是雖然掌控，但仍有無法自由操控的領域吧。可是這樣的話。

到底是誰在掌控？

「意識」到底存在於哪裡？久住開始糊塗了。如果有一個沒有「意識」的自己，那麼以為「意識」就是自己的人，將何去何從？

如果像這樣思考的久住，並非久住本身的話。又或是久住僅僅是它的一小部分的話……

「除了我思以外，還有別的我嗎？」久住喃喃道。

「笛卡兒對我太崇高了。」關口接口。「那個我思故我在的命題也太過單純，我反而無法接受。」

「會單純嗎……？」

久住大概連一半都無法理解。

「不是很單純嗎？雖然或許我是一知半解，但用不著搬出康德或胡塞爾的批判，我覺得笛卡兒那句話，是二元論的思維。因為它把事物分成了我和我以外。」

久住從來沒有像這樣想過。笛卡兒的《談談方法》他是在戰爭剛結束時讀的，只是似懂非懂地感到佩服而已。

「哲學中所謂的命題，不是毫無置疑餘地的真理嗎？原來有那麼多批判嗎？」

「我是沒辦法做出什麼批判啦。我有個最近迷上康德的同窗，他向我大力闡述。雖然聽到最後我還是不懂。夏目漱石也在作品裡嘲笑說，人就是這麼愚劣，只能想到如此簡單的事。」

「記得是《吾輩是貓》裡的情節？」

久住讀得樂趣橫生，但沒讀出原來是在拿笛卡兒這句話取笑。

「就算把是否愚劣先放一邊，也確實是過度單純吧。不過，我覺得那樣的單純才可怕。」

「可怕？」

「笛卡兒不是懷疑所有的一切嗎？他不斷地懷疑，否定一切都是虛偽的，但認為懷疑這一切的自己，是不容否定的——簡單地說，就是這個意思吧？他試著懷疑正在懷疑的自我的存在，卻還是有個在懷疑的主體，對吧？」

好像……是這樣。

「今天我原本想介紹給你的那個朋友，也常說些像笛卡兒的話，但他說那些話，明顯是為了方便。是為求簡單易懂而故意說些二元論的內容。他絲毫不認為那是真理。當我發現原來那只是方便時……我覺得我悟出了自己是在害怕什麼。」

「什麼意思？」

「懷疑，也就是知道吧？如果不知道，就無從懷疑了。」

「是嗎？」

不，應該就是吧。無論是存在還是概念，人沒辦法去懷疑不可知的事物吧。

「可是這個世界……」

確實有個**無法知曉的領域**——關口說。

「我就是害怕那個領域。不，我害怕任由它存在於認知的範疇之外。我沒辦法像笛卡兒那樣一刀兩斷。」

「呃……無法知曉是……」

什麼意思？

「人沒辦法思考那個領域，所以要自己不去想它……不對，人天生就無法去思考它嗎？」

居然有如此可怕的東西嗎？

「有吧。」關口把玩著已經空掉的咖啡杯。「是啊，比方說，不論是時間或空間，我們都無法認識，對吧？」

「呃，是嗎？」

也許……是這樣吧。

「如果沒有時鐘，你感覺到的時間，和我感覺到的時間應該並不相符。」

「的確，主觀的時間是很隨意的，可是……」

「可是，時間的流速是一定的，對吧？不會隨著每一個主體而改變速度。」

「唔……應該吧。可是只要有時鐘，就可以知道時間了。時間並不是無法知道的事物吧？」

「我們透過時鐘得知的並不是時間，而是時鐘指針的移動距離。是運動啊。」

關口指向豪華得多餘的桌鐘。

「確實，沒有時鐘，太陽照樣會西沉，星辰也繼續運行，所以可以知道時間的經過。但這也只是觀測到天體的運行，並非理解了時間本身吧？我完全無法解釋時間到底是什麼。」

說到這裡，關口用左手抹了一下額頭。

「時間位在人的理解之外。若是不代入變化、運動這些概念，甚至無從知曉，即使將它圖像化、數值化，若是不使用比喻，甚至無法解釋它。但這些說穿了，都只是比喻，對吧？」

「這個問題太深奧了。」久住說。

「嗯，其實我很不擅長這類話題。」

關口說，額頭擠出皺紋，這回揉了揉眼睛。

「我本來就很不會說話。唔，不曉得是不是被我那個饒舌的朋友感化了，最近都在努力說話……」

但就是不習慣——小說家蜷起了背說。

這不是不習慣對話，而是因為在說些難以言傳的內容吧。如此深奧難解的內容，不論口才再好，也不可能三言兩語說得清楚。

「我沒辦法像朋友那樣巧妙地說明。他甚至可以引用量子力學、愛因斯坦那些來說明，但我實在學不來。」

「那個人……」

關口不是說他的專長是妖怪、咒文嗎？

「對他來說，一切語言都是咒文。」關口說。「相反的，我的話全部形同囈語。只是我混濁的內在滲漏出來罷了。」

我真是糟糕呢——關口說，縮起了身體。

「一般都是這樣的啊。」久住說。

「是啊，我就用我的話來說吧。」

關口說，看了一下熱水壺，把應該已經完全涼掉的咖啡倒入杯裡。

「我思的我，就是觀測者，對吧？而我以外的我，是觀測對象。假設就像笛卡兒說的，追根究柢，世界就只有我和我以外，那麼我大概就可以安心一些了。可是，其實有個觀測者絕對觀測不到的領域。如此一想……頓時教人不安起來。」

對我而言，這個世界充滿了不安——關口說。

「然而事實就是如此，那個領域確鑿存在。儘管存在，卻像笛卡兒那樣，拋棄那樣的領域說它不存在……這讓我害怕。」

「呃，我從來沒有思考過這樣的問題，但無法知曉的事物……」

是有的吧。

久住望向時鐘。玻璃表面因反光而一片燦白，看不到指針。

久住……也不安起來了。

「是啊，但是不可知的領域，不光是存在於外側而已。這裡有、這裡也有。」

關口指著自己的太陽穴和胸口。

「大腦好像有好幾層喔。進行思考，或者說進行認識、轉化為語言的是最外層……應該也不是如此單純的結構，但暫且就先當做這樣吧。然後愈往內側，似乎就愈接近動物的腦。本能那些，是內側的腦在控制。」

這只是外行人的說法——關口解釋說。

「所以心跳、消化這些生理功能，外側的腦沒辦法控制。愈深層的腦，就愈不可侵、不可知。然後……

就我認為，剛才說到的蛇的觸感、牡蠣的口感那些難以言說的記憶，應該都不是刻在大腦的外層。」

「噢……」

原來如此。

「這不是解剖學上正確的說法。怎麼說呢，請把它當成概念上的模型吧。我想實際上的大腦，結構並不像這種甜餡包……」

「我理解。」久住說。

「能意識到的，就只有那層皮而已。餡的部分，是不可知的領域。存在於餡裡的記憶，無法從外面看見。我們對它無可奈何。」

明明記得。

卻甚至無法知覺。

並非不記得，也不是忘記，卻也不會被意識到……

是這種情形嗎？

「果然還是不行。」關口萎頓下去。「我很不擅長說明。」

「不，這樣說實在很失禮，但這是我最能理解的譬喻。我懂了。」

「老實說，這個譬喻也是之前聽朋友說的。就跟阿節小姐一樣，是聽來的。」

關口陰沉地笑。

「你……不覺得害怕嗎？」

「害怕什麼？」久住反問。

「自己能夠認識到的自己，就只有皮膜的部分。如果說餡才是本質……」

那我到底是誰？——關口說。

「本質的部分無法得知。刻劃在其中的記憶無法觸及。不僅如此，連記得哪些事，都不會意識到。但它們並非**不存在**。它們只會偶爾……從皮膜較薄的部分透出來。然後，搞不好……」

那邊的才是真正的我。

「那麼，現在像這樣思考、感覺的我到底是什麼？我會忍不住這麼質疑。在思考的或許不是我。那麼，不管我再如何用力思考……」

都根本沒有我。

這個人就愛攪亂。不，關口被自己給攪亂了。但是像久住這種不穩定的人，會輕易地被拖進這個人內心的幽暗之中。所以……

——不，不對。

先攪亂的是久住。關口只是和偶然相遇的久住共鳴罷了吧？他反映、吸收了久住的不安，只是想方設法要平息它罷了吧？

「那些……」久住開口。「那些被刻印在內側的記憶，沒辦法把它們拉到外側來嗎？」

「有時皮膜會破裂。」關口說。「不過……皮膜何時會破裂，和意志或思考是無關的。」

是外界因素影響潛意識。

不是能刻意做到的。

關口這麼說過。

「那有的時候，讓我……」

害怕得要命。

「害怕……？」

「恐懼得無以復加。自己不知道的自己顯露出來，這教人怎麼不害怕？」

自己不知道的自己嗎？

「那不是不小心丟失到某處……遺忘的記憶。遺忘的記憶一定還是在意識這個房間的某處，只是找不到而已，但依然是曾經認識到的記憶。然而撐破皮膜流溢而出的，卻是自己根本不知道的記憶。」

「不是自己忘掉的記憶？」

「沒錯。」

關口的額頭浮現冷汗。

然而室溫宜人。

「回來飯店之前，我說對自己不利的記憶，會被隱藏起來，對吧？」

「對。不過……是啊，你也說所謂的不利，並非世俗的不利，而是會否定自我存在的那種不利。」

「對。像這樣一看，會威脅到存在本身的記憶，並非丟失或是收起來了，而是從一開始就被藏起來了……我是這麼認為的。」

「藏在那餡的部分嗎？」

「是的。丟臉、沒面子、委屈、自尊心受傷，這種程度的不利，都是意識層面所做的判斷吧？是理性、感情這些在決定的。這種東西，丟進箱子裡蓋起來就沒事了。但關乎存在本身、更根本的不利，就不能這麼辦了。這些事與理性或感情無涉，是在沒有意識到的深處判定的吧？」

「也就是說，照先前的比喻來說，這些記憶不是收在房間卻找不到——不是遺忘的記憶，而是打從一開始，就根本被收到其他房間去了……不，其他房間這樣的說法或許不合適……」

是房間裡還有房間，或是隔壁的房間？雖然這些應該都只是說法的問題，都無所謂。

「總之，是不可知的。」關口說。「在不可知的地方，刻印著自己不知道的記憶。我……就是害怕這件事。因為完全不知道那裡究竟刻著多可怕的記憶。它們會不受控地突然冒出來，所以……」

太可怕了。

「而且不管那是多麼駭人的記憶……一旦意識到，就必須刻意控制才行了。」

會無法忽略嗎？

也是。不過這也就是說……

「但反過來說，只要能把它搬到意識的領域來……就可以用理性或感情去控制它了，不是嗎？」

「沒錯。」關口說。「與其說是變得可控，更應該說是變得非處理不可。因為那就像晴天霹靂，而且原本就是應付不了的嚴重問題，才會沒有被意識到……」

若是處理不了。

「就會完蛋。」關口說。「自我——先不論它是否堅固到能稱為自我——被意識到的自己，會分崩離析。我就是這樣。雖然邀天之幸，我現在仍然像這樣維持著人模人樣。」

但我非常不穩定——關口說。

「雖然像釣魚池老爹，他應該就沒事吧。他的情況，不管是牡蠣的口感還是生理上的不適，他都明確地認識到了。被刻印在不可知領域裡的記憶障礙，只是誤將這兩者綁在一起造成的。由於我們這些外人指出，他的薄膜才破開來了吧。可是因此……」

「顯現出來的是一場誤會……是嗎？」

「沒錯。即使潛在的恐懼或不快無法抹消，但只要誤會解開，就有辦法處理。就是這樣的。吃牡蠣就一定會拉肚子的認知，要用理性去訂正其實是誤會，易如反掌。所以他才會不藥而癒。」

「那，登和子小姐的情況……」

「我無法置評。因為蛇那件事，目前是什麼狀況，完全不清楚啊。」

也是。

如果就像阿節說的，那麼登和子的蛇恐懼症原因不明。

「更重要的是，我認為這類沒有道理的反應——恐懼症或身體不適，不能斷定都必定是某些體驗所引起。應該不像小節說的那麼確實吧。」

確實，蛇恐懼症這部分，也有可能根本**沒有**造成原因的記憶嗎？

「可是，會不會像你釣魚池的朋友那樣……」

「只是他的情況如此而已。」

朋友常罵我，叫我不能一廂情願——關口瞇起空洞的眼睛。是在笑吧。

「你那位朋友好像老是在罵你。」久住說，關口聽了，這回露出一看就知道是笑的表情說「完全沒錯」。

「雖然也教人氣惱，但他的話句句成理，令人無從反駁。不過也有釣魚池老爹那樣的例子，而他也因此擺脫了古怪的壞肚子狀態……所以應該也並非全然不可信吧。」

「即使有造成問題的原因記憶，也不是說想起那到底是什麼，就保證能治好呢。」

「沒錯。」闢口說。「不僅如此……那段被喚醒的殺人記憶，和蛇恐懼症之間的因果關係，目前只能說是完全不清楚。」

沒錯。唯一確定的，就只有登和子變了個人。

「那位櫻田小姐應該是聽了小節的建議，試圖挖掘出某些記憶……但即使如此，我認為刻印在不可知領域的記憶，不是本人能夠刻意去揭開來的。有什麼……」

鑰匙——外在因素嗎？蛇會不會就是那把鑰匙？如果是，會不會是它喚醒了殺人的記憶？顯現在她面前的，究竟是什麼？

就這樣，久住愈陷愈深了。

猿（一）

是鳥啊——築山說。

「這樣嗎？」中禪寺秋彥應著，抬起頭來，一臉意外。築山公宣一直以為中禪寺是個喜怒不形於色的人，因此覺得那張表情很新鮮。

「當然，我是應輪王寺之邀而來，因此東照宮的建築物算是別人家。我不能這身模樣隨意踏進去，也避免在周邊閒晃……」

築山並非輪王寺的僧侶。雖然他是僧人，但並非住持。他把自己定位為學僧，但實際上並沒有這樣的身分。因緣際會之下，他寄身某間寺院，在寶物殿從事類似學藝員〔註一〕的工作。

去年開始，他便受輪王寺委託，進行文書整理工作。不過，他是剃髮袈裟的僧人樣貌。

「所以我並未細數過，但整座東照宮的話，鳥類雕刻應該超過九百，將近一千。蟲和魚應該不到十，此外的動物——包括虛構生物在內——是啊，這些大概六百左右吧。」

「這樣啊。」中禪寺再次回應，表情已經恢復如常。「我原本以為繪畫的部分有很多龍，但原來雕刻也是，龍其實並不算多嗎？但我也並非鉅細靡遺地看過每一個地方，因此只是印象而已……因為裡頭還摻雜了外形相似的飛龍、龍馬、息〔註二〕等，所以造成這樣的印象也說不定。」

中禪寺說著，在簿子寫上方正規矩的文字。

築山是戰後在東京認識中禪寺的。

剛認識的時候，中禪寺好像是教師，但現在開了家舊書店。不光是古典文獻，還通曉和洋漢書籍，連研究者都未必知道的細節，他都如數家珍。本人自稱在真正的意義上，他沒有信仰，卻也是一名神官，十分奇特。撇開信仰問題，由於他擅長古文書古紀錄的整理和鑑定，因此築山請他來充當臨時幫手。

「中禪寺先生看得真細。」仁禮將雄目瞪口呆地說。「息和龍乍看之下沒有差別吧？我也是聽人說才知道的。不一樣的地方，就只有鼻子的形狀吧？」

「息沒有鬍鬚。……應該說，我認為東照宮的雕刻群，在了解我國是如何接納神獸這部分，極為重要。因為在一定的期間內，生產出如此大量的種類和數量的雕刻，應該是絕無僅有的例子了……」

「接納神獸？這我不太懂呢。」仁禮說。

仁禮這名年輕人，算是築山的大學學弟。現在他擔任築山以前師事的史學系教授的助教。他攻讀古代社會制度史，是一名傑出的秀才，也熟悉古文書，因此築山請他來幫忙一個月。

「也沒什麼接納，一定只是參考中國那邊的圖畫而已吧？雖然圖像不是我的專門，只是隨便說說而已啦。」

「當然是這樣，但比方說……對，像狛犬就是我國自產的。」

「狛犬也叫高麗犬，所以我本來以為是半島來的，不過朝鮮半島也沒有長那樣的狗吧。雖然叫犬，但其實是獅子吧？還有鬃毛，怎麼看都是獅子。不過也不是西洋獅子的形象，所以還是大陸傳來的吧。狛犬不是也叫唐獅子嗎？」

「嚴格來說，唐獅子並非狛犬。唐獅子顧名思義，是從中國來的，是以據說護持佛法的印度獅子為參考創造的神獸，但唐獅子不會保護神域，也沒有阿吽的差異。狛犬雖然形貌幾乎相同，卻是阿形與吽形成雙成對。」

「嘴巴是開是合的差異嗎？」

「沒錯……但也有說法認為，狛犬不是獅子，而是兕。兕是獨角牛，一種像犀的神獸，《延喜式》〔註三〕

註一：學藝員為日本國家級資格，根據日本博物館法，為任職於博物館及美術館等機構的專門職員。
註二：「息」是東照宮陽明門屋頂下的神獸雕刻，形似龍頭。
註三：《延喜式》是完成於平安中期延喜五年（九〇五）的法典，詳載各種律令儀式的施行細則。

也有類似的紀錄，因此也許在我國，古時候也有兕的雕像。不過，因此便說狛就是兕，未免失之武斷，同樣地，據說能分辨虛實真假的神獸獬豸，應該也和狛犬不無關係，因此這樣的說法並不能盡信……總之狛犬是額頭上有一根角的神獸。」

「狛犬有角嗎？可是狗怎麼會生角？狗沒有角吧？」

「狛犬不是狗，和龍或麒麟一樣都是神獸。喏……東照宮的狛犬不是也有角嗎？」

「有嗎？」仁禮問築山。

「我印象中有。」築山回答。不過記憶相當模糊。他沒有定睛觀察過狛犬。

「到後來，獅子和狛犬變成了一對。參考朝廷故例的紀錄那些，上面說獅子在左，狛犬在右。哪一邊是阿、哪一邊是吽，似乎沒有嚴格規定，但獅子就是獅子，狛犬就是狛犬。」

「我沒印象有什麼角呢。」仁禮停下手，仰頭望天。

「現在其中一邊的角也不見了，兩邊都成了獅形。也許就像仁禮說的，明明是狗卻有角，覺得奇怪，所以拿掉了，但若要計較，把獅子說成犬也很奇怪。東照宮的狛犬是有角的。」

「下次我留意看看。」仁禮說。

「然後……是啊，貘與象那些十分耐人尋味呢。看就知道了，牠們的外形幾乎是一樣的。」

「雖然和真實的貘與象相差很多。貘的鼻子沒有大象那麼長吧？」

「真正的貘與象，不論是顏色還是形狀、大小，都是截然不同的生物，但都是日本沒有的動物。在東照宮營建當時是神獸。就像你說的，只能透過大陸的圖畫來認識。兩邊的差別，就只有象的耳朵比較大，貘有鬃毛，一不小心，看起來就是一樣的東西。表示它們就是被當為這樣的事物看待呢。」

「原來如此，很有意思呢。」

「若是細看，應該可以發現更多事實。過去都只把它們當成建築物的裝飾品看待，雖然應該有宗教方面的解釋，但應該鮮少從這樣的觀點去觀察吧。應該也有許多遺漏之處……」

中禪寺說到這裡，站了起來，從架上抽出一冊《慈眼堂經藏收納轉籍調書》，看了起來。調書另有一冊索引，但中禪寺似乎把多達十四冊的調書的哪一卷記載著哪些內容大致上都記住了。

那一冊是大正五年（一九一六）的調查結果。

日光保管著大量的文書。除了日光山中興之祖、也是東照宮建宮功臣的慈眼大師南光坊天海的藏書之外，還有在其生前及歿後奉贈給天海及德川家的書籍經典，以及日光僧坊原本收藏的經典之類。

這些都收藏在天海僧正的墓所慈眼堂境內的經藏——俗稱天海藏。推測原本是分藏於各處，在三百年的歲月間集中到此地，也收藏了許多貴重的文獻。天海藏的目錄也在江戶時期編製過幾次，進入大正時期後，又重新做了一次詳盡的調查。

天海藏有九十二箱的倹飩型〔註一〕桐箱，寬三尺〔註二〕、深及高一尺半，其中收藏了超過一萬冊的藏書。保存狀態極佳。史料價值固然非凡，同時也具有極高的文化價值。其中也有屬於一級文化財、被指定為國寶的文獻。

去年……

在山中的天海藏以外的地方——護法天堂後方的地面挖出了一只古老的長櫃。是四年前文化財保護法制定以後，在進行山林整理時偶然發現的。長櫃上沒有任何家紋，裡面收著約七只小型倹飩箱，倹飩箱裡存放著像是古文書和經典之物。

和天海藏的藏品不同，狀態不是很好，但因為年代極為古老，也有可能十分珍貴。

築山的工作，就是調查這櫃子裡的書籍。

中禪寺和仁禮是築山請來的幫手。

「編號第二號的箱子幾乎都檢查完了。」中禪寺說。「可惜的是，沒什麼值得一提的東西。幾乎都是天

註一：倹飩式是一種日式箱蓋工法，上下各有溝，關的時候，將蓋子嵌入上溝，再使其落至底溝卡住，開的時候，則是上抬使其脫離底溝。

註二：日本傳統度量衡尺貫法中，一尺為〇．三〇三公尺。

海藏裡的內典抄本。沒有藏書印，也沒有題字。有兩冊內容是目錄上沒有的，但當然並非原本。雖然也得和安永及元文〔註〕時期的目錄做比對……」

「那邊交給我吧。」仁禮說。「呃，《慈眼堂藏本目錄》有一部分編目方式不同，是嗎？啊……這份目錄本身已經是文化財了，必須格外小心呢。」

「愈小心愈好，但書就是用來讀的，目錄就是拿來用的。築山，你那邊如何？」

「我這邊也一樣。原本還以為或許會有《大般涅槃經集解》缺少的部分……不過看來是沒有吧。」

「天海藏收藏的是奈良時代的版本吧。」仁禮說。「那不是國寶嗎？被重新指定為國寶了吧？」

「是啊。如果是遺失也就罷了，只抽出其中幾冊也沒有意義嘛。不可能只有這七箱是另外的，若是分開存放，也應該有什麼分開來的理由……」

反而是那理由更令人好奇呢——中禪寺說。

「可是築山，我們還有四箱，要放棄還太早了。而且也不是說抄本就沒有價值。是誰、在哪個時代、在什麼樣的狀況抄寫下來？和原本有無異同？是抄錯了還是重寫……有太多值得注意的細節了。還有注釋或註記，非常有意思的。」

「也是啦。」仁禮同意。

「如果是文化財和國寶，珍惜當然是好事，但書就是給人讀的。」

「我也這麼認為，但既然被指定為文化財或國寶，就不能草率對待了。不可能拿來躺著翻啊。萬一污損，就不能讀了。」

「所以抄本才重要啊，築山。現在複製技術有了飛躍性的進步，所以還好，但古時除了抄寫以外，別無手段。像這個也是啊。」

中禪寺用玻璃紙小心地把書冊包起來。

「紙張是有壽命的。就連刻在石上的文字都會磨損，紙就更不用說了。保存狀態像天海藏的藏書那麼好的書籍，可以說再也找不到了。」

「是啊，它們是寶貴的文化財產。」

「我完全同意，但若是把它們當成文化財產封存起來，我認為就和埋在土裡沒有兩樣。至少應該要加以翻刻。書籍只是也能變成文化財而已，並非美術品。建築物也是一樣的。不管是什麼樣的裝飾，都不是做為美術品存在……」

而是有其意義的——中禪寺說。

「不是隱喻或暗喻，也不是咒術的意義，而是對使用該建築物的人的意義。沒有人使用的建築物，就不是建築物了。因此不論是雕刻還是設計，既然做為建築物的一部分，就一定和住在裡頭使用它的人之間有某些關聯。」

「不是蓋的人的想法嗎？」

「不論蓋的人有什麼樣的想法，我認為說到底，重要的還是使用它的人。書籍也是，無論作者是什麼想法，不同的讀者來讀，也會有不同的詮釋對吧？是一樣的。」

「天海是什麼想法，沒有人知道嘛。」

「我就連眼前你們的感受都不懂了，幾百年前的人的想法，哪可能輕易得知？但建築物能保存得比人更久。天海藏現在甚至可以穿過大門、進入裡面了，不是嗎？應該更容易看出過去在那裡起居的人的感受吧。」

「是啊。那麼我更應該去看一下東照宮了呢。」仁禮說完後，問：「築山先生不能去看嗎？」

「不不不，沒道理不能看啊，仁禮。並不是說和尚就禁止踏進神社的。只是，嗯，是不好意思嗎？」

「也不是說兩邊關係不好吧？」中禪寺說著，把新的一箱僉飩箱的蓋子抽掉。「我沒聽說雙方交惡的事。」

「不，要是招來莫名的誤會就糟了，關係當然應該是不錯的。只是，我是受輪王寺委託的外人。我只能

註：元文為江戶時代的年號，一七三六至一七四一年間。

看到一般民眾參觀的地方。」

若是請求，應該是可以深入參觀，但實在開不了口。

「雖然我對東照宮的雕刻和繪畫都有興趣，但就是礙於情面……」

「中禪寺先生才是，開口說一聲，什麼地方都能進去吧？你是神官嘛。感覺應該在各地參觀過祕祭那些……」

「仁禮，別說傻話了。若是參照《延喜式》，我的神社是無格的小社。現在也是未被列入神社廳管轄的泡沫神社。雖然是有階位，也有一些橫向連繫，但都只是以舊書商身分打交道，絕對沒有神社人員到處吃得開這種事。」

中禪寺說完笑了。

「不，也難怪仁禮會懷疑啊，中禪寺先生。像我，在本山修行期間，老家的寺院沒了，是個無主的流浪和尚，所以半點人脈也沒有，但你不是有特殊門路嗎？不分宗派，你都有許多熟人，跟佛教界也比我更熟悉多了。」

「只是有些複雜的奇緣孽緣罷了。」中禪寺說。

說到複雜……

日光山也相當複雜。

輪王寺——其實正確地說，並沒有叫輪王寺的寺院，輪王寺是山內寺院群的總稱——與東照宮，還有二荒山神社，這三者與其說是相鄰，更應該說就在同一塊土地當中，然而各別卻是互無瓜葛。

因為它們原本是一整個，卻在明治時期因為神佛判然令，而被分成了二社一寺。

輪王寺這間寺院，並非東照宮的神宮寺〔註一〕。也就是說，它並非以神社為主體的寺院。

日光山是勝道〔註二〕開山的山岳佛教靈場。沒有誰是主、誰是從的分別，日光從一開始就是一塊神佛習合的土地。東照宮祭祀的東照大權現——德川家康公——的「權現」這個神號，也是依據本地垂迹〔註三〕的思想而來。

神佛判然令是要求神佛分離——將神與佛分開來的太政官布告〔註四〕。

但是在日光，分離並不是那麼一翻兩瞪眼的事。

不僅如此，神佛判然令還附帶了排佛毀釋這個意料之外的要求。神佛分離顧名思義，僅僅是要求將神道與佛教區別開來，但是因這條法令被分裂的部分人士，不明白區別與排斥的差別。

佛教寺院遭到排山倒海的迫害。當然，那是築山出生前的事，而且築山也只聽說過佛教寺院這一方的說法，因此並不清楚實際情形。但據他聽說，像宮社〔註五〕這類大神社的鄰近寺院，都遭受到相當猛烈的攻擊。

而日光的二社一寺別說鄰近了，根本就在同一塊土地裡。

分離之後，不可能不產生嫌隙。

並且，那是日光山剛失去德川幕府這唯一後盾之後的事。

應該是毫無招架之力。

輪王寺這個寺號，是明曆〔註六〕元年後水尾上皇所賜。由於是皇族所賜的稱號，因此遭到剝奪，下令寺院必須改回舊稱滿願寺。不僅如此，建築物也被迫移建，連本堂三佛堂都被下令拆除。理由是三佛堂裡祭祀的三尊佛像，是各別對應三尊神道教神明的本地佛〔註七〕。

註一：神宮寺為附屬於神社的寺院，是神佛習合的產物。

註二：勝道（七三五～八一七）為奈良至平安初期的僧人。

註三：本地垂迹是日本佛教鼎盛時期的神佛習合思想，認為神道教中的八百萬神明，其實是佛教中的各種佛及菩薩等在日本的化身，是為「權現」。

註四：太政官布告是明治時期的法令形式，由太政官發布。

註五：宮社為名稱裡有「宮」的神社。如明治神宮。

註六：明曆為江戶時代的年號，一六五五至一六五八年。

註七：本地佛即本地垂迹思想中，被視為神道教神明真身的佛及菩薩。

不過，成為神社的東照宮就獲得了禮遇嗎？卻也全沒這回事。當然，權現這樣的稱呼被禁止了。因此二荒山權現新宮必須改名為二荒山神社，東照大權現變成東照宮。並且，原本東照大權現擁有正一位的位階，應該可以直接成為官社，然而社格卻被定為別格官幣社如此低階的等級〔註一〕。因為這裡祭祀著皇室叛軍的始祖，這也是莫可奈何之事吧。

儘管如此，聽說仍有許多人發出不明之鳴，為保護日光山而盡心盡力。結果三佛堂逃過拆除的劫數，被允許以無損於原本景觀的形式重建，寺院名稱也改回了輪王寺。東照宮的處理，也在戰後被修改回來。

但神與佛已經分家了。

「現在果然還是有許多困擾嗎？」中禪寺問。

沒有這回事。

「不，只是分離而已，並不是鬧翻，所以完全沒有任何問題，但現在再以一般遊客的身分去參觀也很怪，也有些地方進不去。我覺得我這樣的人要求參觀東照宮深處，多少有些奇怪。」

僧人形貌的築山在神宮的神域隨意徘徊，會惹人物議吧。雖然完全只是築山如此認為而已。其實不要穿僧衣就沒問題了。

「現在祭祀活動那些，也都是各辦各的嗎？」仁禮問。

「那當然了。寺院和神社又不一樣。」

「可是築山先生，就算神事與佛事能夠分立，最早的活動，不是佛式與神式融合在一起嗎？」

「祭祀活動、儀式、日常神事那些，應該不是可以輕易改變的，所以應該是維持原狀吧。除了將神社與寺院分離以外，沒聽說還有什麼強烈的要求，而且這邊是寺院，無從改變。再說，我是佛門子弟，不諳神道……」

不是很清楚狀況。

「我也不是輪王寺的僧人，所以不了解東照宮的事。尤其是明治以前的事，更是完全不懂。我只是透過文獻知道而已。說是知道，也不清楚山王一實神道的神事和其他的神道有多大的差異……」

築山認為即使從寺院分離，東照宮的祭祀仍帶有佛教色彩，這本身是無可厚非之事。因為東照宮是山王一實神道的神宮。

山王一實神道是將家康祭祀在日光時，執行者之一的南光坊天海所創立的神道。說是創立，也並非從頭打造，其教義是以天台宗的山王神道為基礎，而天台宗是傳教大師最澄仿傚他赴唐修習的天台山國清寺之例，將日吉山王權現祭祀為比叡山延曆寺的地主神而創始。都是佛家所打造的教派。

築山正欲言又止，中禪寺回答了：

「山王一實神道雖然是佛教神道，但依舊是神道，所以應該維持原狀就好。雖說它根本的思想是天台宗，但基礎的山王神道本身受到伊勢神道影響，天海似乎也意識到這部分。而伊勢神道也同樣受到佛教的影響。」

「那，跟其他神道也沒什麼不同嗎？」

「家康原本以吉田神道式被祭祀在久能山，天海刻意以山王一實式又重新加以祭祀，因此確實是不同。問題是它的根基是否有本地垂迹的思想吧。」

這位朋友對這類事情特別專精。

「不過該如何處理山王神道，我想叡山〔註二〕應該也很頭痛。」

中禪寺接下去說：

「山王神道是個方便盛載各種東西的容器。戶隱山的別當〔註三〕乘因創立一實靈宗神道，將忌部神道和

註一：官社及別格官幣社皆為社格（神社等級）。官社是受國家保護的神社。別格官幣社是明治年間新列的級別，為官社中最低。

註二：叡山為比叡山的簡稱，為天台宗延曆寺之所在。

註三：別當為僧官職名，統管一山寺務。

修驗道〔註一〕融入山王一實神道而成，頗受當地居民支持，但甚至加上了道教色彩，結果被叡山視為異端，乘因被流放離島。所以天海以後的山王神道，對天台宗來說也是難以駕馭之物——異質之物。說起來，站在神道的立場，本來就不承認本地垂迹這樣的思想……」

「是啊，神佛分離並不是到了明治才突然冒出來的東西……對吧？」

築山這麼說，中禪寺笑了：

「但也沒有發生過以強權下令分離這樣的事。嗯……山王一實神道的話，把家康神格化這個大前提是最重要的，因此幕府沒有辦法對它進行彈壓。另一方面，考慮到與天台宗的關係，它也難以拋棄本地垂迹的思想。不管怎麼樣，它都是佛教神道，無法與其他神道相容吧。以結果來說，整個江戶時期，人民對家康都維持著高度崇拜，所以這部分是成功了，但山王神道卻也未能排除其他教派，廣為普及開來。」

「是啊，這表示它的教義不被百姓接受吧。同時它也與明治的神社神道互不相容呢。」

「嗯，明治時期的社格嗎？」中禪寺說。

「對，別格官幣社以社格來說，待遇與國幣小社同格、或是更低。比祭祀菅原道真〔註二〕的北野天滿宮還要低賤多了。明治時期的東照宮，被當成府縣社對待。」

「菅公是天神嘛。」中禪寺笑道。「相對地，家康是東照大權現，即使位階高，在神明當中也是新來的菜鳥，而且家康的本地佛是藥師如來。」

「這個本地佛由輪王寺承接了呢。但還是沒法躲過一劫。」

「就算把本地佛分離開來，山王一實神道一樣是基於本地垂迹思想的神道教啊。比方說山王神道的主神山王權現也是，原本是大山咋神，但因為天台宗的關係，又迎來了大物主神，因此造成了混亂。所以天海在設計山王一實神道時，將主神比定為天照大神。」

「哦……」

「意思就是雖然稱呼不同，但山王一實神道祭祀的就是天照大神。但又不是神明神社〔註三〕，怎麼能祭祀天照大神呢？伊勢神宮也難以同意吧。」

「就是這步棋壞了？」

「可以這樣說嗎？這應該是天海的企圖，想要把家康的地位提升到與天皇同格（註四）……不僅如此，天海還把山王權現的本地佛設定為大日如來。」

「大日如來是密教的本尊，是宇宙的真理、萬物之慈母……所以若是要與皇室的祖先神平起平坐，當然會變成這樣吧。」

「是這樣沒錯，但是築山，換個角度來看，這等於是在說皇室之祖的真身是佛教的如來呢。佛尊不論再如何尊貴，換個立場，就是異國的神祇啊。這一點怎麼說呢？」

會……變成這樣嗎？

「在我國，本地垂迹思想的變遷和普及有許多迂迴曲折，但本地垂迹這樣的思想本身，就是佛教在傳播的過程中，為了吸收既有的其他宗教而出現的論述。譬如說，印度教的神明也被吸收，變成了天部，不是嗎？這是一種佛教優越思想。」

畫成圖示就容易理解了——中禪寺說。

「從天海的設計來看，東照大權現是德川家康，其真身是藥師如來。山王權現是天照大神，其真身是大日如來。」

像這樣並列，感覺似乎有些不敬。築山這麼說，中禪寺苦笑：

「會這麼感覺，是因為你是現代人。江戶時期應該幾乎沒有人會認為這有何不敬。」

註一：修驗道成立於平安末期，融合日本古來的山岳信仰、佛教中的密教、道教及陰陽道等而成。注重在靈山中的修練。

註二：菅原道真（八四五～九〇三）為平安前期的公卿文人，人稱菅公。因受讒被貶至九州太宰府，抑鬱而終。死後被祭祀為天滿天神，被視為學問之神。

註三：神明神社以天照大神為主祭神，總本社為伊勢神宮。

註四：天皇被視為天照大神的後裔。

「是因為剛才也提到的，山王一實神道的教義並未徹底普及的關係嗎……？」
「是啊。證據就是……如果什麼名稱都不加，單單只說權現時，指的會是誰？」中禪寺問。
「會是……家康公呢。」
「沒錯，在庶民之間，權現大人這樣的稱呼，指示的對象就是家康這個人。修驗道也使用權現稱號，像是立山權現、羽黑權現，擁有神宮寺的神社也使用權現號，像是春日權現。其他還有許多權現。權現指的是神佛以假借的形貌現身，並非單指個別神佛，更不是特定個人的代稱。」
「這麼說來，的確是這樣呢。我從來不覺得這有什麼奇怪……」
「以神號來說，『明神』更為古老。歷史悠久的神社祭神，會諱稱原本的神名，以神社的名稱加上明神、大明神這樣的別名來稱呼。此外，從某個時期開始，將非神之人祭祀為神時，都會冠上明神號。」
「這麼說來……豐臣秀吉也被祭祀為豐國乃大明神呢。」仁禮說。
「是啊。雖然秀吉本人好像希望被祭祀為八幡神。」
「八幡神被同定為譽田別命——不，應神天皇〔註一〕吧？應神天皇算是人神的老前輩嗎？」仁禮說。
「也可以這麼說，但八幡神也被稱為八幡大菩薩，所以應該從相當早以前就是神佛習合的神明了。秀吉似乎想要被祭祀為護持佛法的神明。為了祭祀秀吉而創建的豐國社也併設了神宮寺，因此明神號應該也帶有神佛習合的色彩。如此來看，明神號也是與權現號相競爭的神號……」
「確實如此呢。從紀錄來看，家康公下世的時候，也曾經為了要冠明神號還是權現號而有過一番擾攘，對吧？」
「金地院崇傳〔註二〕支持明神號，但天海支持權現號。只是……」
「就算變成大明神，豐臣家還是滅了嘛。也會想要避免觸霉頭吧。」
仁禮露出複雜的表情說。仁禮是西邊出生的〔註三〕，因此或許對太閤殿下〔註四〕有某些特殊的情結。相對地，中禪寺的神情毫無變化，不僅如此，手上仍不停地忙活著。
「豐臣家滅亡後，被家康剝奪了大明神號。秀吉依佛式重新下葬，豐國神社也廢絕了。」

「是這樣嗎？但現在還是有豐國神社吧？」仁禮問。

「有啊，不過是等到維新之後——明治時期以後，才被允許重建社壇。豐國神社的社殿雖然沒有被拆毀，但整個江戶時期，都不被允許修繕修補，因此變得十分破舊。即使再三申請重建，也都被打了回票。現在的神社，是德川幕府瓦解後重建的。」

「原來是這樣。那，明神號沒有被採用，也是因為有這樣的前例嗎？」

「當然，祭祀上一名掌權者的豐國社確實是一個參考吧，但最關鍵的理由，應該是明神號是由吉田神道所掌控吧。雖然頒布神號的當然是朝廷。」

主持豐國神社遷宮的，也是吉田家嘛——中禪寺說。

「站在天海的立場，應該是想要排除吉田神道的影響力。畢竟吉田神道是反對本地垂迹的。吉田神道雖然承認神佛習合，但還是不接受本地垂迹。」

「咦？我不覺得神佛習合和本地垂迹有什麼差別耶。一般不都是當成同一件事嗎？」

「本地垂迹中的本地可是佛尊。所以是佛教至上，佛教優先。相對地，吉田神道中所說的神佛習合，基礎是神道教。」

根幹是神道的神明——中禪寺說。

註一：應神天皇為傳說中的日本第十五代天皇，在《日本書記》中被稱為譽田別命，神道教視其為八幡神。

註二：以心崇傳（一五六九～一六三三），安土桃山至江戶時代的臨濟宗僧人，因居於南禪寺金地院，故也被稱為金地院崇傳。與天海同為德川家康心腹，一手建立江戶幕府之法律、外交及宗教事務基礎。

註三：豐臣秀吉死後，慶長五年（一六〇〇），豐臣秀吉的家臣石田三成等人率領的西軍，與德川家康等率領的東軍，在關原爆發了爭奪天下的大戰關原之戰，最後東軍大勝，奠定了德川家的霸權。

註四：太閤為對攝政、太政大臣的敬稱。豐臣秀吉曾任太政大臣。將關白之位傳給養子秀次後，仍依慣例被稱為太閤，太閤一詞遂成為豐臣秀吉的代名詞。

「吉田神道甚至被稱為唯一神道嘛。吉田神道的宗旨是『吾國開闢以來之唯一神道是也』，與山王一實神道的立場徹底南轅北轍。吉田神道雖然也融入了不少儒教佛教的思想，但認為儒教是以神道為根的枝葉，佛教是枝頭上的果實。同樣是神佛習合，也完全相反。」

原來如此……

「慈眼大師〔註一〕是對這一點感到疑慮嗎？」

築山這麼問，中禪寺說「只能說，有這個可能」。

「從文獻能看出來的東西很少，一切都只是推測。雖然應該有許多理由，也有政治上的角力，但我想站在天海的立場，無論如何都想避免淪為吉田家的附庸吧。而且在這部分，德川家——不，幕府應該也是相同的想法。」

「這是什麼意思？家康公好像是個虔誠的淨土宗信徒，德川幕府是站在本地垂迹……或者說庇護佛教的立場，是嗎？」

「不是那樣的。」

「那，是不承認吉田神道？」

「也不是。德川幕府絕對沒有冷落了吉田家。因為直到幕末復古神道興盛、明治政府讓神祇官的制度復活以前，全國神社都是由吉田家所統轄，吉田家反而是備受重用。所以，嗯……要說的話……」

應該說幕府對神道沒興趣吧——中禪寺說。

「不論天海的意圖為何，德川都只是在行政治之事。跟教義信仰那些都沒什麼關係。也不是無關，應該是不重要吧。只是也考量到朝廷罷了吧。」

「朝廷……？」

「對。因為還是得顧及朝廷的顏面啊。而且東照大權現的神號，也是朝廷賜與的吧？」

「那當然啦。東照宮的文書，也明確地寫著是天皇詔旨。」

「就是吧。正一位的神格的贈位、宮號的宣旨，這些都必須要朝廷來頒賜吧？」

「當然是這樣……」

「若是與天皇為敵，就得不到這些稱號了。所以無論如何都要敬奉朝廷。但不會聽命於吉田神道。吉田家必須歸幕府管理。就是這麼回事吧。」

「吉田家必須受掌控嗎？」

「家康被葬在久能山的時候，是吉田神道主持的，對吧？後來家康由天皇御賜大權現號及正一位，由山王一實神道將神柩重新祭祀在日光。」

「沒錯。」

「一方面維護朝廷的面子，一方面削弱朝廷的力量，這就是幕府的手段。保留朝廷的權威，但拿掉實質影響力……完全就是這樣吧？」

確實如此。

「對幕府而言，神社是其次。幕府認為完善本末制度〔註二〕，管理佛教寺院，對施政更有好處。實際上，佛教寺院的法脈和組織那些更要明確，更方便管理，而且儒學更有利於穩定武家社會。要掌握民心，利用佛教、儒教、道教這些來宣傳，更有效率多了。」

「這樣啊……」

中禪寺一邊滔滔不絕，工作的手卻完全沒有停下來。可以一邊交談一邊讀寫，築山覺得中禪寺這人實在是三頭六臂。

「可是中禪寺先生……」

默默工作了片刻的仁禮開口。

註一：慈眼大師即天海。

註二：佛教宗派之首的寺院稱為本山（或本寺），底下隸屬的各寺院為末寺。本末制度為江戶幕府為了統制管理全國各寺院所制定的制度。

原來他在聽。築山都已經是半休息狀態了。

「這樣說的話，吉田神道也融入了儒教、佛教和道教那些，對於採納的一方來說，應該也沒什麼不同吧？」

「難說一樣喔，仁禮。吉田神道不管怎麼說，都是以神道為本，只是利用已經普及的其他宗教能夠利用的部分，來正當化自己信奉的神道而已。基礎必定是神道，這一點絕不可動搖。只是從其他地方援引了不抵觸──或者說能襯托這個基本理念的、對它有利的部分而已。」

「幕府不也是同樣的做法嗎？」

「我覺得不同。幕府是以這個國家的百姓原有的心性、生死觀為基礎，再放上儒佛道的教義。因此不管是儒教還是道教，連佛教都經過一番**改造**了。」

「改造？」

「我是這麼認為。應該說，那不是擷取既有思想中的優點，而是把──不惜把思想扭曲成自己想要的樣子。」

「會是這樣嗎？」築山開口。「在德川的治世，教義並沒有多大的變化吧？雖然是會隨著時代而改變。」

「在築山你這位僧人面前說這種話，實在是班門弄斧，但這個國家的佛教，不就是配合這個國家的百姓心性，不斷地受到調整和變更嗎？」

「嗯，任何宗派，都與原本的印度佛教有著或多或少的差異，但每個國家的佛教都是這樣的吧？傳教的時候，配合國情進行調整，我覺得這是很自然的。而且我國佛教各宗各派的成立，比江戶幕府的創立更要古老多了。」

「沒錯，完全就是這樣。當時儒教、道教、佛道，都在武家、公卿和庶民當中滲透得相當深了。但若問這個國家的百姓心性是否因為這些宗教而有了巨大的改變，我認為只能說是否定的。」

「是這樣嗎……？」

「難道不是嗎？佛教廣為根植於這個國家，然而輪迴、解脫這些佛教基本的底子，坦白說幾乎沒有被接納。相對地，應該與佛教絕對不可能相容的儒教和道教，卻被當成和佛教**一樣的東西**。然後大眾只接受能夠接受的部分。」

「只接受能夠接受的部分……？」

「進行取捨的並非傳教的一方，而是被傳教的一方——接受的一方。就連擁有民族宗教性質的神道也是一樣的。經過體系化的神道是否符合生活的百姓心性，還是不無疑問吧？」

「大部分都是追求現世利益啦。」仁禮說。「除了極少部分虔誠的信徒以外，絕大多數的百姓根本不知道什麼教義嘛。雖然是會唸唸南無阿彌陀佛或南無妙法蓮華經啦……」

「沒錯，虔心念佛，累積善行，勤勉努力，常上寺院神社……這些都不是壞事，但其中並沒有教義吧？跟本地垂迹或反本地垂迹的思想也都沒有關係。不管是拜觀音還是拜稻荷，都只是儀式不同，其實都是一樣的。人們相信這就是信仰。然後，以『這樣就好了』的形式滲透人心呢。」

「是這樣的改造嗎？」

「是啊。各別的宗派，依各自的思想建構出牢固的信仰體系，依此修行並傳教。但大眾的接受方式不是這樣的。對教團來說——不，就原本的宗教樣貌而言，這並非好事呢，築山。」

「唔……」

築山覺得這樣應該不正確，卻也覺得本來就是這樣的。這全是因為築山並未面對信徒——不，眾生的關係吧。築山以僧人身分修行過，現在仍是修行之身，也學習教義。他自信在各方面都全力以赴。但築山沒有自己的寺院，不曾面對檀家（註）。他到現在仍然無法有自己的信仰是要拯救眾生的具體意象。

他也覺得，無法成為真正意義上的信仰者的，並非中禪寺，而是自己。

「相對地，」中禪寺接著說。「若想讓這樣的眾生擁有真正的信仰，會怎麼樣？這不是件易事吧。」

註：檀家為特定寺院的信徒。

「很難啊。」不知為何，是仁禮回答。「想想這個國家接納佛教之前的各種艱辛就知道了〔註〕。佛教遭到迫害，對抗、隱忍……然而這個國家真的變成佛教國家了嗎？應該不是吧。不管弘揚再多正法、述說再多真理，都是兩碼子事啊。當然，也有不少人十分虔敬，得到了真誠的信仰，但放眼整個國土，這樣的人是鳳毛麟角。」

「站在幕府的立場，」

非是舉國上下全部信仰不可——中禪寺說道。

「任何宗教，應該都想盡量增加至誠的信徒，但政治是不能這樣來的。一小部分虔誠的信徒反而是不需要的。也就是說，不管再如何出色、再怎樣靈驗，特定的宗教對政治都沒有用處。」

「沒有用處嗎？」

「想想看就知道了。要讓同一個信仰在全國各地，而且是在短期間之內扎根，這幾乎是不可能的事。」

這……或許不可能。

光是一個佛教，就有如此多的宗派。

即使是看起來團結合一的基督教或回教，也只是未經細辨才會看起來如此，據說詮釋的不同、理解的差異造成了極嚴重的對立。就是有牢固且嚴格的戒律或教義，然後有想要維護它的誠摯信仰，才會讓對立更加嚴重。分裂有時會撕裂國家，惡化成甚至流血的紛爭。

「腳踏實地的傳教活動曠日廢時。即使融入其他宗派的優點，不論是神道、佛教還是儒教，若要將其中之一定為中心，就必定需要啟蒙、改宗或改信。但是要以掌權者的意志，強制全國百姓改宗……這是不可能的事。」

因為這不是洗腦一兩個人這種規模的事——中禪寺說，隱約露出厭惡的表情來。

「若想控制百姓，強制是最糟糕的下下之策。不管是高聲疾呼，還是低頭懇求，都不可能成功。因為洗腦是讓人自發性地相信某種想法，這極為困難。經年累月累積、滲透、培養出來的固有觀念，不是那麼輕易就能顛覆的。即使會隨著時代漸漸改變，也不會戲劇性地一夕扭轉。所以幕府……」

「乾脆以那些固有觀念為基礎嗎?」

「省了工夫,對吧?」中禪寺說。「事半功倍。也就是說,和原本的佛教或儒教的教義及思想都沒有關係。幕府只把大眾已經接受的部分拼湊起來,當成工具使用。」

「呃……可是中禪寺先生,這……怎麼說呢?站在宗教人士的角度,你作何感想?宗教被政權這樣利用,那本質的信仰……不,可是……」

築山不太明白。他對此有些意見,卻無法歸納出一個說法。

「當然,各教團也沒必要因為這樣就捨棄信仰的本質。只要把這樣的變質當成一種方便就行了。反正過往早就為了傳救、濟世,利用各種方便,調整教義內容。只是站在幕府的角度,這本質的部分並不重要罷了。」

「幕府根本不在乎信仰的本質……是嗎?」

「德川幕府並未選擇任何一個教派吧?沒有任何宗派被定為國教。硬要說的話,那就是儒學,但那完全是儒學,而非儒教。不是信仰。」

「是啊……」仁禮停下手來,交抱起手臂。「儒者是孔子教的信徒嗎?並不是嘛。不管是朱子學還是陽明學,都不是宗教,而是思想,是學問。」

「是啊。而且儒學的思想應該非常有助於維持幕藩體制。相對地,不限定宗派的寺院統制,對於控制人民生活非常有用。我覺得這是很聰明的做法。」

「確實,像這樣一看,和吉田神道那種納入儒佛的做法不同呢。」

「吉田神道援用其他宗派的部分教義,目的只是要證明其信仰的正統。相對地,德川幕府是只把原本就已經滲透全國的符合人民心性的儒佛神的各部分組合起來,當成工具使用。哪一種做法更有用,應該是洞若

註:佛教在六世紀的飛鳥時代傳入日本,當時受到已有的神道勢力反對,群臣為了是否接納佛教而擾攘多年。最後因皈依佛教的推古天皇即位,加上後來的聖德太子保護推廣,佛教才廣為傳播開來。

觀火。對幕府來說，就連吉田神道，都只是工具之一罷了。」

「確實，幕府技高一籌……或者說，看似讓吉田神道為所欲為，其實牢牢地抓著尾巴，看著實在不是很舒服呢。只是，像這樣一看……身為天台僧，同時也是山王一實神道設計者的天海、禪僧以心崇傳，還有儒者林羅山，這三名德川家的智囊，真是最強的棋子呢。」仁禮說。

「雖然是事後諸葛，但就是如此吧。總之，對權勢有所助益的宗教，都長命百歲，朝廷公家〔註一〕的力量也如同幕府的預期，日漸式微。以結果來說，德川的治世維持了兩百數十年之久的安泰……」

「我還是覺得很不舒服吶。」仁禮說。「這簡而言之，就是只要能當成棋子，什麼都行嗎？不，也不是這麼說……應該說本地垂迹思想是很好利用的思想呢。啊，不不不……」

這樣說好像會遭天譴——仁禮臉頰僵硬。

「我絲毫沒有輕視信仰的意思啦。只是在這種地方，好像不該說這種話。」

仁禮環顧周圍。

這裡是日光的——而且是東照宮所在的——神域之中。

「嗯……不過仁禮說的也有一番道理。這若是別的國家，或許會把祭祀政權開祖的山王一實神道制定為國教，但江戶幕府卻沒有這麼做。同樣地，雖然伊勢神道祭祀著皇室的祖神，卻也沒有獲得特殊待遇。對幕府來說，不管是本地垂迹還是反本地垂迹，應該都沒有多大的意義，因此就連將軍家，除了祭祀著家康以外，也沒有賦予日光這裡更多的意義。」

「真現實呢。」仁禮說。

「即使是新政府重用的神社神道，也不僅是為了擁戴天子而這麼做，也有對抗舊幕府這樣的政策面向在吧。像是國學，以及從國學中誕生的復古神道那些，是幕府無法當成工具使用的思想。只是……」

這部分的手段，新政府就遜色太多了呢——中禪寺說，終於停下工作的手。

「因為新政府只會強迫推行。光是拿皇室復權來說好了，本來就沒有人認為天皇不尊貴。那簡而言之，就只是強調了將軍不偉大、舊幕時代是低劣的而已。效果顯著的措施，大概就只有明治大帝巡幸各地，其他的全是一味強制與禁止。所以才會想要顛覆舊有的一切，到處翻舊帳、雞蛋裡挑骨頭，結果就是……」

神佛分離——中禪寺說。

「神佛分離令因為排佛毀釋太搶鋒頭，讓人以為只有佛教寺院受到冷落，但神社也沒有獲得禮遇。因為說是神道，也是形形色色。神社神道奉皇室為至高無上，新政府決定以它主軸，其餘教派全部捨棄。對明治政府來說，若是不支持國家鼓勵的神道，就是異端。」

「即使同樣是神道也一樣嗎？」

「那當然了。一切都必須受到政府的管制。明治政府公認的神道——ＧＨＱ命名的國家神道，就得到國教的待遇嘛。」

「哦……」

「大日本帝國憲法中，明記人民有信仰的自由，但政府最終認定，國家神道並非宗教。崇敬國家神道，是接近義務的獎勵——半強制的行為。國家神道被視為國民的支柱、教育的基礎。所以才會甚至出現教育敕語這種東西。」

「我記得……ＧＨＱ不是甚至把國家神道指為危險思想嗎？雖然這個說法我實在是難以接受啦。」

「這番評語，是在說國家神道誇耀民族正統性及優越性，合理化武力侵略——端看如何解釋，能合理化武力侵略——這個部分是危險的，並不是說神道或皇室危險。明治政府似乎認為凡事只要下令，人民就會聽從，最後還變更了全國神社的祭神，甚至進行統合廢除，讓每一個町村只能有一座神社，實在傷腦筋。」

「就是讓南方熊楠〔註二〕暴跳如雷的那件事呢。」仁禮說。

註一：公家相對於侍奉幕府的「武家」而言，指侍奉朝廷的貴族朝臣。

註二：南方熊楠（一八六七～一九四一），明治及昭和時期的民俗學家及博物學家。曾赴美赴英，任職於大英博物館東洋調查部，精通多國語言。

「南方生氣是當然的。這種做法不可能行得通。我說過很多次，這種事是強制不來的。明治時期的宗教統制，到頭來並未能改變這個國家的心性，卻製造出一部分瘋狂的信徒。結果在今天留下了巨大的禍害……」

「神社這一方也很不容易呢。」仁禮說。

「嗯，所謂的教派神道——採取本地垂迹立場的神社應該遇到相當大的麻煩。山王神道系以外的兩部神道那些應該也是。每個地方應該都經歷過一番辛苦。雖然東照宮應該特別棘手……」

或是也還好？——中禪寺轉向築山問，但築山也不是那麼清楚。

「不，好像很棘手喔。這裡的社格也被降低，有段時期多達七百社的全國的東照宮也都廢社了，或是與其他神社合祀，數量大減，現在好像不到兩百間了。」

「可是築山先生，同樣是山王神道系，身為全國山王社總社的日吉大社，我記得在明治時期，也是官幣大社吧？那裡雖然也是叡山的鎮守社，社格卻是最高的？」仁禮問。

「是這樣嗎？」

關於東照宮，築山還算知道得不少，但其他神社就不清楚了。

「是因為創建的時代很古老嗎？」仁禮接著說。「日吉大社首見於《古事記》中『大山咋神居日枝山』這段，對吧？遷到現在的地點，也是崇神〔註一〕七年，非常古老，而且因為是式內社〔註二〕，雖然神格和山王神道一樣是正一位，但社格比東照宮還要高嗎？不過仔細想想，日吉大社到現在仍被稱為山王權現大人，而且日吉古時候也讀做HIE〔註三〕對吧？而且從它與天台宗的關係來看……換個觀點，也可以說它是本地垂迹的大本營吧？」

「是這樣沒錯，但……」

說到這裡，中禪寺似乎記錄完畢了，「啪嗒」一聲闔上封面。

「我認為日吉大社和延曆寺在過去關係應該相當緊張。」

「和日光這裡不一樣？」

「那當然了。原本延曆寺和日吉社就是不同的兩個地方，也沒有什麼共通之處。除了都在比叡山以外，沒有任何共通點。日吉社在遷都平安以後，就是鎮護鬼門的神社，天台宗應該想要和它搭上關係，神社方面應該也想要叡山的庇護……」

「那不就連在一起了嗎？山王神道也是有日吉社才能成立的吧？」

「沒錯，但並不是單純的皈依，或是援助、庇護這樣的關係。延曆寺的力量愈大，干涉也就愈強，而且若是採用本地垂迹說，對祭神的解釋也會改變。最澄雖然把日吉社——當時的日枝社視為唐朝天台山的鎮守神，但山王這個名稱，是來自山王元弼真君，是把周靈王的皇子神格化的道教之神，站在日吉社的角度，應該是覺得莫名其妙吧。」

「唔，根本沒關係呢。」仁禮說。

「所以雖然過去也有相處得不錯的時代，但說到有沒有不滿，應該是大為不滿的。從紀錄等等來看，日吉社也曾大力反抗過。神社方面應該也提出過想要廢除本地垂迹的要求，說要停止神佛習合、不要山王神道了。雖然最後好像失敗了。」

「失敗了嗎？」

「失敗了。記得那應該是延寶〔註四〕年間的事，表示累積了近千年的不滿。因此神佛判然令一下來，日吉大社便率先捨掉了佛教色彩。祭神也是，當然不是天照大神，而是大山咋神和後來迎來的大己貴神。除此之外，日吉大神的宮司還受命擔任明治政府的神祇事務局事務人員，因此是推動國家神道的一方。社格高是當然的。」

註一：崇神為崇神天皇在位時的年號。崇神天皇為第十代天皇。考古學上推測，其在位期間有可能為三世紀後半至四世紀前半。

註二：式內社為記載於《延喜式》神名帳中的神社。為十世紀初期即被朝廷選定、承認的神社。

註三：日吉大社（HIYOSHI-DAISHA）古名為日吉社（HIE-SHA），與日枝（HIE）同音。而比叡音為HIEI，十分相近。

註四：延寶是江戶時代的年號，一六七三年至一六八一年。

「哎呀，原來有這樣一段？」

仁禮一臉窘相地轉向築山。

「可能因為站在這樣的立場，我聽說日吉社的宮司組織了吉田神道系的團體，向叡山強勢談判分離。這件事鬧得不可開交，在最後做出妥協之前，似乎還鬧出過暴力情事。」

「暴力情事？又不是黑道談判。」

「是一路貨色啊。聽說還殺進社殿，大肆破壞佛具經典呢。甚至也有人說，這件事成了排佛毀釋風潮的契機。有些神社為了存活，換了祭神，也有些祭神糊里糊塗地就被合祀在一起了。」

「那，寺院和神社都不是什麼好東西呢。」

「嗯，要說唯一的貢獻，就是催生出國寶保存法這條法令吧。」

「這兩件事有關係？」築山問，中禪寺說「當然有吧」。

「由於這類暴力事件頻傳，許多衰落或廢寺的寺院認為總比被毀掉要來得好，開始出售寺寶等等。」

「唔……好像是這樣呢。」

「然後，執政的這一方，應該也有許多人認為這實在太天打雷劈了……」

佛尊一直是人們崇敬的對象，就算換了政權體制，也難以一夕之間就將之棄如敝屣吧。

「但是站在執政的立場，崇敬國家鼓勵的國家神道以外的宗教又太不像話。因此政府先公布了古器舊物保存條例，展開調查。這部條例的內容後來由國寶保存法沿襲了。目的姑且不論，總之是無論如何都想保住美術品和建築物吧。結果有許多古社寺和寶物被指定為國寶，得到保護……」

原來是這樣的前因後果。

「日光也有相當多的國寶呢。不過四年前文化財保護法施行，暫時解除了國寶指定，重新指定為重要文化財和國寶……」

結果築山才會在這裡。

「明治政府一心想要換掉人民的核心，結果造成了許多衝突，最後藉由保留外側，來設法疏導。」

「從某個意義來說，做法和德川幕府完全相反嗎？」仁禮說。

「是啊。幕府不碰核心，將儒佛神平衡地安置在外側，操縱它們以誘導大眾，所以兩者是南轅北轍。總而言之，文明開化以後，這個國家的宗教界陷入了天翻地覆的混亂。佛教教團被斷手斷腳，教派神道各派被國家神道所壓制。普化宗解散了，修驗道也是，除了一部分以外，都遭到禁止。不過，人民的核心因此出現劇烈的轉變了嗎……？」

應該沒有吧。

「看看這樣的紛亂，明治政府在宗教方面的政策……只能說是失敗的嗎？」仁禮說。

「不，明治政府應該不會承認失敗，也根本不認為失敗吧。廢藩置縣和經濟政策都成功了，也得到了日清日俄戰爭的勝利。實際上，即使下層存在問題，對上層也沒有影響。」

「但上一場大戰不就輸了嗎？」

「沒有人會認為是因為信仰問題而輸的。反倒應該有一定數目的人強烈地相信完全相反……」

應該是有這樣的人吧。

戰爭時期，築山曾被咒罵是非國民。他並不記得自己明確地表達出反戰的立場。當時他只是訴說佛道——更正確地說，是無傷大雅的行善之道而已。然而卻被指控是阻礙發揚國威的厭戰思想。確實，若要遵守不殺生戒，就無法打仗了。

起初築山十分困惑，但那些人的眼神是認真的。

他不認為那些人的想法會在敗戰後改弦易轍。

他們應該是打從心底相信那樣的想法才是對的。如果說他們是被洗腦了，當然也是如此，但若要這麼說，一切宗教都是洗腦。

一想到這裡，築山完全無法反駁了。因為所謂信仰，問題不在於教義是否正確，而在於是否相信它是正確的。

只要不牴觸法律，任何信念思想都應該包容。即使互有歧異，也應該彼此對話、深化理解，摸索雙方都能接受的做法，這才叫做民主主義。

然而信仰卻是無論如何都不能妥協的。即使同樣是佛教、同樣是基督教、同樣是回教，派別不同，就水火不容。是絕對無法相容的。還會為此殺破頭。

「也就是說……這些人的心性被成功地改變了嗎？」

仁禮問，但中禪寺說「不是這樣的」。

「他們沒有絲毫改變。根基的部分還是一樣的。只是除了原本覆蓋在外側的儒佛神這個根據以外，他們得到了更堅不可摧、更有利於自己的選項罷了吧。」

「是國家神道這個選項呢。可是，國家神道現在已經不被視為國教了吧？」仁禮說。

「不過國家神道換了個名字，現在依然存在。只是在那個時期，出現了國家所推行的新的神道宗派而已，雖然這也無可厚非……問題是，有許多人深信國家神道是這個國家自古以來的支柱、是我國的傳統思想。」

「這個問題很難呢。」仁禮說。「國家神道的基礎是國學和復古神道，這也相當棘手。雖然應該是解釋的問題，但從某個意義來說，也確實是正統沒錯。要是相差太遠，還有辦法推翻或是忽略吧。」

「是啊……」

中禪寺表情乍變。不知為何，看上去極為哀傷。

「那絕對不是原初信仰的原貌……而且也不是說古老就一定是好的、就是對的……但強調來歷正統，特別能打動某些人。」

「這從以前就是這樣了。每一間神社寺院，都會用創建的由來來強調自己的正統嘛。古代中世近世近代，任何時代都是一樣的。」仁禮說。

「是這樣沒錯，不過儘管只有一段時期，但國家神道還有了國家權力為其背書。對信徒而言，不接受國家神道的社會才是錯的……會變成這樣。」

沒錯，對他們來說，築山才是錯的吧。現在也是錯的。築山不認為自己是錯的，卻也無法強硬地否定別人聲稱的錯誤。

「而且國家神道跟民族主義一拍即合。」仁禮說。「不過，現在雖然可以隨意談論這類話題，但是在敗戰以前都是禁忌……或者說，不太會去想這個問題呢。一定有許多人感覺宛如大夢初醒吧。雖然應該也有人醒不過來……只是，像這樣一看，我們也有些地方變了吧。」

「百姓的生活大大地改變了嘛。撇開生死觀這些根幹的部分，圍繞著它的心性，或多或少應該都有了變化。但是這和政治或制度不太有關。只是順應世道而改變罷了吧。」

自然而然地改變——中禪寺說。

「若說有什麼改變了人民的心性，我認為大正時代的民力涵養運動那些，影響還比較大吧。」

「是嗎？那不是第一次大戰以後，類似經營事業改善的運動嗎？」

「不，雖然一般都把民力涵養運動視為搭上大正民主主義浪潮而興起的包山包海的社會運動，但核心的部分有著明確的意識形態。而且那場運動，讓經濟活動和地方自治的樣態或多或少有了改變。生活的結構改變，生活習慣也非隨之改變不可，而習慣改變，心性自然也會有所改變吧。」

「比高壓強迫的改宗更有效多了呢。」

「是啊，雖然我覺得根本的部分還是沒有變。總而言之，上情下達、壓迫式的信仰，不可能廣為根植於民眾之中。政治改變不了宗教。教團是會趨炎附勢，但即使宗教配合制度改變教義，也無法改變人們的信仰。何況大眾的心性不是那麼容易改變的。即使國家權力介入……」

也只會造成龜裂——中禪寺說。

「不是人們為了國家而聚集，而是人們聚集之處形成國家。先有人，才有國。因此反而是宗教配合大眾的心性去改變，最後蘊釀出信仰。不論是佛教還是基督教，都是如此啊。對吧，築山？」

「唔……是這樣嗎？」

築山只能如此含糊地作答。

築山心想。

神佛是原本就**存在**，還是人們創造出來的呢？

那會是隨著社會的樣貌，任意改變的事物嗎？相互主張自己才是正統、競爭信徒的數量，甚至換個政權就會遭到貶抑，這樣的東西會是信仰嗎？真理是可以這樣剪貼、扭曲、變來變去的嗎？或者這些全都只是方便，真正的神佛，是空無地飄浮在虛空某處嗎？

那麼，真理是在對下界的愚眾嘲笑或嘆息嗎？即使現實就是如此，那麼自己該放眼何處，追尋佛道才好？果然還是……

人嗎？

築山想到了這些。

中禪寺說他無法成為真正的信仰者，他覺得稍微理解了這話的意義了。

雖然仁禮似乎全不在意。

專業不同，而且這名青年不像築山是宗教人士。他鑽研的對象不是框架裡的內容，而是框架的結構。

「不過到了戰後，神祇院廢除了，制度和法律也都變了，應該多少變好了一些吧？剛才提到的普化宗也是，我記得聽說幾年前復活變成宗教法人了。」

「多少是改變了啊。」築山回答。

戰後不再是內務省管理神社了。明治時期的社格制度失效，除了伊勢神宮以外，所有的神社都成了同格。取而代之，成立了神社本廳，做為統括全國神社的宗教法人，但現在東照神宮應該是列為別表神社——考慮到其規模及歷史，在人事等方面獨立的神社。

並非完全置於神社本廳的管理之下。

不過。

「即使如此，一度分離的事物，沒辦法再恢復原狀了。就算現在再來說要變回神佛混淆的狀態，也沒那麼容易。即使要堅持本地垂迹，也沒法再變回原本那樣了。」築山說。

「政治是能破壞文化的。」

中禪寺說道，細心地排好箱內的書籍。

「文化難以自由掌控，卻可以輕易破壞。所以即使只有文化財產，明治政府努力保存的做法，我認為值得肯定。」

「外國的話，都會把覆滅的前朝文化斬草除根嘛。文物也徹底破壞。明治維新說起來只是換了顆腦袋，所以還好吧。像這樣一看，東照宮是舊政權的象徵，也是有可能在當時被破壞呢。能保留下來，真是萬幸啊。」仁禮說。

「是這樣沒錯，不過即使神事和佛事能夠分立，建築物方面，似乎也難以完全分割開來。因為就建在同一塊土地裡，也有一些建築物到現在都還無法決定歸屬。我聽說還在打官司。」築山說。

「真是麻煩呢。」中禪寺說。

「是啊。因為是這樣的狀況，所以我忍不住擔心，要是我這個外人輕舉妄動，有可能會給雙方造成麻煩，並不是有人阻止我怎麼做。雖然就我個人來說，前所未見的華麗建築物就在附近，實在很想去細細觀賞一番。」

「這樣啊。然後，根據你低調地大略觀察的結果，發現……有很多鳥？」

「什麼？」

「我說雕刻。」中禪寺說。

這麼說來，一開始是在聊東照宮的雕刻。

築山很容易被繞來繞去的話題牽著走。

「哦，不是，所以說，我並沒有正確計算。我以一般參拜客的身分逛過兩回，其餘就只是在外頭看看……」

「我信任築山你的格局感、觀察力和記憶力，所以應該是不會錯。鳥就像波浪、雲朵，也會被當成背景圖案，而且鳳凰、鶴還有雀也算是鳥。應龍有翅膀，所以遠遠地看去應該也像是鳥。像這樣一看，或許確實鳥類相當多呢。對了，既然相信你的觀察，順帶問一下，虎怎麼樣？」

「虎嗎？」

「與家康有關的寺社，經常有虎的圖案。據說是因為家康屬虎，但不是以對應出生年干支的神佛做為個人守護佛、守護神，而是以生肖動物做為個人象徵，我覺得這種做法似乎不常見，所以相當好奇。」

「很有意思呢。不過我覺得這好像不是舊書商應該關心的問題。」仁禮笑著這麼說。

「一點都沒錯。」中禪寺笑道，築山也跟著被逗笑了。

「哦，家康確實是虎年生的，是啊，東照宮有不少虎。像正門上橫木的蟇股〔註一〕，五重塔上也有虎的雕像。不過五重塔的雕像，應該是為了要湊齊十二支，所以不光是只有虎而已。不過虎、兔、龍在東側——也就是正面，所以特別醒目。」

「啊，二代秀忠是卯年、三代家光是辰年生的，寅卯辰連續，所以五重塔是要突顯這一點……是嗎？」

「對，我也是這麼聽說的。不過……龍確實很多，但兔和虎應該沒有多到顯眼的程度。就連正門的虎，成對的另一邊也是豹。」

「豹？」

「是豹呢。」

「那是虎啦。」仁禮說。

「是嗎？那是正門，我看得很仔細，身上的花紋是豹啊。」

「不不不，我記得在那個時代，豹被當成母的老虎吧？有條紋的是公的，有斑紋的是母的。不是這樣嗎？」

「仁禮說的沒錯。」中禪寺說。「因為日本沒有虎。」

「以前缺乏生物知識？」

「不是的，在那個時代，虎和龍、貘一樣，都是靈獸、神獸之類。」

「但東照宮不是家康死後才蓋的嗎？那不是古代，也不是中世，已經是近世了。加藤清正〔註二〕擊退老虎，也是跟著秀吉出兵朝鮮〔註三〕那時候吧？在當時虎就是動物了吧？都可以用槍打死了，不就是動物嗎？」

「不是這話，仁禮，龍或其他怪物也可以用武器擊退啊。鬼也是，會被斷手斷頭啊。那種東西，是可以用刀或槍砲擊退的。」

「可是虎就是虎吧？他們應該在朝鮮半島看到了真正的老虎，知道虎就是像大貓一樣的野獸吧？」

「是嗎？」中禪寺交抱起手臂。「清正擊退的老虎，可是咬住軍馬飛遁的可怕巨獸呢。世上哪有這種動物？」

「是誇張渲染吧？」

「一定是誇張了，但傳說就是這樣的，仁禮。在海外，有長達三十尺的大蛇、或重達五十貫（註四）的巨猿，但這個國家沒有那種蛇或猿猴。然而民間故事裡，卻有許多把人一口吞下的蟒蛇或擄人的怪物狒狒。那麼，那些故事是某些誇張嗎？應該不是吧。」

「是啦，真正的大猩猩不會抓人，森蚺也不太會吃人呢。」

「所以說，那些都不是這個國家的動物。」中禪寺說。「說到我國的大型動物，那就是熊，但如果說擊殺熊的人是豪傑，那麼獵師不都成了豪傑了嗎？若是把虎當為普通的動物，清正的強大就大打折扣了。要是虎被當成大貓，英雄的台都給坍光了。對手是靈物，豪傑傳說才能成立，也才會被廣為流傳。」

「原來如此。」仁禮點點頭。「那麼即使到了那個年代，虎依然是靈獸、神獸之類嗎？」

「沒錯。然後照這樣的標準來看，豹也可以是母的老虎。」

原來那是雌雄一對的虎嗎？

「那樣的話，唔，雖然不到加倍，但虎的數目會增加一些呢。虎應該比兔更多，但數量遠遠不及龍。雖然都分布在醒目的地方，但數量稱不上特別多呢。」

中禪寺應著「這樣啊」，仔細地排好箱內的書籍。也不是心不在焉。他是那種可以同時思考許多事的人吧。

註一：蟇股為「蛙腿」之意，置於上下樑坊之間的木墩，用來支撐、托墊。
註二：加藤清正（一五六二～一六一一），安土桃山及江戶時代的大名，初代熊本藩主。
註三：豐臣秀吉派軍攻打朝鮮的文祿之役，發生在一五九二年。
註四：貫為日本傳統度量衡單位，一貫為三．七五公斤，五十貫約為一八七．五公斤。

「說到山王，不就是猴子嗎？」仁禮說。這一個已經準備收工打烊了。「八幡神的神使是鴿子、稻荷神是狐狸、山王是猴子，對吧？山王一實神道又不一樣嗎？」

「是有猴子的雕刻沒錯。」築山回應。

「喏，說到東照宮，就是左甚五郎〔註一〕，眠貓，還有不見不言不聞的猴子。說到三猿，聽說是傳教大師最澄的提案……這也是俗說嗎？」

「是俗說吧。」中禪寺說。「『不』是『猿』的雙關語〔註二〕，因此會覺得是源自日本，但其他國家也有相同的猴子，老實說，並不清楚由來是什麼。京都東山的庚申堂，收藏著傳說是出於最澄手筆的三猿像，不過仔細想想，只是這麼傳說而已，並沒有能夠證明的憑據。有後人將天台宗的基本教義《摩訶止觀》裡的空、仮、中這三諦附會為三猿，但半丁點都對應不上。從三猿祭祀在庚申堂也看得出來，三猿和庚申信仰密不可分。三猿和青面金剛並列為庚申講的本尊，而這又是另一個系統了。」

「那東照宮的三猿又是怎麼樣？庚申講不是類似待日待月〔註三〕的活動，整晚不睡覺嗎？那不是從道教來的嗎？」仁禮問。

「這很複雜。」中禪寺隨口帶過了。「不過，庚申信仰會廣為滲透民間，背後有天台教團的影子，因此應該不是完全無關。但也不是因為是山王系統的關係吧。」

「三猿是神廄舍的雕刻嘛。」築山說。「馬廄一定都有猴子。這應該也是從中國傳來的，猴子是馬的守護神，這樣的俗信也在民間根深柢固，對吧？」

「是啊，這麼說來，齊天大聖孫悟空在天界的職位也是弼馬溫，是顧馬廄的……呃，因為這樣，所以才會是猴子嗎？」仁禮說。

「應該吧。因為是廄舍，所以安排了猴子，但既然都要放猴子，就仿傚天台宗，做成三猿好了……會不會是這樣？」築山說。

「應該就是這樣。」中禪寺接過話頭。「山王神的神使確實是猴子，但只是普通的猴子，並非三猿。若要做成山王的猴子，應該會把帶子的母猴，或是頭戴烏帽子、手持鈴串的神猿，放在鬼門驅邪，或是取代狛犬。既然放在神廄舍，那就不是山王的猿猴，更沒必要做成三猿。三猿應該還是庚申信仰，而東照宮表面上很難看出什麼與庚申的連結。或許是負責設計的狩野探幽（註四）揣摩天台宗中興之祖天海的意向而這麼做的。」

「哎呀，沒想到無人不知無人不曉的傑作，居然是揣摩上意的產物。」

「揣摩本來並不是什麼不好的字眼啊，仁禮。現在雖然帶有逢迎的意思，但原本的詞意，就只是猜測罷了。」

「也是，是《詩經》裡頭就有的詞嘛（註五）。」仁禮說。

「天台宗自從本山比叡山遭到信長（註六）攻打並焚燬後，就一直受難不斷。對於想要擴大信仰、穩定教團的天海來說，密切參與祭祀家康公這樣巨大的計畫，是千載難逢的好機會。」

「感覺是與權勢聯手——或者說利用權勢呢。就像中禪寺先生說的，一步一腳印地傳教實在太辛苦了。若是不與掌權者結盟，連一間寺院都蓋不成。還有，這也就像中禪寺先生說的，必須貼近大眾吧。這一點也是自古以來就是如此。要讓外來宗教扎根，是很辛苦的事。」

仁禮說的確實沒錯。

築山也學過佛教在日本被接納的歷史，因此深知這一點。但另一方面，築山也是個佛教徒——僧人。

註一：左甚五郎是傳說活躍於江戶初期的雕刻大師。據傳日光東照宮的眠貓即出自其手。
註二：這裡的日文「不」（ざる）發音為「ZARU」，與猿「SARU」音近。
註三：日文為「日待月待」。待日為等待日出參拜，待月則是在特定月齡之日等待月升參拜的活動。
註四：狩野探幽（一六〇二～一六七四）為江戶初期的畫家，也是幕府御用畫家。
註五：譯文中的「揣摩」一詞，原文中使用的是漢詞「忖度」。
註六：指織田信長（一五三四～一五八二），戰國時代武將。元龜二年（一五七一），信長因延曆寺支援與其敵對的朝倉義景及淺井長政聯軍，出兵包圍比叡山，縱火燒寺，屠殺僧人。

先前一直盯著手邊說話的中禪寺忽然抬頭轉向築山。

就彷彿看透了什麼。

「這個房間，換氣經過周全的設計，卻沒有採光窗，對吧？」

古書肆突然這麼說道。

「是啊……」

「看不出外頭的天色呢。我們只能透過那個壁鐘，來得知現在幾點。」

「呃……對啊。」

「但就算沒有時鐘，時間還是會前進。不是因為有時鐘，才有時間。不管是寺院、神社還是佛像，都和那時鐘一樣。」

「我聽不懂。」仁禮說。

「不懂嗎？寺院社殿是人建的，佛像是人造的。只是佛師雕刻或鑄造出來的木塊、金屬塊。眾人膜拜這些東西，但並不是在拜木頭或金屬吧？不是因為有佛像，才有信仰，而是有了信仰，才有佛像，對吧？」

「嗯，是啊。」仁禮回應。

「所以了，與權力聯手，興建寺院，就和做時鐘一樣，而貼近眾生，改變解釋，就像是把鐘上的數字重新寫得更為簡明易懂啊，築山。」

「咦……」

「沒有時鐘，時間照樣流逝，但沒有時鐘，人就容易忘了時間的經過。因為有時鐘，我們能清楚地知道每一分每一秒。宗教是人所創造的，但人並不是在信仰人所創造的事物。人是為了信仰，而創造宗教的。」

「啊……先有信仰嗎？」築山說。

「更進一步說，是先有人。」中禪寺說。「信仰是人為了生活、為了更容易過活的方便。因此當然是先有人、先有生活。這並不是什麼錯誤的樣貌。」

「你是說，強推不符合人的生活的時鐘是一種錯誤嗎？」仁禮說。

「也不是錯誤，只是那種東西沒什麼人會去用。就算強迫把神佛分開，或是把祭神代換成記紀神話〔註一〕裡的神明，人照樣會去參拜村郊的無名小祠堂。即使不知道裡頭祭祀的是什麼，只要有人說那裡靈驗，就會有人去拜。幕府容忍這些，或加以利用，而明治政府不容忍，如此罷了。結果那些被捨棄的靈驗信仰，由雨後春筍般冒出來的新興宗教所承接了。」

「原來是這樣。」

「所以築山你完全沒必要困惑。山川草木悉有佛性，任何形態，都自有佛性。它並非憑空飄浮在空中的事物，我們這些存在本身就是佛。」

「確實……如此呢。」

「經文上就寫著這樣的內容啊。雖然還不知道是誰在什麼時候抄寫下來的，不過像這本古書……」

中禪寺說到這裡頓住了。

「嗯，這第三箱不是內典，而是外典呢。」

「外典？外典的抄本嗎？」

內典是所謂經典、佛典，而外典則是從外面帶來的典籍，和佛教無關之物。

「是儒學相關的書嗎？」

「不……等等。」

中禪寺目不轉睛地盯著儉飩箱的蓋子。

「雖然模糊了，但上面寫的是……猿〔註二〕嗎？」

「猿的話，是不是跟山王有關？」

註一：記紀神話指的是《古事記》和《日本書紀》，皆完成於八世紀前半，記載日本的開天闢地神話及皇室由來。

註二：原文為「さる」，可以是「猿、申」等義。

「不……沒有題簽或其他文字。書的封面也沒有標題。這是什麼？」

中禪寺拿起裡頭的書讀了起來。

「現在要讀嗎？」仁禮轉向築山苦笑。「這個人一開始讀書，就欲罷不能。希望別像大掃除一半，看到墊在榻榻米底下的報紙，結果讀到忘記打掃那樣。雖然我本來就打算今天差不多收工了。」

「差不多是收工時間了。有方便的時鐘為我們報時啊。不過中禪寺先生讀得很快，應該沒關係吧。而且如果那是申年的意思，會是個相當重要的線索。」

「對了，築山先生。山王的神使為什麼會是猴子？」仁禮問道。「之前提到，說到山王就想到猴子。雖然如果問為什麼八幡神的神使是鴿子，也只能說出推論而已。」

「是因為比叡山棲息著許多猿猴的關係吧。山王權現——還是應該說日吉大社？那裡原本是日枝社，是比叡山的神社。」

「可是猴子不是全日本都有嗎？」

「我去過延曆寺幾次，雖然時間不長，但也在那裡修行過一陣子。那裡猴子很多喔。我不知道日吉大社是何時開始以猿猴做為神使，但是在叡山開山、迎請日枝社遷來之前，猴子就在那裡了吧。」

「是因為很多猴子的關係嗎？」仁禮說。「不過照剛才說的，同樣是山王系，東照宮這邊的山王一實神道，就不把猴子當成神使吧？」

「唔，是啊。說到神廄舍的猿猴，大家都只討論三猿，但應該總共有十五、六隻。那是以猴子來假託人的一生的連環劇。另一方面，剛才提到的虎，各處加起來至少有三十頭以上，兔子也是，總數應該比猴子更多。我強調過很多次，我並沒有精確地計算過，不過並不是說猴子有什麼特殊待遇。」

「為什麼呢？」

「什麼為什麼？」

「日光山裡不是也有很多猴子嗎？雖然不知道跟比叡山哪一邊比較多，但山裡本來就有猴子吧？是叫伊呂波坡〔註〕嗎？我聽說那裡常有猴子出沒。一定很多吧。」

確實，日光也有不少猿猴。
「哦，其實是我住宿的民宿的老爺子，說他曾經看過神的使者。」仁禮說。
「神的使者？」
「聽說是一隻**發光的猴子**。」
「什麼？」
「哦，剛剛中禪寺先生也說過，一般的老頭子，是分不清什麼山王神道還是山王一實神道的。那個老爺子已經七十左右了，年輕的時候好像住在大津，有山王神就是猴子這樣的成見。然後，我說我是來輪王寺這邊工作的，老爺子就說他看過神。」
「哦？然後呢？他說什麼？猴子發光？」
「老爺子是這樣說的。好像是戰前的事了，但我沒聽說是怎樣個發光法。老爺子說，那猴子神聖無比，絕對是山王神的使者不會錯。」
「是幻覺吧。」築山說，仁禮也回應「是幻覺吧」。
「從此以後，老爺子好像就再也沒辦法驅趕猴子了，庭院被搞得亂七八糟，廚房那些也被任意打劫，但他還是說這是榮幸，玄關還擺上了三猿的飾物。真的跟來歷、教義那些都無關呢。信仰就是這樣的呢。」
築山窮於回答，正想隨口漫應時，中禪寺「啊」了一聲。
「怎麼了？」
「這……的確是猴子呢。第三箱裡的書，有一半都是《西遊記》喔，築山。」
中禪寺這麼說。

註：伊呂波坂（いろは坂）是位於日光的山道，彎道極多，十分曲折。

狸（二）

如果發生了命案……

就必定有屍體。沒有屍體，命案就不成立。即使凶手自白，或是有狀況證據，也難以成案吧。縱然有明確的物證，還有可信任的目擊者，沒有屍體，同樣沒什麼好說的。應該很難定罪。遑論。

連死者的身分都不清不楚的話。

——搞什麼？

木場對長門說的屍體消失事件耿耿於懷。與其說是耿耿於懷，他滿腦子一直就在想這件事。沒聽過這麼荒唐的事。

再怎麼膽大包天的犯罪者，都不可能做到、也想像不出從鬧哄哄群聚的偵查人員眼皮子底下偷走屍體這種破天荒的事。湮滅證物、抹去腳印這些也就罷了——不，連這都不可能吧。難以想像。

而且消失的遺體還多達三具。

如果真有這種事，那就只有警察人員牽涉其中的情形。

——目的是什麼？

無法想像。

假設有某些木場想不到的特殊理由……把遺體偷走後，要如何處理？

最讓殺人犯頭痛的問題，莫過於該如何毀屍滅跡。世上再也沒有比遺體更難搞的東西了。不管是要掩埋還是燒掉，都不是易事。就算肢解，也不是就此消失了。

即使沒有殺人，棄屍一樣構成犯罪。火葬和埋葬都需要申請。主動攬下三具這麼麻煩的東西，到底是要怎麼辦？

完全不懂。

難道是有什麼用途？

木場只能想到拿去加工成別的東西，或是進行某些實驗。他缺乏想像力。以前木場在其他案子裡，也想過一樣的可能性。

雖然完全猜錯了。

木場根本就討厭思考。但他也不是完全不動腦。對木場而言，思考就是四處走動，用身體去衝撞吃苦頭。像這樣得到的收獲，就是木場的思考。就算坐在原地，在腦袋裡把資訊搓啊揉地搞上老半天，也只會捏出可笑的形狀來。

不管是真正的餅，還是畫上的餅，在腦子裡都是一樣的，這一點他能理解。但是對木場來說，畫上的餅就是畫。

即使是真正的餅，在拿起來咬下去之前，他都不覺得是餅。要吃進肚子裡，才能確定就是餅。木場就是這樣一個人。

他也翻過資料室，希望這件事至少上過報，但別說報導了，連報紙都找不到。都二十年前的事了，這是當然的。搞不好圖書館裡也沒有。就算找到報紙，或許事件根本就沒有上報。

——應該沒有吧。

畢竟連案子都不是。也沒有公布消息吧。警方不可能公布說，好像發生了命案，但不知道到底有沒有。更不可能說出屍體被偷了。

實在想不透。

老實說，這件事無關緊要。從腦袋裡丟開就是了。他覺得如果這時候發生某些案子，或許可以轉移注意力，但也有可能還是會牽掛不下。真傷腦筋。

木場悶悶不樂。

他想喝個茶，但又懶得燒水。第一個到辦公室的人，只能忍受室內的冰寒。外套也還沒脫。他覺得至少該脫個外套，但脫下來還好，他懶得拿去掛。因為麻煩，他把外套掛到椅背上，這時同僚長谷川來了。

「怎麼，來得這麼早啊，武士。」

在這間刑警辦公室，木場被這麼稱呼。他半丁點都不懂自己哪裡像武士。

「你才是，這麼早就來了？有什麼案子嗎？」

「沒有沒有。」長谷川擺了擺手。「社會正為了貪瀆、罷工那些而風風雨雨，但幸好咱們轄內的凶惡罪犯都很安分。」

「麻布很和平嗎？」木場說，長谷川歌唱似地吟著「算嗎？」，坐下來叼起一根菸。

長谷川瘦骨嶙峋，卻總是穿著大一號的西裝。油頭髮型讓他實在不像個警察官，倒像美國的歌手。

長谷川叼著菸，露齒詭笑：

「你該不會又想插手其他轄區的案子了吧？下回可不是懲戒就能了事的了。再怎麼從輕發落，也絕對是派到離島派出所。雖然那才是和平的清幽環境吧。」

「要你多管閒事。我可不是地獄鍋〔註一〕裡的泥鰍，不會沒事亂鑽，好嗎？」

「泥鰍真的會鑽進豆腐裡嗎？」長谷川歪頭說。「等到水都熱了才往豆腐裡鑽，豆腐應該也都燒燙了吧。難道豆腐是之後才放進去的嗎？」

「隨便啦。泥鰍我也只吃過柳川鍋〔註二〕。」

「火氣這麼大。」長谷川說。「更可疑囉。課長交代過，你火爆的時候要特別注意。」

「注意什麼？」

「噯，別吹鬍子瞪眼睛的。」長谷川說。「我不曉得你在本廳是怎樣的待遇，但既然都被下放到這裡來了，也可想而知吧。不過咱們搜一的係長對你賞識得很。」

「他可沒稱讚過我。」

「傻瓜，他不是幾乎都放任你愛怎麼搞嗎？牢騷每個人都會被唸幾句啦。只是畢竟有服務規章，還有上頭盯著，太明顯的脫序行為，想保也保不了啊。所以係長叫我多多盯著，別讓你越線。」

「這到底是在捧人還是損人，真教人聽不出來。」木場嘔氣地說。

「你應該高興啊。」長谷川說。「別看係長那樣，他也是吃過苦的，不是單純從基層爬上來的。年輕時候好像也是個脫韁野馬，能爬到現在這位置，一定有過相當的周折……」

麻布署搜查一係係長近野是個結實的大漢。塊頭大，身體似乎也會鍛鍊，因此看起來頗年輕，但已經超過五十大關了。

「想要往上爬，大抵都要吃苦吧。」木場說。

「不想吃苦的人，會為了不吃苦而吃苦。世上沒有哪個人是呆頭呆腦在過日子的。那種人會死掉的。」

即使是從一開始就在上面的人，若要更上一層樓，還是要吃苦吧。只是辛苦的質不同而已。

「是啊。你應該是不想出人頭地，但也一樣在吃苦呢。」

長谷川這麼說，接著說「不過這裡也太冷了吧」，磨擦雙手。

「那，這回又是什麼事？我可是提醒過你，同樣東京的其他轄區還好，跨縣就麻煩了，勸你打消念頭。竊盜案還有贗品詐騙那時候，好像都為了疏通和寫悔過書那些，搞到焦頭爛額吶。」

「你說誰？」

「就係長啊。」

「我只是隨便寫了份無聊的報告書交上去，被他吼『你差不多一點』，就這樣而已。」

「所以說，你的爛攤子，全都是係長幫你收拾的啊。」長谷川說。

註一：「地獄鍋」傳說是將活泥鰍與豆腐一同下鍋，火溫開始變熱以後，泥鰍便會鑽進豆腐裡，就這樣一起煮熟的料理。

註二：柳川鍋是將剖開的泥鰍先以高湯燙過，再和牛蒡絲一起和蛋花煮熟的料理。

就算是這樣，木場也不覺得感激。又不是他拜託的。

「要他多管閒事。」木場說。「我才不用人罩。」

「意思是你隨時做好了切腹謝罪的覺悟？不愧是武士，敬佩敬佩。」長谷川用一種聽不出是嘲弄還是感動的口氣說，捺熄了菸。「那，這回你又想做啥啦？我好歹也是你的搭檔，透露一下吧。」

「沒什麼啦。昨天聽了個老糊塗瞎扯，有點在意罷了。而且都是二十年前的事了，就算想蹚渾水，也沒處可蹚。」

「是懸案嗎？」長谷川問，木場說「連案子都不是」。

「不是案子啦。就算是案子，也早過了追訴期了。」

「你怎麼會在意那種沒用的事？問一下做個參考，是哪個轄區的事？」

「參考什麼啦？」木場說。「地點在芝公園……所以是芝愛宕署吧。」

「芝愛宕？」

「怎樣？那裡怎麼了？」

「你剛才說二十年前吧？昭和……九年嗎？」

「是又怎麼樣？錢龍〔註〕。」

木場都叫長谷川「錢龍」。沒什麼意義，就覺得那張臉長得像而已。本人似乎以為這稱呼是來自蚰蜒，但木場對那類昆蟲沒興趣，連蚰蜒和蜈蚣都分不清楚，所以也不是故意在嘲弄。

長谷川噘出嘴唇，表情扭曲。

「啊……嗯，我記得係長那時候就在芝愛宕署呢。我聽他提過。」

「近野大叔以前在那兒……？」

「不曉得是什麼單位啦。二十年前的話，應該已經不是制服員警了。也沒聽說大叔做過內勤，好像說從一開始就是辦重案的，搞不好他會知道什麼。」

長谷川以散漫的口吻說完，打了個大大的哈欠。長谷川還沒閉上那張大嘴，其他同僚便大步走進辦公室來。沒案子的時候，刑警全都毫無霸氣。……應該說，一臉懶散。打招呼也只是吠一吠，根本聽不清楚在說什麼。

這時，那些「噢」、「嘿」的呻吟，變成了「早安」這具有意義的話語。

是……係長來了嗎？

抬頭瞇眼一看，近野正脫下外套。

近野的相貌雖然不凶悍，但體格壯碩，因此看上去很強。聽說他有柔道還是空手道的段位，因此實際上應該很強吧。高大的係長搔著花白的五分平頭，悠然經過木場面前。木場覺得起碼該道聲早，然而他還在用棄犬般的眼神仰望對方，近野已經在位置坐下來了。

係長一落座，立刻看起堆在桌上的公文。笨手笨腳的老工友端茶過去。待腳步蹣跚的老爺子從視野中消失，木場站了起來。

長谷川一臉別有深意地轉過來，木場不理他。

木場來到近野正面，近野張大了鼻孔仰望他。

「幹麼？麻煩事的報告，我可不想聽。」

「不是報告啦。有事想問一下。」

「這時候一般應該先說聲『係長早』吧？」近野苦笑說。

「只是件無聊事，想說省去招呼，速戰速決。」

「招呼不該省。而且你說是無聊事？」

木場搶在近野嘮叨之前問：「係長以前待過芝愛宕署嗎？」

「什麼？」

註：錢龍即蚰蜒的俗名。

「開門見山是我的作風。」

「你那叫沒頭沒腦。給我照順序說。你就是這樣，反而得花更多時間說明。」

「不，係長先回答我的問題。得先確定這件事再說。」

「待過啊。」近野回答。「是待過，不過是戰前的事了，都超過二十年的往事了。現在那裡也沒半個認識的人了，所以什麼要我請老朋友通融也沒辦法，而且我不是再三再四叫你不要去管轄區以外的事嗎？要是那種事，免談。」

「別那麼急，好嗎？我不是說有事想問嗎？昨天啊，我在老頭子的聚會上聽到了一件怪事。」

「你說那個……本廳的小個子，長門老先生嗎？他不是退休了嗎？是歡送會之類的嗎？」

「老人會啦。幾個老狐狸在那裡裝神弄鬼。哦，就老頭子說，二十年前，芝公園發生過一起屍體消失的怪事……」

「等等。」近野張開右掌，對著木場。「是指昭和九年六月那件事嗎？」

「我沒聽說日期。」

「你在挖根究底些什麼？」近野低聲恫嚇道。

「沒挖什麼啊。不就說是聽說而已嗎？是老頭子自個兒說給我聽的。然後我聽說係長那時候在芝愛宕署……」

近野霍地站起來。

木場……畏怯了。

木場鮮少感到畏怯。管它是熊還是坦克車，不管來的是何方神聖，他都不曾膽怯。近野實際上應該身手不凡，這要是柔道比賽，木場絕對會輸，但木場覺得幹架他會贏。他之所以畏怯……是敗給了對方的氣勢。

「喂，木場，過來一下。」

近野面無表情，下巴稍微突出，離開座位。木場無奈地跟上去。長谷川露出詫異的怪表情，就像在嘲笑他。

係長進入偵訊用的小房間。
「係長，怎麼啦？要偵訊我嗎？」
「閉嘴。坐下。」
係長努了努下巴，木場坐了下來。
「你聽到多少？」
「啊？」
「啊什麼啊。是長門先生告訴你的吧？我問你聽到了什麼？知道了多少？」
「唔，來龍去脈都聽說了。」
「那個案子，到場的就是我。警方接獲通報，警官趕到現場，接著到場的就是我。我比班長早一步抵達，指示呼叫本廳的也是我。因為有多達三名死者，案情重大。」
「唔……應該吧。」
這過於巧合的發展，讓木場有些傻眼。
「呃，長門老先生半個字也沒提到係長。但從係長剛才的口氣聽來，你們認識吧？難不成是老先生忘了……？」
「你這呆瓜。」近野懶懶地說。「我跟長門先生是沒多大的交情，但那起案子以後，二十年來，我們過年都會互寄賀年卡，所以他不可能忘了當時我在現場，也知道我成了你的頂頭上司。賀年卡上還寫著，『那小子是個混帳東西，但還請多多指導』。他當然是知道才告訴你的。」
「什麼意思？」
「所以我不是從剛才就在問，長門先生跟你說了些什麼？」
「呃……」
木場據實說出聽到的情節。
「就這樣而已。係長是當事人的話，應該都知道吧？還是老先生胡扯一通？這樣說是不好意思啦，但那件事實在是太荒謬了。要是真的，警方豈不是出了大糗？」
「沒有啊。」
「啊？沒有？我覺得不可能有這麼離奇的事。我最討厭什麼不可思議的怪事了，但這事確實古怪吧？」
「一點都沒有什麼不可思議啊。」
「我不懂。」
「不懂？」
近野從胸袋掏出菸，叼進嘴裡。
他順道問木場要不要，木場也拿了一根。
拿是拿了，但他把菸夾在指間，遲疑著要不要放進嘴裡，近野把火柴推滑過來。
「後來的事你聽說了嗎？」
「後來……老先生說因為沒有成案，所以也沒有上報。事情鬧了一星期左右……怎麼樣去了？轄區的年輕刑警把它當成盜屍案，追查了一陣，但什麼成果都沒有……」
近野抓起菸灰缸，揉熄香菸，用捺香菸的手指向自己的鼻頭。
「就是我。」
「什麼東西？」
「所以說，那個年輕刑警就是我。我也是年輕過的。雖然說年輕，那時候也已經三十多了……是比長門先生小啦。」
「喂喂喂，這是什麼玩笑嗎？」
近野一本正經。
「是真的？」
「長門先生也一直惦記著那個案子。事發後的半年左右，我們也一直在交換情報。不過本廳那裡什麼消息都沒有。因為這段經緯，我們才會開始互寄賀年卡。」

「可惡，那個老狐狸……」

長門摸透了木場的性子，預測會如此發展，才把那件事透露給他吧。那個老頭子一副慈眉善目的嘴臉，真是半點疏忽不得。

「居然對我下套。」

「不是這樣，是你自己跳進去的，木場。要是你根本不在乎，聽聽就算了，事情不是這樣就結了嗎？酒席上雞零狗碎的閒聊，一般都不會放在心上。要怪就怪你自己。」

「那個老頭就是算到了這一步。」

「誰叫你自己傻到被人算計。只要亮出有點樣子的餌，兩三下就上鉤，你是餓昏頭的鯽魚嗎？」

「是又怎樣？」

近野交抱起手臂：

「這也就是說……沒錯，是長門先生在透過你向我傳話吧。」

「什麼意思？」木場終於點燃了菸。「我是傳信鴿嗎？什麼叫傳話？有話幹麼不當面說，拐彎抹角的。我不是鳥，也不是魚，好嗎？」

「就是沒法直接說吧。別看我這樣，我好歹也是麻布署搜查一係的係長。都二十多年前、老早就過了追訴期、甚至連案子都不是的其他轄區的案子，怎麼可能現在再來叫我查？蠢貨。」

「老先生的意思，是叫你去查嗎？」

「就是這意思吧。確實，那件事我一直放不下，長門先生也是吧。可是實在是無可奈何啊。都到了這地步，我也無計可施。可是啊，如果是看到洞就想鑽的不良刑警……」

「拜託，係長，我不是獾也不是鼬。放任你說，就隨便把人說成什麼鴿子、鯽魚，不簡直成了怪物了嗎？我到底是什麼啦？」

「蠢蛋啊。事實上，你不就正想瞎攪和嗎？」

被近野這麼一說，木場無言以對。

「唔，是啦。可是剛才係長不是說，警方沒有過錯，那件事也沒有謎團或不可思議之處嗎？要是這樣，也沒必要那麼多年都記掛在心上吧？既然如此，就算我再來攪和，也不能怎麼樣，不是嗎？」

「是不能怎麼樣吧。」近野說。「可是啊木場，我確實說過偵查人員沒有疏失，也沒有發生任何不可思議的事，但可沒說沒有謎團。」

「聽不懂你在講什麼啦，係長。」

「就字面上的意思啊。」

木場漸漸火大起來：

「係長，你們為什麼就不能有話直說？那種假鬼假怪，不合我的性子啦。」

「既然單純，你照單全收就是，是你太乖僻了。聽著，屍體從現場消失，是因為有人搬走了。」

「廢話嘛。」

「能夠正大光明把屍體搬走的，就只有警方人員吧？」

「是啊。」

木場也想過這一點。

「那就是這麼回事啦。」

「怎麼回事？」

「是特高搬走啦。」近野說。

「特高……」

「沒有其他答案了。不是轄區，也不是本廳的話，那就只剩下特高啦。當時特高也在現場。」

「那些特高……不是在監視長門老先生嗎？」

長門是這麼說的。

「那才是幌子吧？或許長門先生實際上也是被盯著，但當時特高比本廳的人還要先到。……應該說……我覺得他們從一開始就在那裡。」近野說。

「什麼叫從一開始就在那裡？」

「就是，他們本來在那裡做什麼。」

「做什麼……擺屍體嗎？」

「這時意外地有人闖入。」

「我聽說是公園的清潔工。」

「也不是清潔工，是撿破爛的。跟公園的管理員無關，是到處撿垃圾的人。那人從日比谷大道像這樣，揹個簍子，低頭盯著地面，一路撿過來，就這樣走進了公園裡。以為是垃圾，結果是屍體，嚇到尖叫吧。」

「不是衝到派出所報警嗎？」

「不是吧。」近野說。「要是那個撿破爛的——記得他姓林，要是林離開現場，屍體一定在那時候就消失了。林嚇軟了腿，在那裡鬼叫個沒完，有路人聽見聲音，向派出所報警。警官趕到之前，林一直在現場嚷嚷個不停。」

「真是大驚小怪。」

「因為那個大驚小怪的傢伙，導致特高無法搬走屍體……大概。」

「因為那個撿垃圾的在現場，所以沒法動手嗎？呃，可是，他不就是個膽小鬼罷了嗎？如果是殺害三個人的凶手，隨便都有辦法搞定吧？就算不把他殺了，只要打昏……」

「所以不只林一個人啊。因為林在那裡嚷嚷，引來了一堆看熱鬧的人，所以才會有人報警。我到的時候，公園入口有五、六個人，現場附近也有四、五個人。」

「多到沒辦法全數滅口呢……」

「就是吧？沒多久警官就來了，我們也到了，更沒法動手了吧。再說一次，我抵達現場的時候，特高已經在那裡了。特高不可能比轄區刑警更早接到通知。而且區區殺人命案，何勞特高出馬？」

「那……」

「所以啦，他們迫於無奈，只好趕緊安排吧。他們應該就只是普普通通地把遺體搬走而已，只是什麼都沒跟我們說而已。」
　就是這麼回事罷了——近野說。
「一點都沒什麼好神祕的吧？」
「是沒有……」
　這樣的話。
「凶手不就是特高了嗎？」
「我哪知道？」近野把上身往後仰。「不要我說那麼多遍。初步偵查完全符合程序，沒有發生任何奇妙的事。只是……」
　教人摸不著頭腦——近野說，這回上身往前屈。
「假設是特高所為好了，他們到底在做什麼、想做什麼，一整個莫名其妙。那些人是他們殺的嗎？還是本來就是死的？他們是想要隱瞞嗎？想要隱瞞什麼？難道是公安自己私下在查案嗎？什麼都看不出來。上頭也是，結果啥都沒說，本廳則好像當做沒這回事。當然，我無法接受，四處打探，問遍各個單位，但沒有任何部門願意透露半點風聲，只有一句不知道與我們無關。連一粒灰塵都沒查到。」
「然後你放棄了嗎？」
「誰會放棄，混帳。死了三個人吶，豈是一句不知道不清楚就能交代過去的？我徹底地死咬不放，然後……被調走了。」
　木場笑了出來。
「被調到哪？」
「高尾那裡，山裡的派出所。花了四年才回來吶。這段期間，我還是繼續跟長門先生聯絡，孜孜矻矻地調查。」
「這麼不死心。」
「廢話。可是唉，回來沒幾年，戰爭就開打了。」

「啊……」

「復員回來一看，人都沒了。」

「都沒了？」

「年輕的都戰死了。留在內地的，也死在空襲，老的職位高的都退休不知道哪去了，或許也已經不在人世了。還活下來的，真的就只有長門先生一個人而已。」

「那個老先生就是個老不死嘛。」木場說。

「所以那個案子……連案子都不算嗎？知道那件怪事的，就只剩下我跟長門先生而已了。」

所以剛才近野聽到時，才會那麼驚訝嗎？

「等我一下。」近野說，站了起來。

沒等多久，係長就回來了。近野把一只破舊的信封擱到桌上，滑向木場。信封年代久遠，已經變色，邊緣都起毛了。

木場問是什麼，近野叫他自己看。

感覺輕易就會弄破，木場小心地掀開封口，不出所料，封口稍微裂開來了。

「犯不著那麼小心，信封不重要。叫你拿出來看啦。」

信封裡裝著幾張褪了色的老照片。

「這是……」

「現場照片。」

是屍體的照片。

「我從鑑識那裡**摸來**的。因為感覺會被他們處理掉。看好了，確實有三具屍體排在那兒，對吧？那不是做夢，也不是眼花。」

確實有三具屍體。一對壯年男女，以及一名略上了年紀的男子。這個人的脖子斷了。

「我以為只要知道長相，就可以查出身分，但我錯了。我一個人什麼都查不到。」

「嗄，沒辦法吧。」木場說。

「真敢說。你不都是單槍匹馬行動嗎？」

「係長才是，不是成天訓話，說什麼警察是組織、辦案不是一個人的事。我可是每句話都洗耳恭聽聽進去了。」

「所以了，我是根據自己的親身經驗在提點你啊。」近野說。

「那……」木場拿起照片。「給我看這些，係長是什麼打算？」

「你說呢？」

「有什麼好說的，只有這幾張照片，什麼都看不出來啊。而且係長看到的是實物吧。怎麼樣？沒看出什麼嗎？」

「看出什麼？」

「會不會是精巧的假人之類的？」

假人的話，看要燒掉還是砸爛，隨便都可以滅跡。

「哪可能是假人？」近野不悅地說。「假人會讓我牽掛二十年嗎？」

「係長還放不下嗎？」

「廢話。木場，我這個人啊，最痛恨不明不白的事了。無論如何就是要查個水落石出，我抱定這樣的信念，幹了這麼多年警察。這件事，不就是不明不白到了極點嗎？」

「我理解係長的感受啦，但把氣出在我身上也不能怎麼樣啊。不管怎麼樣，曾經親臨現場，又還沒老糊塗的，就只剩下係長一個人了，所以我才問係長有沒有什麼想法、觀察啊。」

「嗯。」

近野把照片拿過去端詳，接著把其中一張放到桌上。

「長門先生應該也提過，這兩個人是被刺死的。」

是並排的男女屍體。

「沒有經過驗屍，所以不能斷定，但就像照片上看到的，流了很多血。女的肚子中刀，失血死亡，男的命中心臟，一刀斃命吧。這邊這個……」

近野把另一張照片放到旁邊。

「這個上了年紀的男人，應該是頭蓋骨和頸椎骨折。當時天色昏暗，所以沒有確認其他部位有沒有傷，不過你看，他的脖子是彎的吧？」

「沒有挨刀呢。」

「頭破了，但除此之外沒有出血。與其說是遭到毆打，就我的直覺來看，更像是從高處墜落。當然，這只是印象而已。」

「也有可能是這個老頭刺死兩人，跳樓自殺嗎？啊，當然，還有別人來把屍體擺好。」

「老人身上應該沒有噴濺的血跡。要是刺了兩個人，正面捅心臟再把刀拔出來，身上應該會噴到血吧？」

「是啦，不過也要看情況吧。」

「這麼保守？啊，對了，還有，我覺得只有這個人特別髒。」

「髒？」

穿著打扮看起來頗為整潔。

「記得他的頭髮沾到草葉還是樹枝那些。當然，人被放在地上，應該是會沾到泥巴什麼的……但這對男女就沒有那種感覺。」

木場定睛細看，但只覺得被這麼一說，看起來似乎如此。

「我這人腦子不好，就算叫我不要預設立場，也沒法保證能做到，所以會問些無聊的問題……這三個人擺在一起，不奇怪嗎？」

「奇怪……？」

當然奇怪啊——近野說。

「屍體整整齊齊地擺在一塊兒呢。」

「不是說那個啦。比方說，這要是三名親子呢？這要是父母和兒子，管它是死的還是活的、是不是三個人擺成川字型，嗯，應該就不奇怪了。」

「是這個意思啊。」

近野說，接著拿起桌上的照片，板著臉查看。

「都二十多年前的事了嘛。而且這是我的第一印象，也就是感覺，可沒有半點確證。」

「我又不指望什麼確證。」

「是喔？第一眼看到……我覺得這兩個像是一對夫妻。只是這麼覺得而已，或許其實不是。」

原來如此。

「那這個老頭呢？」

「看上去像無關的人。只是感覺而已。」

男女的穿著像是外出打扮。男的似乎穿著西裝，但不像上班族。

「身上的物品呢？西裝上有名字嗎？」

「沒有。」近野回答。「也沒有錢包，公事包那些都沒有。口袋裡應該也是空的。不過只是從外表觀察，沒有脫下衣服檢查，如果其實哪裡藏著什麼東西，也無從而知了。當時沒有時間。」

「嗯……都會先拍照嗎？」

「一拍完照，屍體就被搬走了。搬走的那些人，穿著當時的警察出動服。是自己人。」

「特高嗎……？」

「我是這麼認為。」近野說。

「在場的特高是什麼人……」

「不知道。當時我是基層菜鳥，小角色。而對方雖然不曉得是什麼來頭，但總是特高，而且是祕密警察。雖然那幾張臉我有印象……。本廳的長門先生也說不曉得對方的身分。」

「但曾經看過，是嗎？」

「應該是看過。」

近野抱起手臂，突出下巴。

「就這樣了。」

「什麼就這樣了，係長，聽老先生說，後來你不是一個人在追查嗎？什麼都沒查到嗎？你不是追查到底了嗎？」

「我被調走啦。」近野說。

「係長之所以被調走，不是因為查到了某些非把你調走不可的事實嗎？」

「嗯？」

近野瞪圓了眼睛。雖然是個粗漢子，但眼睛頗為討喜。

「這……或許吶。」

「我說係長啊，挨罵、調職那些，我都習慣了。誰叫我素行不良嘛。這我有自知之明。但我之所以素行不良，是因為我老是去鑽研一些非得破壞規矩才查得清楚的事啊。」

「我知道。」近野說。「拿老百姓當誘餌潛入新興宗教團體，在外縣興風作浪的混帳刑警，挨罵是自找吧？」

「可是我沒被開除。」

「你啊，那是因為……」

「係長也沒被解雇。」木場說。「而且還往上爬了，不是嗎？破壞規矩挨罵，這是天經地義。但是破壞規矩，也才能看到不利的事啊。」

「什麼不利的事？」

「對高層不利的事啊。不過高層也是形形色色。跟低等的我們不同，那些高官都在互扯後腿，想要把對手踹下去吧。所以對某人不利的事，有時候對另一個人有利。」

「所以怎樣？」

「上頭的人做事絕對不會明著來。所以會找到我這種傻子，當成棋子來操縱。所以處分才會那麼半吊子。」

「半吊子……確實。」

「我也是，正常來看，應該早就被懲戒解雇了，然而卻只是降級異動。沒錯，伊豆那件事，什麼舊內務省、舊陸軍，一長串麻煩爛事接踵而來，但厭惡這些的傢伙、潔身自愛的傢伙，還有息事寧人主義的傢伙之間做了一番折衝交易。我之所以還是司法警察官，應該是因為所謂的政治判斷吧。不對嗎？」

「我哪知道啊？我也只是個小嘍囉啊。」

「至少地位比我高吧？」

「還輪不到你來訓我。」

「我是那種會訓話的人嗎？我是在問，係長是不是查到什麼麻煩的東西了？」

近野垮下兩邊嘴角，眉間擠出皺紋。

「是……查到了嗎？不，我覺得那應該是撲空了……」

「係長查到什麼？」

「屍體的下落。」近野說。

「下落？這……」

「我這麼相信。那天……昭和九年六月二十五日三更半夜，八王子北邊一處叫多西村的地方發生火警，死了兩個人。」

「這怎麼了嗎？」

「但人不是燒死，而是遭到刺殺。是把人殺了之後再放火吧。警方認定是強盜縱火殺人案。」

「然後呢？」

「案子沒有破。被害人記得是……報社記者……名字叫什麼來著？對，笹村伴輔，還有……老婆澄代。」

「是報社記者？」

「說是報社，也不是什麼大報社。是被害者的父親在明治時代辦的……叫什麼去了？對，是當時所謂的小報，叫《一白新報》。兒子接下報社，慘澹經營，員工只有一兩人，發行量也很少。」

「這又怎麼啦？我完全聽不懂。」

「所以啦，」近野那張臭臉湊近木場。「《一白新報》刊登的都是些批判時政的報導，當然也被特高盯上了。而且據員工說，當時笹村好像在追查一起大案子。雖然不清楚是瀆職還是別的案子。」

「唔，感覺常有的事呢。」

「我覺得……那應該是替身。」

「替身？誰的替身？」

「就是……把芝公園的屍體，當成了自己的替身。」

「你說那個姓笹村的記者嗎？」

「對啊。你應該也知道，每年都會冒出好幾具神祕屍體，這在當時也是一樣的。可是，找不到其他符合消失的遺體的死人了。就只有多西村的火場屍體符合。我也看了驗屍報告，傷口的位置也符合我的記憶。」

「原來如此。」

「沒錯。那個時代啊，要是被特高逮到，就沒有活路了。反抗國家政策的傢伙會遭到拷問，招出莫須有的罪名。只要招了，管它是瞎說的還是胡謅的，統統要坐牢。要是不招，就拷問到死。喏，那個不就死了嗎？」

「叫什麼多喜二的那個作家嗎？」

長門提過。

「就是那個多喜二。所以我猜……那個記者可能準備了替身，亡命天涯了。」

「係長是說，那個叫笹村什麼的記者還活著？屍體的身分沒有確認嗎？」

「哦，好像請員工去認屍了，但因為都成了焦屍，想認也認不出來。然後，笹村夫妻在命案當時有個十二歲左右的兒子，和剛出生的女兒。這兩個沒事。至於為何沒事，因為這雙兒女不知為何，當時託給了日光的朋友照顧。」
「日光？栃木的日光嗎？」
「應該是吧。這是聽說的，所以不確定。應該是有親戚什麼的在那裡，但我覺得未免太巧了。想要用別人的遺體冒充自己，燒掉是最好的，對吧？為了這個目的，只能布置成火災。但又弄不到小孩和嬰兒的屍體，所以讓孩子逃得遠遠的……我是想到這樣的情節啦。可是，木場……這樣對不上吧？」
「聽起來滿合理的啊。」
「不，不合理。因為搬走屍體的是特高啊。只可能是特高。」
「也是。」
關於遺體的搬運，感覺沒有其他選項了。
「所以了，若是為了逃離特高的捉捕……情節就對不上了。假設搬走屍體的是特高，要抓人的人，怎麼會去幫要抓的對象？」
「不，裡頭應該還有另一層隱情吧？」木場說。
「那樣的話，我可讀不出那隱情了。」近野應道。「會變成類似內務省警保局的陰謀。區區小警察，不可能揭穿那麼巨大的陰謀。只能靠想像吧？想像的話，什麼事都有可能了。雖然光是有特高涉入其中，陰謀的色彩就夠濃了。」
「所以係長縮手了嗎？」
「不就說我因為這樣被調走了嗎？我可沒縮手。說起來，那可是三具屍體呢。即使我的猜測就是正確答案，還有另一個問題：剩下的另一具屍體跑哪去了？不找到那具屍體，事情就兜不攏吧？根本就只是妄想。」
是這樣沒錯。
「如果說是陰謀，全都可以用陰謀來解釋了。」
確實，很多人把不明究理但看不順眼的事統統推給陰謀。許多陰謀甚至毫無憑據。他們的說詞是，就是不明白，所以是陰謀。

「所以我腳踏實地，四處打探。但被流放荒山，實在是束手無策了。待在山裡的駐在所，我無力可使啊。再怎麼挖、怎麼打探，也只會嚇出狸貓來。」

「狸貓啊……」

「不過噯，就像你說的，我以為猜錯的那起強盜縱火案，也可能就是害我被調走的原因。回想起來，當時我被罵得很慘，叫我別去插手別的轄區的案子。」

「真是感同身受吶。」木場說，近野頂了句「囉嗦」。

「既然我挨了罵，當然也要罵你。這叫做教訓的傳承。我說啊，木場，你休個假吧。」

近野沒頭沒腦地說。

「啊？」

「叫你休假。准你有薪假。」

「係長在說什麼啊？是腦袋螺絲掉了嗎？還是好奇這件事，就要被懲罰？」

「這哪裡是懲罰了？我這個好上司准你有薪假，你應該要感謝吧？」

「我一頭霧水。」

「你去日光吧。」近野說。

「我去日光幹麼？」

「沒辦法啊，都怪你提起，害我又在意到不行了。但我又不能自己去。我是叫你去挖笹村那條線。管它是陰謀還是啥，都已經過了追訴期了，查也無所謂吧？」

「都已經二十多年前的事了，係長你還清醒嗎？」

「我說木場啊，要是我還清醒，老早就叫你捲鋪蓋走路了，好嗎？」近野勾起唇角笑了。

虎（三）

「那就是虎嗎？」益口問，青年一臉古怪：「什麼虎？」

儘管五官精悍，然而也許是因為眼睛之間間隔過近，加上眉毛略呈八字形，若要形容的話，那是一張看起來有些窩囊的臉。益田是下巴尖，而這名青年是鼻子尖。

御廚就是會忍不住觀察別人的外觀。

先人異口同聲，都說人不可貌相，御廚也完全同意，無論再怎麼凝視、瞪視，都不可能看見內在。話語也是一樣，不論再如何琢磨、推敲，都不知道是否猜中對方真正的意思。

任何時候，能夠確定的都只有**存在於那裡的事物**的表層而已。

不，有時就連這都很難說。

不一定見聞到，就能夠相信。

實際上，御廚也認為盡信一切是愚蠢的。有時會一知半解，或是錯得離譜。有時也會被欺騙，或遭到背叛。詐術是很巧妙的。所以才說小心駛得萬年船。但不管再怎麼猜疑，御廚能夠看透的，也可想而知。

所以御廚總是活得宛如懸浮在信又不信的半空中。

「什麼虎？」青年再次問坐在御廚旁邊的益田。

益田臉頰抽搐，含糊其詞說「沒什麼啦」。

這裡是玫瑰十字偵探社的會客區。

昨天益田從包括御廚在內的三名毫無默契的寒川藥局員工那裡聽了三小時無法判別究竟是必要還是不必要的說明，在晚上七點半回去了。

幸好益田來訪的期間，沒有顧客上門，但接下來收拾店面等等，加班了一下。

益田臨去之際，說他也請人調查了笹村的父母之死。

還說明天中午過後就會有報告，因此御廚說她也想要在場一起聽。儘管御廚覺得聽了報告也不能如何，但就是覺得掌握一下比較好。

因為有一半是出於好奇，從這個意義來說，自己也覺得實在不莊重到了極點。而剩下的一半，單純只是她無法坐等消息。

「我不知道什麼老虎獅子，總之笹村先生的父親想要報導的，不管怎麼想都是理化學研究所。」

青年——他好像姓鳥口——這麼說道。據益田說明，他是一名三流雜誌的記者。

「理化學研究所……？我只是個不學無術、微不足道的小偵探，所以不太清楚，不過那不是一群傑出的科學家在從事深奧研究的地方嗎？」

「唔，是啊。」鳥口說。

「那是國家機關嗎？是舉國家之力召集了菁英學者，對吧？可以拿諾貝爾獎的……」

「不是那樣啦。」鳥口應道。「我查了一下——不過只查了一下下而已，有點急就章——那是民間機構。最早是財團法人。成立的時候，政府好像有給補助金，皇室好像也有出錢。哦，好像是那位澀澤榮一大師主持的，這部分萬無一失吧。」

「澀澤榮一？那位企業家嗎？」

「大企業家。」

鳥口應道。益田似乎知道，但孤陋寡聞的御廚不知道這個人。應該是個名人吧。況且就連企業家是怎樣的人，御廚都只有個模糊的印象。

「是很了不起的人嗎？」御廚問，益田說「應該很了不起吧」。

「我也不是很清楚，但澀澤榮一在明治維新前是將軍家的家臣，維新後成了大藏省官員，辭掉官職後，整個明治大正期間，他都是推動這個國家的經濟、支持產業的偉人——我聽埼玉的朋友這麼說的。」

「他是埼玉人呢。」鳥口說。

「可是啊，鳥口，那個大企業家怎麼會成立什麼研究團體？我是聽說過澀澤榮一熱心公益、是個慈善家，他是以天下為己任嗎？」

「就那個啊。」鳥口說。

「哪個？」

「哦，當時是大正時代嘛，當時好像有種接下來就是科學時代的風潮。」

「有嗎？」

御廚沒有體會。那是她出生前的事，她不可能知道。

鳥口接著說：

「噢，差不多是禁髮髻的那個時期〔註一〕，有種要急起直追、超英趕美的氛圍，然後又在日清戰爭不小心打了勝仗，在日俄戰爭也跟俄國打了個勢均力敵……當然會變成天狗〔註二〕了。」

「天狗？」

鳥口做出拉長尖鼻子的動作：

「不可一世起來了吧。日本和俄國，體格差距形同嬰兒和栃錦〔註三〕呢。然而不僅打成了平手，還覺得要是繼續打下去，贏面極大吧。」

「這怎麼了嗎？」益田問。

「所以囉，會覺得既然強成這樣，要是沒有體格差距，肯定能輕鬆獲勝啊。但國土大小有限，除非侵略別國，沒辦法變得更大了。資源也是，乏善可陳。沒有石油，鐵和其他礦產也十分貧瘠。可是，**這裡**是無限的，對吧？」

鳥口用指頭敲了敲自己的太陽穴。

「和我們這些空腦袋不一樣，世上是有聰明人的。所以啦，日本決定要好好加把勁。」

「聽不太懂。」

「哦，我在查資料的時候，也隨手翻了一下當時的雜誌報導、小說那些，發現：天哪，好大的自信！上面誇口說我國的科學發展不僅要直追列強，還要引領列強、威鎮世界。如此一來，不管是能源還是什麼，想要什麼就能開發出什麼。」

「並沒有啊。」

「當時是這麼相信吧。」鳥口說。「科學發展會帶來光明的未來——唔，確實是這樣沒錯，實際上優秀的人就很優秀嘛。」

「也就是國家政策呢。」

益田這麼說，鳥口卻垂下眉毛，含糊地說：

「這個啊……益田，我不曉得你知不知道，科學家這種人，腦子裡就只有科學。實不實用，對他們都是其次。」

「是這樣嗎？」益田搓了搓尖下巴。「不是說，需要是發明之母嗎？」

「這是使用者的說詞吧。不一定需要的東西，也會不斷地被發明出來。先有發明，其中感覺有用的東西，再拿來實用。」

「這樣喔？」

「沒錯。聽好了，益田，確實，因為有裁剪紙張的必要，或者說欲望，所以才有剪刀被發明出來……這部分沒問題。可是啊，沒有刀子，就不可能發明剪刀吧？刀子不是比紙先發明出來的嗎？」

「我哪知道？」

註一：明治四年（一八七一），明治政府頒布《散髮脫刀令》，內容為允許男子髮型自由及華族、士族不必佩刀，但從一般俗稱的「斷髮令」也可以看出，一般民眾視其為剪掉髮髻的命令。

註二：天狗是日本的妖怪，紅臉長鼻，也被用來比喻驕傲自滿。

註三：栃錦清隆（一九二五～一九九〇），相撲選手，第四十四代橫綱（相撲冠軍）。

「是喔？就是，更進一步說，要先有提煉鋼鐵的方法，才會有刀子和剪刀。古代人並不是想要剪紙，才想出提煉礦物製鐵的方法。先有鐵，才有別的東西吧？」

「被你這麼一說，感覺好像是這樣。御廚小姐覺得呢？」益田轉向御廚問。

「都可以吧。」御廚說。

她覺得這無關緊要。

「有這樣的情況，也有不是的情況吧。」她說。

「嗯……是這樣沒錯啦。但遺憾的是，科學家腦子裡沒有用途這件事。他們從早到晚，就只是思考算式那些。」

「算式……？」

御廚不由自主地想起了寒川留下的紙張。看在御廚眼裡，那些紙張就是一連串的數字和記號，但聰明人來看，就會變成有意義的內容嗎？

不，鳥口提到的那些學者，不僅能夠讀懂，還能從空無一物的狀態，挑選組合那些龐大的數字和記號洪水，寫出有意義的東西來吧。

她覺得很厲害。

御廚連寫封信都得搜索枯腸。在他們腦中，那些數字和記號，一定是以井然有序的狀態各安其位。若無法有條有理，實在不可能寫出那樣的東西吧。

鳥口接著說：

「哦，理研這個地方呢，就像益田說的，是召集這類聰明的學者，埋首研究的地方。研究這回事很花錢，實驗也需要設備、經費。光是抱著手臂嗯嗯吟哦，也做不出東西來嘛。要是光動腦就行了，也不必花錢蓋那麼大的研究所了。」

「那當然了。不管做什麼都要錢啊。就連組個礦石收音機，也要花不少材料費。而且你說的實驗，也是些困難又麻煩的實驗吧？應該會使用昂貴的器具和機械那些。資材、電費等等的也不容小覷。不過你剛剛說有資助？國家還有尊貴的皇室。」

「那點錢，兩三下就燒光啦。」鳥口說。「不管一開始資金再豐沛，用一用就花光了。學者就只會花錢嘛。不停地要錢。這是一流學者齊聚一堂，隨心所欲做研究，錢再多都不夠花。就算四處湊錢，也是杯水車薪。」

「這也應該就像你說的吧。但不是說科學的發展就是日本的未來嗎？不是國家政策嗎？」

「應該是不擅長長期規劃吧。」鳥口說。「搞政治的那些人，似乎都目光淺短，只看眼前。對於十幾二十年後才會開花結果的水磨工夫，沒什麼興趣吧。政權也不會持續那麼久嘛。有即效性的東西當然更好。」

「那，金援中止了？」

「應該說不夠了。」

再多都不夠啊——鳥口再強調了一次。

「就算是國家政策，如果是怎麼吃都吃不完的糧食、燒不盡的燃料這種東西，或許是肯挹注資金和心力吧。其他就是新型炸彈、軍艦、飛機那些。國家想要的應該是這種東西。當時這個國家打定了主意就是要發動戰爭嘛。可是，那些科學家……」

「不是在做那種實用品？」

「沒錯。嗯，說到有可能實現的，就只有核能了。從大正末期到昭和初期那段時間，核能好像被視為萬能。」

「萬能？」

御廚不曉得什麼是核能。

但她知道原子彈是應用核能製成的炸彈。而它以難以置信的威力，屠殺了大量的人。

「也難怪妳會露出那種表情。」鳥口一臉欲泣。「現在的話，會是那種反應呢。這個國家被丟下原子彈了嘛。」

「要是在那種東西丟下來之前停戰就好了。」益田說。「我這人會信奉膽小至上主義，也是因為上一場戰爭的關係。換作是我，一覺得打不贏，立刻就會舉手投降、當場道歉。別說投降道歉了，根本就不會開打。就算低聲下氣，會成的事就是會成，不管再怎麼勇猛果敢地挑戰，不成的事就是不會成嘛。什麼無論如何都要打到贏……光靠精神論，連紡織娘都打不贏的。」

「人不太會跟蟲打的。」御廚說。

「是啦，但是看到蚊子停在手上，還是會打死，對吧？那也是，光靠精神論打不死的，只會被吸血吸到飽。就是因為對付蚊子，我們有壓倒性強大的手掌……」

「對蚊子來說，手掌就是原子彈啊。」鳥口說，拍了一下桌子。益田看著他打開的手背，點頭連連。

「是啊。嗳，突然就轟！一聲下來了。或許是吧。咱們是連血都吸不了幾滴的垂死的蚊子。就算丟著不管，也早就氣若游絲了，何必用那種炸彈轟人嘛。」益田說。

「這一點我同意。不過，核能就是這麼強大，對吧？」

「確實是強大。」

「不是，益田，要是那場戰爭，日本有原子彈的話，會變成怎樣？」

鳥口維持著八字眉，對著劉海遮眼的偵探問。

「我連想都不敢想。」益田回應。「我本來就厭惡紛爭。用暴力壓制對方，這是人該做的事嗎？」

「這我理解，可是世上不全是益田你這樣的人啊。有一堆血氣過剩的好戰老頭子。人家一拳過來，就兩拳回去，加倍奉還是理所當然，是這樣的思維。腦門充血的人啊，比你想像的還要多。」

「要是挨打，我會直接道歉耶。」益田說。「……倒是鳥口，對方動手打人的話，錯就在對方了吧？想要用暴力逼迫他人服從是不對的。因為對方不對就打回去，就變成一路貨色了。但單方面挨打，會被打死，所以不管使出什麼樣的手段，都得先讓對方住手才行。道歉是手段啊，手段。誰對誰錯，先等和解之後再說。」

益田搖晃著劉海大力訴說。

「所以我不是在問益田你的意見啊。是在說那些不是你這樣的人。」

不是這樣的人……

御廚無論如何都無法理解那種人的想法。當然，那種人應該有他們自己堅定的信念，也有為他們的信念背書的一套說法吧。但即使那些道理無比正確、值得相信，御廚依然不想在彼此廝殺之中贏得勝利。

「好吧，主義主張先放一邊，這裡先討論假設情境。要是這個國家擁有原子彈，戰局會不同吧？」

「是啊。最終勝負姑且不論，但戰況應該會陷入膠著吧？」

太難的事御廚不懂。她會努力去理解，但終究只能說是不懂。不過那場戰爭確實從御廚身上奪走了太多的事物。

「也有不少人說……要是那樣，我們早就贏了。」鳥口說。

「我可不想靠那種東西贏。」

「就說也有人認為不擇手段，能贏就好。而且這樣的人還不少。對這樣的人來說，科學是不折不扣的戰爭工具。」

「原來如此。所以國家才會提供援助嗎？可是……你說學者們沒有照著國家的意思走吧？沒有研究核能嗎？」

「有。」

「有？」

「所以說，核能是大正時代開始的夢幻新能源。不必挖礦、不必燒煤，就能讓飛機飛上天，讓潛水艦在水中游，而且還能治病，無所不能，當然被極盡吹捧，吹到天上去了。簡直被當成了魔法，都不曉得根據在哪了。這樣的東西，不研究才說不過去吧？」

「那……它就是虎嘍？」益田說。

「虎？我不知道你說的什麼虎，不過對學者來說，核能也是極具吸引力的研究領域吧。」

「呃，所以說，學者在研究核能吧？」

「就說是了啊。」

益田瞄了御廚一眼，說「那就不會錯了」。

「原來是這麼回事啊。哦，要是真心相信核能是這麼棒的東西，國家也不會放著不管吧。會暗中委託些什麼吧。」

「暗中？」

「不就是暗中嗎？」

「怎麼會是暗中？」鳥口一臉奇妙。

「呃，當然要暗中啦。因為如果……在背後支持的是政府還是軍部的話。」

「在背後支持？」

「當然是背後啦。所以說，那個研究所配合國家政策，在開發祕密武器……是這樣吧？」

「武器？」

「我不曉得是不是武器，不過要是接到來自軍部之類的暗中委託，那就是國家的最高機密、祕密，對吧？如果是武器，自然不能曝光。因為那當然是不人道的東西啊。我是不曉得他們想要做什麼，但是像原子彈，不就是惡魔的炸彈嗎？那樣的話，至少是不能見光的東西吧。那麼笹村先生的父親就是想要揭發這件事吧。」

鳥口眨了眨太靠中間的眼睛。

「呃，益田，你是不是誤會什麼了？」

「可是，那是踩到就會被咬死的老虎尾巴吧？」

「所以你才在說什麼虎啊……」鳥口佩服地說。「老虎被踩到尾巴會生氣嗎？唔，這不重要，不過益田，你說什麼揭發，可是核能研究根本不是什麼祕密啊。」

「不是嗎？」

當然不是啦——裡頭傳來一道聲音。御廚朝聲音的方向望去，一名像茶房的男子用托盆端著紅茶壺與杯子，站在那裡。

膚色白皙，但有著一雙濃眉，嘴唇也很厚。一頭理得很短的頭髮似乎鬈翹得很厲害。御廚覺得，那種髮質一定很難梳理。

她就是會去注意這些地方。

打雜的請御廚用紅茶後，简慢地把杯子擱到益田和鳥口面前，自己也在鳥口旁邊坐了下來。御廚覺得以打雜的而言，他的態度未免太趾高氣昂，但這不是她該干涉的事。

而且人家或許不是打雜的。

打雜的率先喝起紅茶，率先開口：

「因為就連我父親，對原子力都有一家之言。他還提到過那個……理化學研究所，是嗎？說過那裡的事。」

「和寅兄的父親……我記得是在榎木津家工作吧？」益田問。

「是傭人。雜役。」

「好有學問的傭人啊。」鳥口佩服地說。話一出口，立刻又用右手摀住了嘴巴：

「不是，這、這可不是職業歧視。要是讓你這麼感覺，那是我失言了。像我就很無知，在這次調查之前，幾乎都不曉得，所以覺得真是有學問而已。」

似乎名叫和寅的打雜男子用鼻子發出「咯咯咯」的悶笑：

「不用放在心上。我家老爸的確是沒有學識，他連小學校都沒畢業。」

「喔……」

「家父承蒙大老爺收留之前，是做裝修的。那是個比起學業，更重修業，比起學識，更重本事的世界。我還多少上過一點學，但半途中輟了。父子兩代，都以沒有學識為傲。喏，就連我那個沒學識的工匠父親都知道了，怎麼可能是什麼祕密嘛。」

「你說知道……」

「我父親從年輕的時候，就喜歡那個……核能嗎？還是放射能？喜歡那類話題。現在怎麼樣我不曉得，但以前他常跟我講這些，我聽他說了好多吶。」

「和寅兄父親年輕的時候，那不是很久以前的事了嗎？」

「他今年剛屆花甲。是明治出生的。」

「那……」

「所以啦，益田弟，我父親是沒學識，但是會讀小說那些。我家有《冒險世界》、《新青年》等等，我也會讀。」

上面都有的——像打雜的男子挺起胸膛說。

「有什麼？那時候還沒有核能吧？」

「你在說什麼啊？那時候發現了鐳、還有什麼金字旁的化學元素，和更驚人的核能，發揮無限的威猛……」

「你是在說小說吧。」益田說。「是空想。」

「又不光是空想而已。喏，我們出生以前，那個鐳嗎？聽說它大受歡迎呢。我爸也常說，什麼天然鐳礦泉有益身體健康，還有往後可以靠放射能治百病，再也不需要醫生，也不用木柴、不用汽油，什麼都不需要了。」

「放射能……不是碰到了會生病嗎？」

御廚問，益田說「正確地說，人碰到的是放射線」。是這樣嗎？

「聽說放射能的意思是有發出放射線的力量。擁有放射能的物質叫放射性物質，然後從放射性物質發射出來的放射線，會穿透各種物體。它會對人體……」

「造成不良影響，對吧？」

依照御廚的常識是這樣的。

「原爆病那些不是很嚴重嗎？雖然我不是很清楚。」

「很嚴重啊。」益田說。「原子彈、氫彈，真是最惡劣的炸彈了。百害而無一利。」

「那些是這樣沒錯，不過是量的問題啦。」和寅說。「就算是醬油還是醋，喝太多也是會死人的啊。我也壓根兒不是要幫原子彈說話，不過那本來就是殺人的工具嘛。簡而言之，等於是一口氣灌下一斗(註)醬油啊。」

「這比喻太微妙了。」益田表情扭曲。「意思是簡而言之，是量的問題？」

「不不不，」鳥口要笑不笑地插口。「是有叫做放射線治療的東西啦。好像也有在研究。」

「喏，看吧！」和寅對益田擺出藐視的嘴臉。

「寅吉兄那籠統的說明也不能說不對。確實是有這樣的治療法，世界各國都在研究喔。就連X光也是一種放射線。」

「琴倫射線……對吧？」

那麼，或許就像這個貌似打雜的人說的，確實是量的問題。但即使量少，御廚也不認為對身體有益。更重要的是，這個人到底叫什麼？

御廚好奇得不得了。她覺得既然要同席，至少也該介紹一下。

「聽說日本人第一次成功拍攝X光照片，是X光發現後的隔年。一樣是在明治時代喔。」

「我就說吧！」不知道到底叫和寅還是寅吉的男子再次挺胸。

「X光就是放射線嘛。也就是說，從那個時候，日本就有人在熱心研究這方面的事了。」

「然後現在也有？」

「一直都有。在昭和九年當時也有。不，感覺戰前更為興盛，感覺是公然——甚至是大肆宣傳。」

「所以我父親也才會知道。」

「知道什麼？」

註：斗為日本傳統度量衡容積單位，一斗約為十八公升。

「所以說，他三句不離理研啊。當然是在說那間理化學研究所。那裡一個叫什麼的博士……叫什麼去了？」

「仁科博士嗎？」鳥口說。「仁科芳雄博士。仁科博士的研究上過報，而且他到處拋頭露面，應該算是理研的招牌人物吧。而且他是國產迴旋加速器的發明人……」

益田問那是什麼，打雜的一臉得意地說「就是那個」。御廚當然不知道那是什麼。

「你居然不知道？」打雜的說。「就是製造人工鐳的機器吧？不必去挖天然礦石，也可以無限供應放射能？還是放射線？的夢幻機器。我爸當時可興奮了，說這下子日本就要大飛躍了。」

「有那種東西嗎？」益田問。

「可以說有，也可以說沒有……」鳥口歪頭應道。「唔，寅吉兄的說明還是一樣籠統，但當時的報紙也寫著差不多的內容，所以一般的認知可能就是這樣的。」

「那實際上是怎樣的東西？」

「正確地說……是什麼去了？我有筆記。名稱是放射性同位體製造用圓形加速器吧。我也是臨陣磨槍，不清楚細節，不過它會像這樣旋轉。高速旋轉。」

「轉什麼？」

「轉某種東西吧。以極快的速度旋轉，然後就會跑出來。跑出某種東西來。放射性同位體……這我沒辦法解釋是什麼東西。」

「不是鐳嗎？」打雜的問。

「鐳可以用那種做棉花糖似的工程做出來嗎？又不是鍊金術。」

「報導上說是鍊金術喔。」鳥口說。「不過做出來的不是鐳本身，而是與鐳同等的……唔，總之是那類東西吧。就是……擁有放射能的某種東西嗎？可以做出那種東西來。」

「那不是很危險嗎？」益田說。

「那是現代人的感覺啊，益田。就說在當時是夢幻能源。報導上也說人類夢寐以求的願望終於成真了。

所以並不是說寅吉兄的父親的感覺是異常的。」

「我無法接受耶。」益田抱起了手臂。「畢竟都造成那麼慘重的死傷了。光是爆炸造成的破壞就夠驚人了，就像御廚小姐說的，倖存下來的人接下來更慘。核能這東西，應該是糟糕的壞東西吧？」

「所以要看怎麼用吧？」打雜的說。「破壞力那麼強大，能量肯定很驚人的。」

「這是當然，但我是在強調，比起動力那些，對人體的影響問題更大。不論是任何形式，只要當成能量使用，就會跑出放射線吧？我是不曉得那放射線是什麼東西，不過對生物很不好啊，對吧？」

「所以應該是量的問題吧。」

「不管要用在什麼上面，只要用上一大堆，就會跑出一大堆放射線吧？那種東西，就像大便的時候水一定會濺上來的茅廁吧？愈用屁股愈髒。」

「益田，你這比喻也真夠噁心了。」鳥口笑了。

「難道不是嗎？然後……結果拿去做成了炸彈。那些在爆炸中死掉的人，還是遭到放射線污染的人，都不是士兵啊。百害而無一利。」

益田搖頭甩動劉海說。

「不，我理解你的意思，不過這樣說一樣太籠統了。任何事物都有好壞兩面啊。雖然有些時候好壞不是那麼平均。所以這部分必須審慎行事啊。有問題的是只強調其中一邊，另一邊卻隱諱不談的做法。」

「我可沒這麼做。」

「不不不，我說的是當時的報導。雖然可能是當時的人也不太清楚放射線對人體的傷害，總之報導對核能幾乎是讚不絕口。科學的進步會帶來光明的未來，而科學的明星商品，就是利用核反應製造出來的核能。」

「才不光明呢。」

「當時的人相信會變得光明，因為報導全是歌頌讚美。噯……人就是這麼傻，只想相信、也會去相信對自己有利的事。若是聽到的全是些正面的評價，大部分就會相信應該就是好的。雖然其中也有些疑神疑鬼的乖僻鬼，但也只是懷疑而已，難以扭轉眾人的認知。若是劈頭就否定，只會吵起來，而且寡不敵眾啊。」

「輿論也不是道理能夠控制的嘛。」

「不是都說人情勝過道理嗎？」

「報紙、廣播不停地讚揚一面倒，忍不住就會這麼相信嗎？就算單獨的個人很聰明，但大眾是愚昧的嘛。」

「你是在說我父親很笨嗎？」

「不是的。」鳥口露出似笑非笑的表情。「是在說這是人之常情。雖然現在應該已經不一樣了吧。畢竟我們被丟了原子彈嘛。」

「比起動之以情的談判，直接搬出實力，更立竿見影嘛。」益田說。「而且是暴力嘛……」

確實，御廚也如此認為。

她痛恨戰爭。戰爭害她家破人亡。剛結縭的丈夫、剛出世的孩子都被戰爭奪走了。住家、街道也全被炸毀了。沒有吃的，連衣物都沒有。那真是太難過太痛苦了，放棄活下去的念頭一波一又波湧上心頭。她不是想死，只是活下去太難了。

可是。

御廚討厭戰爭本身嗎？

戰爭確實很苦。但是她苦，是因為丈夫死了、孩子沒了、失去住處、飽嚐飢餓的關係吧……？倘若丈夫就在身邊，孩子也健康長大，能確保和其他人一樣水準的食衣住，即使身處戰時……她還會覺得苦嗎？

當然，元凶是戰爭。

只要沒有戰爭，御廚應該也不會遇到如此悲慘的事。更重要的是，御廚也認為不論有再崇高、再迫切的理由，國與國之間都不該相爭、彼此殘殺。

但御廚厭惡戰爭本身嗎？她確實不歡迎戰爭，但她有積極的反戰意志嗎？即使沒有說出口，她當時有著反戰的念頭嗎？

戰前的世局確實很不自由，令人窒息，不過那也是與現在相較之下的感覺，對於一出生就處在那種時代氛圍的人而言，應該會覺得那就是常態。實際上御廚也習以為常。

那個時期，有多少人認為戰爭是最糟糕的選擇？其他人或許就和御廚一樣，不認為戰爭是多好的東西，卻也沒有看得太嚴肅吧？

父母認為報效國家是好事，小孩子開心地玩著打仗遊戲。相互監視是天經地義，密告某人是非國民的，多半是街坊鄰居。

一切……都是立意良善。不管怎麼樣，即使有那麼一絲心虛，所有人應該都毫無惡意。沒有人認為自己是在支持戰爭行為吧。

應該不是有所自覺，而情非所願地這麼做，也不是遭到高壓強制。當然，即使其中有著幾許若不這麼做，就會被貼上非國民標籤的恐懼。

再說，這個國家從來沒有**真正**在戰爭中落敗過。所以人們才無法想像戰爭其實有多麼地慘烈。因為沒有經驗，所以難以想像。御廚也是如此。

所以……才會盲目地相信報紙、雜誌和廣播的說法。

開戰後也是如此。御廚雖然哀怨自己的遭遇，但應該不曾恨過戰爭本身。其他人也都是這樣吧。否則不可能會去關注戰況報導，為此忽喜忽憂。贏了！又贏了！叔叔嬸嬸開心的表情，應該是發自真心。

若是對戰爭本身抱持疑問，即使獲勝，也開心不起來吧。然而上至老人下至兒童，都聽著大本營發表，笑容滿面，歡呼萬歲。

雖然事後聽說，那些戰況報導全是虛假。

說穿了，國民都被騙了——應該就是這麼回事，但是不管再怎麼粉飾太平，真實的戰況也不可能好轉，換言之，虛假的報導，是為了振奮本土的國民的士氣吧。御廚認為，這應該也就代表著，國民的內心深處也是渴望著這種報導的。

厭惡戰爭的人，不論真假，都不可能想聽到那些報導。贏了不會開心、輸了也不會氣憤，就只期待著聽到戰爭結束的消息吧。

至於御廚自己，只能說，她什麼都沒想。

只有悲傷、痛苦、困擾這些感情不停地來來去去。國與國之間是什麼樣的狀況、遙遠的戰地發生了什麼事、戰場上死了多少人、有多少人性命垂危——她絲毫沒有半點餘裕去遙想這些。

本土開始遭到轟炸，空襲當頭，御廚依然只有恐懼一種感情。她應該沒有想過痛恨戰爭、都是戰爭不好。

一直到敗戰以後，聽到這樣的言論之後，她才開始有了這樣的想法。

她清楚自己很遲鈍。但是關於這件事，就御廚所知道的範圍內，其他人應該也都半斤八兩。

倘若從一開始就有戰爭是不對的認知，會是如何呢？當然，縱然御廚一個人反對，戰爭也不可能停止。

當時應該有許多秉持信念，表達反戰意志的人，以及拚上生命，從事反戰活動的人，但戰爭並沒有結束。這些人的聲音應該也傳出來了，卻沒有人願意聆聽，他們的聲音被棄如蔽屣。

假設所有的國民全體反戰，會是什麼樣的結果？也許依舊是枉然。因為當時決定是否要開戰的，應該也不是國民。

即使如此。

御廚覺得，如果從一開始，就能擁有戰爭不管是對國家還是人民都是弊害、至少有可能是弊害的認知……即使最後遭遇依然相同，或許心裡也比較過得去。

學習、思考、理解，然後做出決定。她深切地覺得這很重要。

但如果在學習的階段，接收到的資訊就是偏頗的話。

或許就不會去思考。因為根本用不著思考。實際上她就完全不曾思考。她一定是相信這一切都天經地義，就像太陽東升西落。

直到原子彈掉下來那一刻，都如此深信不疑。

所以，御廚無法將自己的不幸歸咎於戰爭。因為她並沒有確實地思考、理解，做出判斷。

核能也是一樣的吧。

沒有人清楚核能是怎麼一回事。然而……正因為不懂，有人說核能很棒，就相信很棒，若是聽到批判，就覺得糟糕。只是像這樣人云亦云罷了吧。其中根本沒有思考。

因為那與自己的日常距離太遙遠了。

若是確實理解，應該就有辦法以自己的方式把它納入自己的生活，並且畫分出好壞吧。當然，御廚也完全不懂什麼是核能。她只是不假思索地認定放射能很可怕、是有害的。

「核爆的衝擊太強烈了。」益田說。「每個人都被炸醒了吧。」

「也不盡然喔。即使知道它有多不人道，大國還是一樣繼續進行核子試爆嘛。別說外國了，我們國家都遇到了那種事，國內支持核能的聲音卻沒有衰退。」

「是要運用在和平上吧。」打雜的說。「我們沒有軍隊了，也不會發動戰爭了啊。」

「不，不管用在什麼方面，聽說放射能只要外洩，就很危險啊，和寅兄。不管有再多的好處，如果有風險，就不能忽略吧？」

只看風險和只看好處的人，就這樣分裂成兩邊呢——鳥口說。

「雙方互不妥協。從印象來看，高官多半是推動派。總覺得其中有利益的味道呢。雖然也有像寅吉兄這種跟利益沾不上邊的死忠支持者。」

「我又沒拿任何好處。」打雜的說。

「我知道。也就是說，核能的優點宣傳，就是如此深植人心。沒有任何祕密，不僅沒有祕密，還廣受認知。」

「也就是說，核能不可能是老虎尾巴？」益田問。

鳥口聞言，露出苦思的表情。他不只是兩眼間隔狹窄，額頭也很窄。髮質感覺也很硬。

「唔，軍部那些單位，應該是期待若有機會，可以開發成兵器吧。所以像那位仁科博士，應該是進行了開發吧。可是就連那迴旋加速器完成……我想想，都是昭和十二年的事了。而笹村先生進行採訪，是昭和九年的事吧？」

「那時候就在研究了吧。」

「應該是在研究，但並不是祕密啊。而且武器終究沒有開發成功。眾所皆知，我國沒能做出核子武器。所以不管怎麼樣，都沒有什麼值得去揭發的陰謀。」

「這樣啊。即使他們在暗中開發武器，考慮到當時的情勢，就算被揭發，也不會造成任何影響？」

「當然是不能洩露給敵國吧。另一方面，也有製作假報導，宣傳完成了根本沒完成的武器，好牽制敵國的策略。是所謂的情報戰。可是嗯，沒有那種事。同時，理研裡面另外還有理研產業團。」

「產業團？」

「嗯，聽說也是那位澀澤先生成立的。聽著，進行各種研究，就會有各種發現和發明。而發明這種東西，有時是可以賺大錢的。雖然也要看東西啦。」

「等等，研究者不是不考慮那些，專心研究嗎？」

「所以是別的單位啊。研究資金總是不足，所以如果研究成果可以換錢，當然再好不過吧？」

「應該吧，可是……」益田歪起薄唇，露出下排門牙。

「喏，你知道維他命球嗎？聽說有助於治療結核什麼的。那是大正末期左右上市的，那好像就是創始。」

「是肝油嗎？」御廚問，鳥口說「不一樣」。

「維他命是什麼東西，我沒有學問，所以不知道，但博士成功地萃取出那個維他命A還是D，而這種東西對身體很好。然後一般是製藥公司在製造的，但博士想說既然都做出來了，就拿去賣好了。」

「賣了嗎？」

「賣了。我查了一下，原價好像一顆一錢左右，但售價是五、六錢。」

「真是暴利吶。」益田說。

「這裡頭包括了技術費，或者說研究費啊。」鳥口應道。「就像高級日本餐廳的美食，包括了大廚的技術費跟場地費那些，所以才那麼貴啊。是一樣的。」

「一樣嗎？不會灌水太多嗎？」

「這就要看買的人買不買單啦。這個維他命球大為熱銷，讓理研大賺一筆。」

「很暢銷嗎？」

「現在還是賣得很好吧。就是拿它的利潤來填補研究費。是自給自足。應該是覺得這樣的做法行得通吧。」

「誰覺得？」益田問，鳥口說「澀澤先生吧」。

「然後，理研接著把橡膠、飛機零件那些感覺有銷路的發明拿去賣，財源滾滾來。所以成立了產業團。至於有多賺，賺到後來被GHQ給解散了。」

「啊？被財閥解體給波及了嗎？」

「被波及了呢。」鳥口賊笑著說。「以三井住友為始，一路排下來，十五大財閥裡頭，其中之一就是理研工業。就是這麼賺。啊，順帶一問……榎木津家沒有受牽連嗎？」

「咱們大將的父親雖然不管俗務，卻善於趨利、敏於見機。在解體政策施行前，他好像就進行分割，自行解體了。對兩個兒子也都早早就進行生前贈與，此後在經濟上一概無關的樣子。」

「啊，這件事我聽說過。」

「哥哥用那筆錢蓋了飯店，弟弟則是蓋了這棟大樓，當起了偵探啊，偵探。」

益田環顧房間，嘆了一口氣。

「所以說是財閥，其實是個寬鬆的企業集團吧。開始進行分割，好像是戰爭的時候。而且也完全不涉足軍需產業，咱們大將的父親真正本事過人。我也聽說他在解體政策的背後，反而還賺了一筆呢。」

「真想見齊思賢一下吶。」鳥口說。御廚覺得他應該是想說「見賢思齊」，但益田和那位「寅吉」都沒有說話，因此她也沒吭聲。

「總之，理研在戰前是自給自足，到處賺錢的。昭和九年的話，應該還是海撈狀態吧。我反倒認為笹村先生盯上的應該是這部分。」

「你是說非法賺錢？」

「不不不，不是理研本身有什麼非法之處，而是可能有什麼和理研的利益有關的貪瀆案……唔，這是我調查之後的感覺啦。」

「貪瀆啊……」益田縮起了肩膀。「這會是老虎的尾巴嗎？」

「所以到底什麼老虎啦？」鳥口問。

「只是揭發貪瀆，就會被暗殺嗎？」

「暗殺？啊，笹村先生，是嗎？那不是暗殺吧。從當時的報導來看，是強盜啊。放火劫財。」

「又不是江戶時代。」益田不服地說。

「任何時代，放火都一樣是放火啊。哦，笹村先生經營的《一白新報》，是他明治二十三年過世的父親——笹村與次郎興辦的小報。現在報紙都一樣是報紙了，但明治那時候，分成內容嚴肅的大報，和低俗的小報。我從創刊初期讀了幾份，還滿有意思的。」

「那麼久以前的報紙，看得懂嗎？」

御廚問，鳥口說「有些地方看得懂」。

「還刊登了地方的妖怪傳說之類的內容呢。當時的報導都很隨便，尤其是地方的新聞，很多都是隨便胡謅，但《一白新報》都確實採訪了，感覺很認真。然後在大正八年，報紙由兒子伴輔先生接手，但後來批判體制的內容就愈來愈多了。」

這有些違反時代潮流——鳥口說。

「在高唱自由、民權、反戰的時代，刊登些妖怪的事蹟，又在浪漫和頹廢主義的時代批判政權。」

「說到大正時代，不是民主主義浪潮嗎？」寅吉插口。「解放受歧視的階級，爭取男女平權、團結權、自由教育權……是這些呢，對吧？」

「這也是令尊傳授的？」益田問，打雜的挺胸說「當然了」。

「總之，就是這樣的報導。尤其針對歧視問題，批判特別犀利。然後維持這樣的路線，進入昭和時期，不過昭和初期……大家都知道嘛。」

「哦……」益田低下頭。

「當時言論統制、思想打壓正盛，當然一定會被有關當局盯上吧。」

「所以被暗殺了？」

「所以不是暗殺啦。」鳥口說。「要是想收拾什麼人，直接抓起來正大光明地收拾掉就行了。當時有一堆人被捕，遭到拷問、下獄，不是嗎？從明治時代就有審查這東西了，是到戰後才廢除了。就算沒有審查，我們出版的糟粕雜誌還是違反公共善良秩序，現在一樣一直被盯著呢。但我也沒被暗殺啊。」

「是嗎？」益田搖晃劉海。

「怎麼好像非要是暗殺不可？是暗殺的話，有什麼好處嗎？」

「相反啦。」益田說。「不是暗殺當然比較好啊。如果只是單純的強盜，和這位小姐在找的寒川先生的父親的事件，無關的可能性就很高了。那樣的話，多少……」

「多少什麼？」御廚問。

「老虎也會小隻一點吧。」

「完全聽不懂呢。雖然我應該沒必要懂吧。不過唯一可以確定的是，殺害笹村伴輔夫妻的強盜沒有落網。案子已經超過追訴期了。」

「結果又回到原點了吶。」益田說。

「可是這樣一來，喏，也看不出理化學研究所和寒川英輔博士有什麼關聯了呢。與發明利益有關的政治貪瀆案，和一介植物學家應該無關吧。」

「針對寒川博士，我也稍微調查了一下。」鳥口說，咧開抿住的嘴唇笑了。「寒川博士的專門似乎是植物病理學。說是植物學家，也是五花八門。寒川英輔博士在帝國大學農科大學的植物病理學課程裡，接受該領域的先進白井光太郎老師的指導……據說啦。」

「病理學？那是草木的醫生嗎？」寅吉問。

「唔，大略來說應該是，不過與其說是像醫生那樣治療疾病，更應該是找出病因、釐清特性吧。所以應該也會治病吧。寒川博士主要好像是在研究環境對植物的影響。」

「環境？是日照、氣溫那些嗎？」

「這也一樣，大略來說應該是，不過好像也在研究土壤的成分、水的成分、細菌那些，對了，還有放射線的影響。他雖然沒有在大學任教，但家境似乎相當富裕，好像也經常以在野碩學的身分在學會雜誌等發表論文。但還沒成名就過世了。」

「原來家裡很有錢？」

「不過那個失蹤的人……是他兒子嗎？他應該幾乎沒有繼承到財產。」

「怎麼會？」

「應該是有負債吧。我剛才也說過，研究很花錢的。要是沒有金主，錢就是不斷地流出去。只會減少不會增加。英輔先生應該沒有靠研究賺錢的商業頭腦吧。所以雖然有辦法做研究，但終究只能賣掉房子，才能打平開支吧。」

「應該就是這樣。」

御廚曾經聽寒川提過。

「寒川先生說，標本、書籍還有資料那些，賣掉應該可以換到不少錢，但若是失散各地，就沒有意義了，所以全部都捐贈給大學還是哪裡的研究室了。不過留下的財產還是可以讓他暫時不必為生活煩憂，所以他說自己算是幸運的。」

「看吧。」鳥口說。「花了那麼多還剩下這麼多，確實是富家子弟。又沒有收入嘛。」

「花了那麼多？你又不知道花了多少。」

「不不不。」鳥口搖頭。「益田你也認識吧？中禪寺先生的那個朋友多多良先生。像他……唔，雖然他不是學者，不過是個妖怪研究家。」

「那個胖子，對吧？長得像菊池寬〔註〕漫畫人像的人。我只見過一兩回，不過常聽到他的事蹟。」

「就算是他，也是有工作的。可是卻窮得一文不名。單身、住在店裡工作，沒有娛樂，卻連一毛積蓄都沒有，這是什麼日子？簡而言之，研究這回事對世人來說，跟遊手好閒沒有兩樣。這個國家已經成了拜金主義的國度了。無法創造利益的行為，全被打成無用。研究呢，就是這樣的東西。」

「或許是吧，但這樣說的話，表示那間理化學研究所經營有成吧？」

「都建立起把研究成果變現的制度了，應該是經營得很高明吧。只是，學問、研究這些，價值在於它們本身啊。原本應該由國家還是哪裡提供資金才對吧？就是沒有這些外在援助，只好自立自強。可是就像我先前說的，研究者滿腦子就只有研究。理研的情況，是因為一開始就有澀澤先生這樣的大企業家支持，才能一帆風順。寒川先生雖然坐吃山空，但至少他還有供他坐吃的財力，算是很好的了。」

「有道理。也就是說，笹村先生在追查的不是研究內容，而是為了奪利而來的政治人物那些吧。」

「我是這麼認為啦。」鳥口說。

「那麼，虎是和政治有關嗎？寒川博士在日光的調查，你查到線索了嗎？」

「關於日光山國家公園選定準備委員會這個組織，幾乎沒有紀錄。只是從時間點來看，這不是國家組織的調查團呢。就像兒子查到的那樣，團員都年事已高，在世的人所剩無幾，記憶也很模糊。不過當時好像有發給日薪。這是難得有補助金的調查活動，我猜想寒川博士應該是欣然接受吧。」

「那麼……」益田轉向御廚。「看來還是得去日光一趟才行呢。雖然實在提不起勁……笹村先生好像也去了日光沒有回來，那個叫什麼的人……」

益田望向筆記。

「KIRIYAMA KANSAKU嗎……？那個嚮導。去找一下那個人好了。鳥口，接下來要是查到什麼，請通知我一聲。回頭我會好好謝你。」

「我也一起去。」

御廚開口。

註：菊池寬（一八八八～一九四八），小說家及劇作家。雜誌《文藝春秋》創刊人，並創設芥川賞及直木賞。

蛇（四）

這天醒來的感覺糟透了。

和關口道別以後，久住仍繼續思考一些想也沒用的事。當然，他無心工作。結果，久住完全沒有提起鋼筆。

不管是用餐還是入浴，久住都不斷地思考。說是思考，也不是分析問題的答案這類建設性的行為，僅僅是毫無意義地反芻無意義的想法，就像在摸索問題本身。一上床，就想起和關口交談的每一句話。但他想起的只有話語的片段或裁剪下來的部分，就像是這些碎片渾然構成的心象般事物。

這模糊的印象，漸漸地與說不出是罪惡感還是責任心、類似內疚的情感混雜在一起，難以辨別是夢或現實的詭異念頭接連湧出，讓久住飽受煎熬。

雖然也不是沒睡著，卻不覺得睡過了。久住睡睡醒醒，疲乏地輾轉反側，不知不覺間太陽高掛天上了。疲勞充斥四肢。

久住向櫃台取消早餐，只要了紅茶。

點了之後才想到，端茶來的會是登和子，久住頓時緊張起來。明明沒必要更衣，卻忙忙整理儀容，還沒做好心理準備，就有人敲門了。

然而端茶過來的卻是另一名淡眉白膚的女僕。久住不著痕跡地打聽，女僕說登和子今天也請假。

久住虛脫了。

喝下熱燙的紅茶，脫掉都已經穿上身的衣服，久住沖了個澡。他期待會清爽一些，卻毫無效用。

久住出神了一陣，實在是坐不住，離開房間了。

日光並非近年才轉變為外國人的休養區。明治二十六年，據傳是日本第一間觀光旅舍的日光金谷飯店修建為現今的樣式，而它的前身金谷小屋旅館，則是在明治六年開業。

聽說日光榎木津飯店短短四年前——昭和二十五年才剛開張。

這家飯店在當地算是新來的，因此各處都還散發著新鮮的氣味。

外觀不用說，是西式建築，然而設計卻是和風的。屋內裝飾著番傘〔註〕、繪扇，各處插著鮮花，還掛著古色古香的書畫等等。

有許多讓久住疑惑怎麼會擺在這種地方的壺、佛像、屏風等物。應該只是做為裝飾，但擺得讓人莫名其妙。

與其說是和洋折衷，更像是經過日式裝飾的洋樓。裝飾過度，連日本人看了都覺得充滿了異國風味。

最讓久住感到奇矯的，是連接客房區與餐廳和大廳所在區域的橋梁。說是橋，也不是底下有河流過，也並非在戶外，是在建築物裡架起了一座太鼓橋。

不，又沒有河，不能說是架橋。

它說起來就只是條裝飾性的走廊。

似乎是模仿深沙王堂前面的神橋，但附近就有正牌貨，何必在這裡放個冒牌貨？久住實在不懂。

過了橋，就是大廳。

他輕敲了兩、三下金色的擬寶珠，才剛踩上紅漆太鼓橋，便聽見鬧哄哄的人聲。

「你怎麼就是不懂……？」

似乎有人在向櫃台抗議。

是日本客人嗎？

「我說很無聊！又沒人拜託，是你自個兒跑來問我有沒有任何不滿意的吧！」

註：番傘為日本和傘的一種，為庶民日常所使用，堅固而價廉。

一名身形高瘦的男子叉開兩腿站在櫃台前面。雙手扠腰，一副咄咄逼人的態度。

「難不成你不懂什麼叫做無聊？還是怎樣？我那愚蠢的哥哥，告訴員工無聊就是滿意的意思？既然如此，讓我來矯正你的認知吧！」

或許不是日本人。體格很像外國人，髮色也有些偏淡。遣詞用句——雖然說得一口流利的日語，但重音亂七八糟。

「無聊，就是無趣的意思！」男子高聲說道。「怎麼樣，懂了沒？」

「小、小的理解，但……」

「什麼，你本來就知道？那早說嘛。我想說既然是願意在我那個蠢哥哥底下工作的糊塗蛋，一定什麼都不明白。」

「呃……」

「你知道我哥哥過年的時候跟我說什麼嗎？那麼久沒見面，我那個短腿笨哥哥，大過年的，也不拜年，居然說……」

男子放開扠腰的手，脫力地搖晃雙手，蜷起了背，裝出奇妙的嗓音說：

「禮二郎呀～有沒有什麼好事呀～」

接著他恢復原本的姿勢，大喊一聲：「你說蠢不蠢！」

「就算是我，也想不到這麼可悲的開春賀詞。尋遍這三千世界任何一處，都找不到像我哥那樣的窩囊廢了！」

「呃，令兄是那個……總一郎先生，是嗎？」

結結巴巴地應話的不是櫃台人員，而是總經理。

「大概叫這個名字吧，不過這不重要。問題是那個人居然是本大爺的哥哥啊！我那個哥哥，是會在暴風雪的日子撿烏龜回家的人啊！誰會在路上撿烏龜啊？還有，學法國總統比什麼Ｖ字也就算了，居然用比Ｖ字的手指去叉貓脖子吊起來，結果被狂抓一通，搞得滿臉是血，還笑著對我說：Ｖ！……都幾歲的人了！Ｖ什麼V啊！」

光想就教人鬱悶——男子說，擺出痛苦的姿勢。

「你們在這裡當那種蠢人的下僕，我也不是不可憐你們，不過沒必要連那種地方都仿傚他。你們工作時要放聰明一點啊，拜託。」

「真是抱歉。」總經理低頭行禮。

「那……」

男子盯著抬頭的總經理的頭頂，說：

「就是那個。你打網球嗎？」

「什麼？」

「就是那個用有網子的擊球板相互打球的遊戲。你知道吧？」

「呃，當然知道……啊，如果您是說網球場，本館有專用的……」

「就算是笨哥哥的手下，也知道空有場地打不了網球吧？不幸的是，跟我一起來的只有二十年來從沒邁步跑過的傢伙，和只會把球從下往上丟的猴子男而已。任憑我身手再如何矯捷，也不可能自己接自己打出去的球，就算做得到，也不好玩！」

「不，呃……」

「我剛問你會不會打網球。」

「小、小的嗎？呃，這，是摸過一點……」

「那過來陪我打。」

「呃，不，那個小的我那個，啊，呃，請、請稍等一下……」

總經理面色有些蒼白，喊著部下的名字，跑到後場去了。男子放下雙手，身子一轉，面向怔在過橋處的久住。

久住……傻住了。

男子的五官精緻得宛如洋娃娃，整個人活脫一座希臘雕像。眉毛深濃，但一雙大眼中的眼瞳色素淡薄。身材高挑，或許不是日本人。男子可能注意到久住在看，眼睛半瞇，狀似訝異地看著他。

久住連忙背過臉，往休息室走去。

久住並沒有任何心虛之處，是為了看得發痴而感到羞恥。

大片玻璃外，是和風庭園及一片晴朗的藍天。休息室有四、五名外國人在休息。

「很傻眼，對吧？」

斜後方傳來聲音，轉頭一看，關口站在那裡。他還是一樣，一臉無精打采。久住有些呆笨地寒暄道早。已經沒那麼早了。

「吵吵鬧鬧的，真是抱歉。**那個**是我朋友，這家飯店的老闆的弟弟，榎木津禮二郎。不過總經理也太倒楣了。他直到昨天都一直很安分……啊，他並不是瘋子還是怎樣，就只是個怪人而已。可是嗳，他老是那副德行，跟他在一起，真的很丟臉。啊……」

關口的視線轉向櫃台，皺起眉頭，喃喃：「總經理打算怎麼辦呢？」久住瞄了一眼，女僕和櫃台人員正帶了幾名像是住客的外國人回來。

是兩名女士和一名高大的男子。

麗人一看到他們，用應該是歡喜的誇張動作表達歡迎，搶在總經理開口之前，愉快地大聲說了什麼。

總經理只是手足無措。雖然看不出是怎麼一回事，但若是吵起來，事情就不得了了。但三名外國人笑呵呵地聽著麗人說話，笑得更開心了。

麗人也更大聲地笑了。

「他還會說英語呢。」

關口以疲倦的表情說。

麗人留下茫然自失的總經理和女僕，拍打著外國男子的肩膀，四個人一起從正面玄關離開了。

真的，到底是怎麼一回事？

「大概是要跟那些人去打網球吧。語言好像也都可以溝通呢。唔，他的話，或許日語溝通才有問題。」
「他到底是什麼人？」久住問，關口應了兩個字：「偵探。」
久住一頭霧水。
接著關口說了聲「剛好」，指示遠離窗邊的角落。
較為陰暗的那個座位，坐著一名男子，正在閱讀像文件的東西。
似乎……穿著和服。
打扮就像大正時代的文士。
這名走錯時代的男子看上去極度不悅。若非遇上極慘的事，否則不可能露出如此凶神惡煞的表情。
久住就有個朋友遇上極倒楣的遭遇，丟了錢包，無計可施，走了一整晚的路終於回到家，住家卻遇上了回祿之災，燒個精光，他正啞然無語，討債的又找上門來，當時他臉上就是這種表情。
關口往那邊走，久住跟了過去。
男子眼睛一直盯著手邊的文件，然而關口一站到他前方，他立刻把臉轉向久住，起身說：
「幸會，敝姓中禪寺。您一定是劇作家久住先生。」
似乎正想開口的關口被先聲奪人，一臉難看。
「我是舊書商，在東京的中野經營一家舊書店。這次接到調查古文書古紀錄的委託，所以下榻在這家飯店。我不清楚我這個熟人是怎麼介紹我的，但還請不要太過當真。」
自稱中禪寺的男子以清晰的發音流暢地說完，表情稍稍緩和了一下。關口的表情扭曲得更厲害，直接在中禪寺對面坐下來。
「喂，有必要這樣損人嗎？」
「我哪裡損人了？倒是你，哪有先坐的理？應該請人家先坐吧？」
久住先生，您不嫌棄的話，請一起坐吧——中禪寺指示關口旁邊的座位說。
「關口好像正為了某件事牽腸掛肚。他這個人一旦為什麼事操心，就怎麼也擺脫不掉。或許是給您添麻煩……當然，前提是您有空的話。」

「不會，時間我多得是，倒是，不會打擾到您嗎？」

中禪寺看起來很忙碌。

「現場下午才會過去，到中午前我都有空。至於關口，大概是這輩子都會永遠空閒下去。」

「喂，京極堂。」

「京極堂是小店的店號。」中禪寺說明。「對了，久住先生，今出川老翁可還健朗？」

「呃……」

久住原想應「是」，但隨即轉念打住了話。今出川是久住所屬的劇團的金主。久住記得跟關口提過有金主，但應該沒有說出名字。

「那是誰？」關口問。「倒是，你怎麼能什麼都搶先一步？你跟這位久住先生應該是第一次見面吧……？」

「中禪寺先生認識今出川先生嗎？」

久住忍不住問，這話不期然地打斷了關口的抗議。中禪寺瞥了關口一眼，說：「我們沒有見過，但我對他知之甚詳。」

「不是，所以那是……」

「別搗亂，好嗎？我在跟久住先生說話，你可以不要插嘴嗎？」

「本來是我要介紹的，好嗎？我根本什麼都還沒說啊。」

「我們都寒暄過了。聽著，今出川廣彬先生一直到昭和五年，都在當時的宮內省擔任侍從職事務主管，退休後隱居鎌倉，潛心鑽研戲劇史。」

「那位先生……怎麼了嗎？」

「今出川老翁戰前主要研究戲劇改良運動，不過戰爭過後，他的研究熱忱似乎變得更加旺盛，將視野從猿樂、能狂言、歌舞伎、新派、少女歌劇擴大到大眾戲劇、地下戲劇，老翁儘管身在民間，仍是我國戲劇史的……」

「所以那個人……」

中禪寺揚起一邊眉毛，朝關口送上尖利的視線：

「你還不懂嗎？今出川老翁雖已屆高壽，對現代戲劇卻有極深的造詣，特別關注小劇團，不僅善意宣傳，還不惜餘力資助，因此十分有名。」

「啊，就是久住先生的劇團的……」

關口問：「是嗎？」久住含糊地回應。

「你居然知道。」關口看向朋友。

「關口。」中禪寺說，眉心擠出皺紋。「你也實在遲鈍到家了。」

「怎麼會？一般人才不曉得吧？」

「你啊，今出川老翁就是榎木津的外祖父啊。」

「咦？」

「你忘記了嗎？之前的風波，向榎木津提起相親的欣一先生，就是今出川老翁的孫子啊。不，這家飯店的老闆總一郎先生也是他的孫子。不不不，剛剛還在這裡吵鬧的**那個**也是他的孫子啊。你都不知道嗎？」

關口應該不知道吧。

「你啊，把興建這棟飯店的土地賣給總一郎先生的，就是今出川老翁。這裡原本是老翁的別墅所在地。這是自己的外孫在自己的土地蓋的飯店，老翁當然會把這裡當成他在這裡的落腳處。」

「原來是這樣啊。」

「久住先生住的客房，是專門保留給老翁的客房。一般都會發現吧。」

「不，才不會發現呢。」

「我也不曉得這件事。」久住說。「我沒有住過其他客房，而且昨天去關口先生的客房打擾時，格局也差不多，所以……」

「並沒有特別裝潢嘛。房間和其他的頭等客房一樣，只是聽說都會空下來，以便老翁隨時入住。這裡本來是老翁的別墅，是低價賣給總一郎先生的，所以這應該是總一郎先生特別安排的吧。」

看來老翁非常賞識久住先生呢——中禪寺說。

「呃，是這樣嗎？」

「那間客房似乎很少讓人使用，除非有該界的大人物請託。因此老翁對於劇團月晃……不，是對您吧，應該期待頗高。」中禪寺說。

「我……我只是個一無是處的半吊子啊，這……」

「若非如此，老翁不會提出重新建構能這種麻煩且困難萬分的課題給您吧？」

「呃……」

關口對中禪寺透露了多少？

小說家似乎察覺了什麼，搖了搖頭：

「我可沒說什麼，但這傢伙很討厭，聞一知十，甚至二十。」

「你在說什麼啊？聞一當然只知道一，聞十就只能知道十啊。久住先生是小劇團的專屬作家，鎌倉的金主要求他寫出以能為題材的現代戲劇劇本，他關在這間飯店寫作——你不是這樣說的嗎？我覺得聽到這些，就大概都知道了。」

「連劇團名稱和金主的名字都知道嗎？」

「當然，因為我本來就知道。」

「難道您早就知道我們劇團？」

這實在不可能吧。他們的劇團只能租到極小的表演小屋，也毫無攬客能力，幾乎沒有知名度可言。

「我是沒有拜見過舞台演出。」中禪寺說。「但我是開書店的，會得到各路消息。我會讀報紙、雜誌、傳單，還有今出川老翁寫的東西……」

確實，今出川先生多次介紹他們劇團的公演。只是介紹的媒體全是只有圈內人會讀的油印小冊子，以及發行量不多的地方雜誌。

「這傢伙什麼都讀。」關口低著頭說，中禪寺反駁：「文字就是給人讀的吧？」
「就算是這樣，我是說，全部都記起來也太奇怪了吧？」
「那是因為你什麼都記不住吧。」
「唔，這倒是沒錯。」關口苦笑。
這時中禪寺舉手招來服務生。
「再一杯咖啡，記在二〇五號房。還有紅茶……不，啊。」
中禪寺說到這裡，看了久住一眼。
「如果您早上已經喝過了，要不要點別的？或是點些輕食當早餐？」
「不，請等一下。」
這個人……
「不必了，紅茶就可以了。」久住回道。
「你就愛自作主張。」關口說。「最好改掉這種替人點餐的毛病。」
「不願意的話，改過來就行了啊。我又不是強加於人。而且你明明嚐不出味道，卻只喝咖啡，不是嗎？」
「不是說我。」關口說。「是久住先生。你幹麼擅自幫人家點紅茶？」
「簡單，你昨晚不是叫我喝阿節小姐忘記收拾的咖啡？那個時候你說了什麼？你說雖然涼掉了，但沒有人喝過。別說涼了，根本都冰掉了。」
「我是那樣說過。」
「這表示久住先生沒有喝吧？我猜想久住先生要不是客氣，就是沒心情喝，但今早我看見女僕新田小姐端著紅茶。」
「你怎麼知道她端紅茶去哪裡？那麼多女僕走來走去。」
「你啊，新田小姐經過那座複製橋，上樓去了。也就是說，點紅茶的是二樓的客人。一月剛過的二月現在，是一年當中住客最少的時期。雖然一樓的二等客房還是客滿了，但今天住在二樓的住客只有四個人。」

「是這樣嗎？」

「就是這樣。說到二樓的客人，就是我們幾個啊。榎木津應該還在睡，我已經在這裡了，而你就像個不開竅的傻瓜，就只會點咖啡。這麼一來，二樓的住客就只剩下久住先生……一切順理成章，連想都不必想。」

「可是……對了，你怎麼知道那是紅茶？」

「紅茶和咖啡，用的杯壺都不一樣啊。」中禪寺厭煩地說。「你真的什麼都記不住呢。」

真不好意思啊，久住先生——中禪寺不知為何向久住賠罪。關口低著頭，噘起嘴唇。

「你道歉，是要我把臉往哪裡擺？是啦，我的腦袋的房間大概很小，而且亂成一團吧。所以我動不動就忘東忘西，有什麼辦法嘛？」

關口以帶著意在言外的眼神看向久住。是在說昨天談到的內容。這話實在難以回應，久住只「哦」了一聲。

「我健忘的程度，都讓我懷疑我是不是年輕型健忘症了。也會造成許多麻煩。」

「可是這也幫了你很多吧？」中禪寺說。

「幫了我……嗎？」

「遺忘就是最大的救贖啊。」中禪寺說。「不管是討厭、羞恥、悲傷、痛苦，只要遺忘，就不算什麼了。像關口這樣充滿恥辱的人生，是藉由遺忘來維持均衡的。」

「這話也太傷人了，不過確實沒錯。如果我像你一樣什麼都記得，大概已經崩潰了。說起來，到底要怎麼樣才能像你那樣連雞毛蒜皮、無關緊要的事都記得一清二楚……？」

「記住事情是很簡單的，不要刻意去記就行了。」中禪寺說。

「什麼？」

「我說，不要刻意去記就行了。」

「所以說，你這話真是莫名其妙。」

「我之前也說過，人的腦袋效率十足，多餘的事物，根本不會認識。大腦並不會認識所有的一切。昨天的我和今天的我的差異，只有身上衣物的顏色和布料不同，此外的全被省略了。」

「這我聽你說過。重複的資訊全被捨棄，只有差異會被認識到，對吧？」關口不服氣地說。

「雖然正確地說，是用已有的記憶去填補重複的資訊吧。而且並不是被捨棄，而是沒有被認識到而已——中禪寺說。

「還有，人是會漏看的。不被視為差異的事物，一樣會被省略。說起來，要意識到所有的一切是不可能的事。我們必定都是挑選資訊去認識的。但是比方說，我們可以閉上眼睛，卻無法關上耳朵。」

「廢話嘛。這我也在哪裡聽過。」

「也就是說……我們現在除了關口那咬字不清的附和之外，也聽見了在你背後談笑風生的英國人的對話，以及在櫃台詢問該如何前往華嚴瀑布的美國人的聲音等等。」

關口回頭看了櫃台一眼，說：「不，聽不到吧。」

「不是聽不到，是你沒在聽。做為聲音，是聽得見的。雖然外國話就算仔細聽，也多半無法理解吧。」

「那不就沒有意義嗎？」

「所以才不會被認識到啊。」

「也就是說……雖然聽見了，但沒有被知覺，是嗎？」久住說。

「完全就是這樣。」中禪寺微帶笑意地說。「沒錯。反過來說，有些事只是沒有被知覺到，卻被接收了——也就是記起來了。」

「那種記憶根本不曉得是什麼吧？」

「沒這回事。如果是日語，應該就能明白。」

「才聽不出來呢。」

「聽得出來的。」中禪寺說。「不管是在人潮當中，還是在宴會當中，要是有人說你的壞話，你一定會立刻聽出來吧？應該也不是對關口巽的辱罵說得特別大聲，和其他聲音的條件完全一樣。」

「不，可是聽不清楚的聲音，就只是噪音吧？就算記住了，也只會變成噪音的記憶啊。」

「沒這回事。」

這時，咖啡和紅茶送上桌了。

「久住先生，這位大師昨天似乎盛情演說了一場。」

「不，是我在向他討教。」久住說。

「唔，我是猜得出他說了些什麼啦……這位關口老弟，老是說些忘記了、想不起來、想起來就完了這類消極的內容，對吧？」

「呃，差不多……」

「就如同本人再三聲明的，他腦中能夠進行意識工作的所謂記憶的房間，應該是又小又亂吧。不過這並非這位關口大師比別人遜色或糟糕。人類的構造都是大同小異，相差不到哪裡去的。只是……」

這位關口老弟開口閉口就是自我貶低——陰沉卻伶牙俐齒的和服男子惡意地說。

「這是一種防衛本能，您最好別在意。那所謂的腦袋裡的房間，每個人都一樣小的。不過，房間的壁櫥卻是無限廣闊。沒有意識到的記憶的收納場所，比意識到的記憶的房間更要大上太多了。因此……」

全部塞進那裡面就行了——中禪寺說。

「等一下，京極堂，那樣不就沒有意義了？連知道都沒辦法知道了，不是嗎？」

「怎麼會？」

「啊……這個問題我也想要請教。」久住說。「從昨天開始就一直在討論這件事，我似乎也有些混亂了。」

「不，我想久住先生的思考，應該比關口更井然有序。」舊書商說。小說家把頭一撇。

「呃，這我就不能肯定了。雖然我一點一滴整理，覺得似乎以自己的方式漸漸理解了……但還是沒有自信。如果說沒有意識到，怎麼說呢……到頭來不是跟忘掉沒兩樣了嗎？」

「是這樣嗎？如果根本沒有意識到，就不會覺得忘掉，也不會試圖想起來。不過並非從一開始就不存在，也不會消失。」

「可是，那不就是沒用的記憶了嗎？」關口說。

「怎麼會？就如同沒有無用的紀錄，也沒有無用的記憶這回事。我舊書方面的師傅常說，世上沒有無用的書，只有糟蹋書的人。並不是沒有用，只是不知道如何用它罷了。」

「用它……要怎麼用？那種甚至沒辦法知道存不存在的記憶，形同暴殄天物吧。那裡不是不可知的領域嗎？」

「你不就知覺到了嗎？」中禪寺說。

關口露出小孩子惡作劇被抓包的表情，沉默下去。

「不可知，意思是無從知曉吧？但你不就確實地知道嗎？對了，我聽說久住先生也回想起以前摸過蛇的事。」

「是這樣沒錯……」

「您並沒有忘記這件事……也就是說，您從未自覺自己記得這件事……對吧？」

「呃，確實如此。所以回想起來這樣的說法或許有些不正確。」

「看吧？」中禪寺說，瞇起看著關口的眼睛。「不就順利連上記憶了嗎？」

「不，所以那是……」

中禪寺的表情極盡刁難。

「我知道了，既然是關口你，八成說了什麼不利於自己的事會被藏起來、威脅到生存的可怕記憶會被封印，所以對於想起那些，你害怕得不得了之類的話，是吧？」

關口閉上嘴巴，視線低垂，應了聲「對啦」。

「果不其然。不過不是那樣的。聽好了，不是不利於自己的記憶會被藏起來，而是人**只會**意識到對自己有利的記憶。」

「那不就反了嗎？」

「是反了啊。只有生存所必要的記憶會保留下來。不，只有生存所必要的記憶會被挑選出來，出現『意識』這樣的反應。你用房間來比喻的東西，說起來就像是商店的櫥窗。」

「櫥窗？」

「櫥窗裡陳列著商品，讓客人知道有哪些品項、品質如何。想要推銷的、銷路好的、新的商品，會醒目地擺在最前頭。但商品本身是在倉庫裡。收起來的庫存品當中，有許多沒有陳列出來的東西。其中應該也有不良品、危險物品，或不想賣的東西。」

關乎存在的可怕物品，沒必要擺在顯眼的地方吧？——中禪寺說。

「所以才收藏在倉庫深處，只是這樣罷了。最好是可以報廢處理，但不巧的是做不到。沒辦法吧。」

「因為……記憶不會消失，對吧？」

「是啊，只會找不到而已。關口說的亂七八糟的房間，就是櫥窗的陳列方式拙劣、雜亂的商家。連老闆自己都搞不清楚有賣哪些東西。」

你好歹收拾一下吧——中禪寺說。

「可是京極堂，假設有那樣一座倉庫，我的意思是，那間倉庫沒辦法輕易進出吧？倉庫應該鎖起來了吧？」

「倉庫都是開著的。」

「啊？」

中禪寺笑了——似乎。原來他並非心情不好。

「就算鎖著，上鎖的也是老闆吧。那麼鑰匙應該在老闆手上啊。而且根本不要鎖就沒事了，只會多費一道工夫。所以嗯，只是門稍微重了一些而已。」

「是……那麼簡單的東西嗎？」

「就算是無意識的領域，那也是自己啊。這是關口這類人常有的誤會，把意識當成自己，雖然簡單，卻是錯的。意識只不過是為了方便而浮現的反應而已，本質在於沒有意識到的地方。」

就算不思，我仍在——中禪寺說。

「這……」

「當然，我說的並非哲學上的思考，也不是在否定思辯的理解，這只是單純的事實。因為即使人由於某些差錯，無法思考了，人依然存在。就是這樣的意思。」

「等一下，京極堂。」

關口極不服氣地從外套掏出皺巴巴的紙菸盒，抽出一根。

「你簡直就像聽到了我跟久住先生昨天說了些什麼。」

「不用聽也知道啊。這個過年，你不是又被大河內給駁得落花流水嗎？他開始沉迷於康德，所以止步於笛卡兒的你被批評得很慘吧。」

「那天你又沒參加討論。」

「我在工作啊。」中禪寺說。「我在讀輪王寺送來的史料。」

「但你還是在一旁聽到了嗎？」

「所以說，不聽也知道啊。笛卡兒把基本放在透過思考與存在的關係來認識世界，所以不相關的事物，只能當成不可知了。所以我猜想，你這種性情的人，應該會覺得害怕吧。」

事實上關口的確很害怕。

「反正你一定會說不可怕。」關口說。

「要是害怕，就拋棄那種思考吧。」中禪寺說。「不管康德說什麼、大河內說什麼，如果你的本質抗拒，就沒必要聽從啊，關口。畢竟透過思辯導出的命題，遲早都會遭到批判，有時還會遭到否定。比起毫不批判地相信，懷疑、思考更重要多了，這才是哲學的基本吧？要信的話，信神佛就夠了。」

「我就不擅長哲學啊。別看我這樣，我可是理系出身的。」關口說。

久住感到意外。

「但你說的東西卻很文學。若是仿傚你，繼續用文學的方式來比喻，那座倉庫不需要什麼步驟也能打開，裡面無限量地收藏著沒有意識到的記憶，愛怎麼閱覽就怎麼閱覽。」

「所以……您才說即使沒有意識到，也能夠記住嗎？」久住問。

中禪寺訂正說：

「即使沒有意識到，也會**不由自主**地記住。」

「會自動記住嗎？」

「是啊。努力記住什麼、不忘記什麼的情況，只有意識到的部分會被切割出來認識，對吧？這樣雖然是認識到了，但如果保管場所太亂，會有可能不知道被塞到哪裡去了。也就是說，會忘記。」

「除此之外……」

「除此之外的一切，全部統統直接送進倉庫裡。對了，久住先生……會做筆記嗎？」

「嗯，重要的事會寫下來。」

「只記下要點的時候，除了要點以外的事，是不是不太會記得？」

「是啊，嗯，確實是這樣呢。」

「是在聽到的時候，就進行了取捨呢。記下撿拾的資訊，此外的當場直接丟掉。」

會是這樣吧。

「那些必要的資訊你都記得嗎？」

「咦？嗯，因為都寫下來了嘛，大部分都記得……就是為了避免忘記才寫下來的。」

「變成文書紀錄的階段，資訊就會變得相當單純，因此更容易記住吧。可是……」

「嗯，很多時候會因為寫下來而放心，就這樣忘記了呢。」久住說。

「若是筆記丟失了，會怎麼樣？」

「啊，呃……」

「應該會想要設法想起來，實際上應該也會想起來……但即使想起來了，在看到筆記以前，仍然會擔心到底記得對不對，是不是這樣？」

「確實。」久住說。

「是同樣一回事。就算沒有實際寫下來，記住一件事的行為，就形同在腦海裡做筆記。也就是說，捨去了許多的細節。而就連寫下來的小部分資訊，也有可能丟失。因此沒必要刻意集中去記住某部分。就算不這麼做……倉庫是嗎？東西一旦進入倉庫裡面，即使不願意，也全都會保存在那裡。」

「喂，京極堂，照你這樣說，不是每個人都能記住無限多的事了嗎？哪有這種事？我……」

「我知道你記性很差，但那並不是因為你的性能特別差啊，關口。你非常正常，只是動不動就亂丟東西而已。像你的房間也是，不管雪繪女士再怎麼努力收拾，也從來沒有維持整潔超過一天。你連找東西都很笨，因為你連眼前的東西都看不見。上次也是……」

中禪寺伸手指向半空中。

「我叫你幫我拿那裡的書，你卻獨獨忽略我指的那一本，說沒有那本書。」

「那是因為你家書太多了。」

「沒有半本是一樣的書啊。我連書名都說了。」

「那個時候，你也像剛才那樣在讀東西吧？你根本看也不看就亂指一通。」

「書就在我指的地方啊。」

「是在你指的地方沒錯啦……」

「你的眼睛唯獨沒有認識到我指的那一本。你只看我要的那一本書周圍的書背。成見過深，就會變成這樣。我不是說過很多次了？」

「大人說的是，我就是不擅長整理東西和找東西。我學不來從早到晚都在分類整理的你。不管是書桌抽屜還是皮包裡面，順帶連腦袋裡面，都一團混亂。但也不必在第一次見面的久住先生面前揭人家這些瘡疤吧？跟現在在聊的事又無關。」

「有關啊。」中禪寺說。「如果能夠自由運用倉庫裡一切的東西，那就是萬能了……不過就像你說的，天不從人願。就算打開倉庫，倉庫裡的架子數量也多到數不清，架上更是堆著多如牛毛的大量盒子。等於是要從其中找到想要的東西。」

「喂喂喂，」關口說著，甩了甩也不送進嘴裡，一直夾在指間的香菸。「那實在不可能找到吧。想要找到，不曉得要花上多少年工夫。沒辦法在需要的時候找到，還不是一樣暴殄天物？」
「沒這回事。只要知道哪裡收著哪些東西，當下就能找到。」
「是要怎麼知道？你不是說倉庫裡的分類，是無意識的領域自動進行的嗎？」
「但那也都有一套法則，而且法則只要稍微想想就知道了。因為這個法則無法恣意改變，一旦明白，就再也不會迷惘了。所以與其關心倉庫的門鎖、門怎麼開，了解分類整理的法則，知道哪個架上有哪些東西，更重要多了啊，關口。」
「說得那麼容易。」
「就很容易啊。事實上，久住先生不就喚醒了蛇的觸感的記憶嗎？」
對吧？——中禪寺問久住。
「與其說是喚醒……」
不，那絕對不是想起來，但也不能說是一直記得。確實，形容為叫出或喚醒，或許比較貼近實際的感覺。
「您並非絞盡腦汁才回想起來的，對吧？遺忘的記憶，必須翻遍凌亂狹小的空間才能挖出來，但您那是呼應必要，立刻被喚醒的記憶，所以從來沒有被遺忘過。」
沒錯，也沒有遺忘的感覺。
「關口似乎舉了伊佐間的事當例子……啊，伊佐間是之前沒辦法吃牡蠣的釣魚池大叔的名字。他的情況也是一樣的。」
「是嗎？」關口問。
「是啊。那只是無意識把分類搞錯了而已。在應該收藏牡蠣口感的盒子裡，放進了會肚子痛、會死掉這些別的東西了。」
「呃，應該就是這樣，可是……」
「只是平常根本不會去留意那個架子，所以才沒發現而已吧。因為我們在一旁七嘴八舌起鬨，叫他走到倉庫裡的架子前面，看看盒子裡頭到底有什麼，他才發現：咦，裝錯東西了。不過只要搞錯一次，似乎就會養成習慣，往後還是有些不安，但姑且是重新分類過了。他不就痊癒了嗎？」

「唔，沒錯，可是……」

「像這樣找出倉庫裡的東西是很容易的。倉庫的門沒有上鎖。就算鎖著，也可以輕易打開來。但是……」

中禪寺摸索衣袖，掏出火柴，遞給只是一直把玩香菸的關口。

「倉庫裡除了架子以外，還有好幾隻五斗櫃。有些抽屜可能上了鎖，深處還有小金庫。而且就像銀行的保險櫃一樣，是一整面。這類東西要打開的時候，應該就需要各別的鑰匙了。」

「鑰匙……」

就是這個。

「明明就有鎖嘛。」關口說。

「當然有了，那是金庫嘛。這種地方，裝的多半是不想被拿出來的東西。對吧？」

「所以說，」

關口說道，終於把菸放進口中，擦亮火柴。中禪寺把自己附近的菸灰缸推向關口那裡。

「我說的就是那些金庫啊。那些抽屜和金庫的鎖，鑰匙在哪裡？明明就沒有嘛。」

「就在自己手中啊。」中禪寺說。

「哪有？」

「你以前不就打開過？」

「我那時候打不開啊。」

關口只抽了兩三口，就把菸給捺熄了。

「說到那些鑰匙，它們平常放在哪裡？」久住問。「應該說，是誰打造的？」

「是自己打造的啊。」中禪寺說。

「自己？」

「喂喂喂，說是自己，也是沒被意識到的無意識的自己吧？那種東西要從何知曉？要怎麼弄到那些鑰匙？」

「不是這樣的，關口。把東西放進金庫，或許是無意識做的，但製作鑰匙上鎖的人，應該都是有意識的自己本身。」

「是嗎？」

「因為……」

上鎖，是為了**打開**啊。

「什麼？」

「永遠都不再打開的話，根本不需要什麼鎖。即使沒辦法丟掉，也可以把它糊起來、用釘子釘起來吧？鎖這東西，是為了平常不會取用，但需要的時候可以拿出來的機關。放進金庫裡的不是垃圾，而是絕對不能丟失的重要物品吧？」

言之成理。人不會因為丟不掉，就把垃圾放進金庫裡。但……

「上鎖的人是自己啦。」中禪寺說。

「可是，我沒有鑰匙。」

「那是因為你把鑰匙弄丟啦。」

所以才叫你好好收拾——中禪寺再說了一次。

「你那才是忘記放到哪裡去了。你連自家的鑰匙都搞丟過兩三回，不是嗎？雪繪女士參加法事不在家的時候，你不是跑來說鑰匙搞丟了，要我收留你過夜？」

「那都幾百年前的往事了吧。」

「不管幾年前都一樣，好嗎？正確的時間，是昭和二十五年九月的事。你記得那時候我跟你說什麼嗎？」

「誰會記得啊？」關口說。

「我說，想想你做事的風格，八成是塞進錢包裡了。結果還真的就在錢包裡。你說那天雪繪女士不在家，萬一把鑰匙搞丟就麻煩了，所以刻意收進錢包裡。」

「有這回事嗎？」

關口把臉撇向一邊。

「就是這樣啊。那個時候，你的錢包裡還裝著你第一次領到的稿費。因為裝了太多東西，錢包都快爆開了。萬一錢包丟了，等於是全副身家一口氣全丟光了。你老是在做一樣的事。」

「一樣的事……」

「你動不動就把做好的鑰匙弄丟。因為怕搞丟，於是把鑰匙收到某個地方。有時還會把鑰匙藏進別的金庫裡，然後再把那個金庫的鑰匙搞丟。又因為害怕這種情況，又繼續弄巧成拙……你就是成天這麼搞，才會弄到一團亂。」

「啊……」

關口忽然露出恍然的表情。

「我說啊，關口，凌亂本身並不是什麼缺陷。只要知道什麼東西在哪裡，沒必要整理得一絲不苟。就算亂，一樣是亂中有序的狀態，那不是混亂，只是紛陳而已，是外觀的問題。雖然我覺得要是你沒法做到井井有條，至少也該收拾一下。整齊的狀態，要找東西也比較容易。但你不會整理，又不收拾，那就會掉東掉西。你就是這種人。」

會很麻煩的——中禪寺說。

「麻煩？」

「你不就搞出過一堆麻煩嗎？你好像比喻成門受到外界的刺激而打開，但那也就是被第三者點出丟失的鑰匙所在，或是被他人指出有鑰匙這東西，而忽然想起。」

「簡而言之……就只是忘了嗎？」

「所以說，好好收拾一下啊。」中禪寺叮嚀了第三次。「看是要分類，還是歸位都行。最好兩邊都做，但我不期待你能做到這麼多。櫥窗就算亂了點，只要掌握哪裡有哪些東西就行了。即使這些都做不到，只要能好好管理鑰匙串，其他總有辦法搞定。」

「這樣嗎？」

「是啊。金庫只要鑰匙都在，就可以打開使用，很方便的。」

「方便？」

「很方便啊。現實的金庫，也是有用途才會被發明出來。誰會沒事去製造不方便的東西呢？」

「什麼？」

「你也太遲鈍了。東西只要收進金庫裡，就可以放心了吧？說起來，根本就不曾浮出意識表面的記憶，也**無從忘記**。」

「記憶本來就不會消失吧？」

「所以了，只要意識到，就有丟失的可能啊。要在凌亂的房間裡翻找是很辛苦的。倉庫的架子可以輕易查看，所以有時會把東西從那裡拿出來，結果弄丟了。所以為了保險起見，才會鎖進金庫裡吧？」

「現實的東西是這樣。」

「腦袋裡也是一樣啊。金庫裡裝的並不是對自己不利的東西。金庫是用來存放、保管**重要物品**的工具吧？不論那重要物品是好是壞。」

「重要物品嗎……？」

關口的眼神陰暗得可怕。

「金庫是很堅固的。而且只要能管理好鑰匙，就算小偷闖進來也不怕。」

「中禪寺先生，那是一種比喻嗎？」久住問。

「是比喻啊。」中禪寺當下回答。

「小偷是什麼比喻？」

「哦，是指那些想要擅闖他人倉庫的壞傢伙。雖然大部分都不是偷東西，而是留下多餘的東西，或是掉包盒子裡的東西。」

「我不懂。」久住說，關口發出像嘆息的一聲「啊」。

「是催眠術嗎？是吧？」

「是啊。去年你不是吃足了苦頭嗎？所謂的洗腦，也是類似的東西，差別只在於一個是宵小，一個是強盜。要是有那種人闖進來，撿到掉在地上的鑰匙……」

「夠了，別再說了。我知道了。就像你說的，我……我的倉庫被人翻箱倒櫃了。」

「不光是翻箱倒櫃，你連倉庫裡不可能有的東西都被擺到櫥窗裡了。結果呢？」

「別說了。」關口說。

「要是平日好好收拾，一有多餘的東西混進來，立刻就會發現了。所以我才會再三再四叫你收拾。你需要的，是勤勞、細心的分類整理。」

「我就是不擅長收拾啦。嗳，去年的事，所有的一切都不堪回首。我才想把它們全部塞進金庫裡鎖起來，把鑰匙扔了呢。」

去年關口究竟遇到了什麼樣的遭遇，久住無從得知，但關口看上去極度懊喪。昨天他也說自己遭到作祟，實際上應該遇到了相當多的麻煩事吧。

「你就該這麼做。」中禪寺說。「你愈是那樣努力去忘記，就是愈強烈地去意識。東西不要大刺刺地擺在櫥窗正中央，收進金庫裡，藏到倉庫深處吧。反正你還是會搞丟鑰匙。你那麼健忘，兩三下就能輕鬆搞丟了。」

「是啦。」

「喏，很方便的，而且也是種解脫。」中禪寺說到這裡，站了起來。

「幹麼？」

「還幹麼，時間差不多了。我再三分鐘就得離開這裡。徒步到現場要二十五分鐘多一些。今天對方說會準備便當，我想在十一點半以前抵達。」

他看也沒看時鐘，怎麼會知道時間？

我悄悄回看身後，卻沒有任何可以知道時間的裝置。

「喂。」

小說家可憐兮兮地抬頭。

「沒有這樣的吧？都還沒進入正題呢。昨晚我不是也跟你說了一堆，這位久住先生的……」

「因為是你來說明，所以拖泥帶水呢。」中禪寺說著，俐落地將桌上的文件還是古文書理好，用包袱巾包起來。

「我就是為了那件事才把久住先生介紹給你的啊。關於那件事，你都還沒……」

「我說啊，關口，都是因為你一直為了無聊小事亂插嘴，才搞得話題沒進展。而且剛才說了那麼一大堆，也還在昨天你們聊到的範圍內。離題的人是你啊，關口。」

中禪寺喝光杯中剩餘的咖啡。

「你、你也太薄情了。又不是完全沒交情，至少給點建議……」

「關於那件事……我想現階段我派不上用場。」

中禪寺轉向久住說。

「目前我還不清楚詳細情形，只有根據關口模糊記憶的匱乏資訊。而且這個問題似乎相當敏感，所以我叫他先不要向我透露特定個人的資訊。關口這個人本來就不擅長說明，因此我聽到的內容更靠不住了。」

「請問……」

「哦，關於昨天關口發表的演說內容，就如同我剛才絮叨地提到的那樣，沒必要放在心上。雖然是有那種情形，但並不是說有，就絕對如此。」

「什麼那種情形？」關口問。

「就是關口以文學表現比喻的，被封印的記憶受到外界刺激而復甦這類情形。」

「不是有嗎？就金庫的……」

「所以那是一種比喻。」中禪寺不耐煩地說。「關口的說明不能說是錯得離譜，卻是極為恣意且武斷的。我不就是這個意思嗎？什麼可怕、不安，那只是你的感受、感想，不是可以一概而論的。」

「可是……」

「沒有什麼好否定的。就連哲學的命題都會受到批判了，科學知識也會更新。即使是宗教，順應時代趨勢來變更教義解釋，才是潮流。姑且不提對口耳之學深信不疑、雖然詞彙貧乏，仍為了助人而拚命傳達的阿節小姐，關口老師可是從最高學府畢業、對精神神經醫學也有非凡造詣的知識分子，怎麼能用曖昧模糊的文學表現，去迷惑正在困惑的人？……對吧？」

「所以怎麼樣？我又不是專家，我只是個病人。」關口說。

中禪寺瞇起眼睛：

「喂，你現在已經不用定期回醫院了，所以已經康復了吧？緩解之後也和主治醫師過從甚密，才會知識這麼豐富，不是嗎？要知道，這兒……」

中禪寺用食指敲了敲自己的太陽穴。

「**這裡**的研究才剛起步而已——不，甚至連一步都還沒有跨出去，什麼都不了解啊。所以腦科學家和神經科學家說的不一樣，精神科醫生說的也是另一套。學習佛洛伊德的降旗先生，說的應該又是另一回事。所以了，想到煞有介事的內容，自己恍然大悟是無所謂，但那種東西，在你自己的小說裡披露就夠了。」

「好啦。只是你有時間像那樣滔滔不絕地對我咒罵批評，最起碼也……」

「所以我沒時間了。」

關口朝起身的中禪寺伸手，然而舊書肆沒理他，抓起疊好放在旁邊椅子的斗篷大衣披上。

「我信奉準時。尤其是工作，基本上都會提前。我跟你不一樣，自懂事以來，一次都沒有睡過頭。」

「所以你不是已經提前了嗎？只要不遲到就夠了吧。」

「關口，拜託你，不要把我們扯進你一團渾沌的人生，好嗎？你很閒，或許是無所謂，但我和久住先生都還要工作。」

「我……」

中禪寺抬手，制止久住的話。

「那麼久住先生，日後再討論您的劇本吧。至於另一件事……」

中禪寺說到這裡打住，訝異地看著久住和關口。

「你每次只要插手，就會不可自拔嘛……」

接著又說：「啊，一分鐘過去了。」

看看懷表，十一點六分。

「唔……是啊，就像釣魚池大叔的倉庫放錯盒子一樣，金庫也有可能不小心放進別的記憶。打開鎖一看……」

結果裡面是別的東西，也是有這種事的——中禪寺說。

「別的東西？」

「是啊。我覺得若是這樣，那位小姐也有可能是把**連自己都不曉得的東西**放進了金庫裡。」

「聽不懂。那是……」

「火柴送你。」

那麼，失陪了——中禪寺朝久住行了個禮，快步朝玄關走去。

鵺（一）

據說有許多文化把鳥比擬為死者的靈魂。

她認為這單純是來自於鳥飛向天空的聯想，但鳥多半棲息在山中，因此她認為與山也不無關係。

似乎也有些文化圈把山視為死者靈魂的歸處。山是一種異界。同時，聽說也有些地方認為他界在海的另一邊。

就現代人一般的感覺來看，或許天堂在天空之上，而地獄位在地底，但這僅僅是一種印象吧。說起來，根本沒有這樣的**地方**。天堂地獄應該存在於觀念之中，即使不是如此，也是位於不同次元之處吧。

天空和地底沒有這樣的地方。現代人都知道這件事。雖然無從確認是否真是如此，但就是知道。這片大地是一顆大球，它飄浮在虛空之中。上只是遠離大球的方向，下也只是往大球中心的方向。

天與地，如今都只存在於概念之中。

但縱然知道，也沒有真實的體會。東西掉落時，不會覺得是被吸向地球，往上跳時，也不會覺得是在遠離地球。

天就是天，地就是地。

像這樣一看，在過去，山與海或許也是概念中的事物。現在山只是標高較高的地方，海僅是積在窪地的巨大水灘。但過去並非如此。在古時，山應該是擁有不可侵犯之處的聖域，海也是沒有對岸的未知領域吧。

無論是山、海還是天空……都是人去不了的地方。或者應該說，是通往去不了之處的入口？

而鳥……

可以前往任何地方。不管是山的彼方，還是海的另一頭。

翱翔天際。

至少光是具備抵抗引力的力量，鳥就比人更自由。然後，鳥……

——會去到人去不了的地方。

她雖然並非生活在稱得上都會的大城市，但也從未待在如此接近天然邊際的地方。單純的鳥啼聲聽起來有些不同，是這個緣故嗎？

綠川佳乃眺望破裂的玻璃窗外，浮想聯翩。長年棄置的玻璃髒污，變得像霧面玻璃一樣模糊。朦朧霧白，只有破裂的部分景色是清晰的。

把視線拉回室內。

好了，接下來可怎麼辦？綠川不知如何是好。

無從著手。倒不如說，沒有處理的意義。醫療器具還能使用，但帶走也不能如何。這種過時的器具就算轉賣，也沒有哪個醫生會樂意收購吧。

家具也是一樣。不，家具更舊了。不是什麼有裝飾性的設計，因此毫無古董價值。長椅都塌陷了，桌椅的木料也都快爛了。至於床，只剩下台子而已，感覺連舊貨商都不會收。

只能丟著了吧。

——問題是。

滿櫃子的文件。

可以就這樣丟下不管嗎？這麼長的年歲間，沒有任何人去碰，因此應該也不是什麼機密文件，但感覺內容有些不尋常。

不過，綠川雖然看了，也看不太懂寫了些什麼。雖然也不至於完全沒譜，但難說是她的專業領域，因此有許多不明白的地方，只能依靠推測，結果只能說是不懂。而且有一半像是物理學還是什麼的算式，或計算值的表格，這些幾乎如同密碼。

綠川是醫生，但並非臨床醫。她是所謂的病理學家，主要負責組織診斷。她的工作是檢驗切下來的組織，不可能懂得物理學的數值那些。

更別說設計圖、估價單等等，她更是完全沒轍。

怎麼辦？她思忖。

不清楚它們的價值。應該就這樣原封不動地離去吧。就算雞婆，一把火把它們燒了……

——也不會有人知道嗎？

沒有像樣的遺物。

留在這裡的，只有一些衣物和文具。還沒有找到照片或手記等等。

但有病歷。

保守估計，應該也要有十五、六年份的病歷，然而數量卻少得異常。她懷疑戰前的病歷都被銷毀了，稍微翻看了一下，發現最早的日期是昭和八年，也有日期是過世前一刻的病歷，因此這些就是全部了。

是病患很少吧。

畢竟這裡人煙如此稀少。

前前後後長達二十一年之間，叔公就在如此簡陋的診所起居。

鳥又啼叫了。

最後一次見到叔公，是十歲或九歲這個年紀嗎？感覺當時叔公就已經是老人了。

因為他滿頭華髮嗎？

冷靜想想，當時叔公才五十多歲，搞不好還不到五十。離老人的年紀還太早。

現在綠川也已經年過三十了。雖然沒有自覺，但她愈來愈接近當時的叔公的年紀了。不過，綠川不太有自己上了年紀的感覺。中間隔了一場大戰，而且她埋頭拚命地學習，所以根本無暇去思考那些嗎？

像這樣一看，二十年光陰或許一眨眼就過去了。但……

孤獨一人在這種地方生活，也會是一樣的感受嗎？三餐那些都怎麼辦？

診所裡鍋碗瓢盆一應俱全。

但並不骯髒。廚房也很乾淨。雖然無法想像叔公下廚的樣子，但他應該是一個人獨居，所以應該是自炊吧。

——是悟出死期將近嗎？

還是隨著衰弱，減少進食，最後斷食了？就好像以前聽過的**塊佛**〔註〕。聽說佛教裡面，有種修行是逐漸減少進食，最後活生生地成佛。

雖然在醫學上，這就只是餓死。

總而言之，叔公是在這間簡陋的小屋裡斷氣的。因為沒有親人，是公所把他火葬了。一直到很後來，才查到叔公還有綠川這個親屬，但綠川接到聯絡時，已經是叔公變成骨灰好陣子以後的事了。

既然死在這塊土地。

鳥又啼叫了。啼聲哀淒。

——叔山變成了鳥嗎？

——不。

是回歸那座山了嗎？說回歸很奇怪嗎？

綠川想著，望向破裂的玻璃縫。

一名男子正窺覷著這裡。

註：原文作「かまたり仏」，也就是「即身佛」，斷食進入涅槃的僧人木乃伊。

猿（二）

「殺掉了嗎？」築山問，看上去好相處的老人說「很殘忍，對吧」。

「那可是尊貴的神明使者啊。殺掉那樣的神使，是會遭天譴的。就是幹出這種事，石山家的嘉助才會潦倒，老婆也跑了，最後喝醉酒掉進溝裡摔死了。這都是亂射猴子的報應。」

這裡是仁禮下榻的民宿小峰莊的玄關。就像仁禮說的，鞋櫃上鎮坐著三猿飾物。

小峰莊位在築山寄宿的人家和工作地點輪王寺的中間。平日早晨，仁禮會站在民宿前面等築山，兩人一道上工去。

今天因為寺院祭儀的關係，中午過後才開工。

築山似乎來早了，沒看到仁禮的影子。進門一看，仁禮好像還沒有準備好，因此築山一邊等仁禮，一邊和民宿的老爺子話家常。

「那個人是獵師還是別的嗎？」

「嘉助才沒那麼厲害咧。他好像有槍枝的執照，但本來是個工匠。好吃懶作的工匠。他說猴子在他家搗亂，很生氣。」

「是那個……」

發光的猴子嗎？——築山問。

「不，是普通的猴子。不是每一隻猴子都會發光。闖進屋子搗亂的只是普通的猴子。猴子不曉得啃了他家的白蘿蔔還是什麼，嘉助氣死了，順手抄了槍，像這樣衝出家門。要知道，猴子這東西身手快得不得了，一眨眼就溜掉了。被牠跑進樹林裡，就再也追不到了。就算有槍，也不可能打得中。可是……」

就在那兒啊——老爺子眯起了眼睛，神情就像看著某種神聖之物。

「山王大人的神使就在那裡。告訴你，那可不是普通的猴子。因為牠全身上下都在發光呢。神明的使者才不會偷吃什麼白蘿蔔，對吧？可是因為發光，特別醒目，就算在黑夜裡也看得見，所以那個天殺的嘉助，一氣之下朝祂開了槍。真是太蠢了。」

「然後……」

「哪有什麼然後？嘉助就把神使射死啦。明明神使的猴子根本沒去啃他的白蘿蔔。」

「那，那隻猴子……」

「猴子就猴子啊。」

死了就變回普通的猴子了——老爺子說。

「死了也會發光嗎？」

「這就不曉得了。本來應該是在發光，可是死掉以後……就變成屍體了嘛。嘉助要是好好把人家埋了還是怎樣就好了，但聽說就這麼丟下不管了。居然這樣對待神使。」

老爺子的視線移向鞋櫃上方。

上面擺著怎麼看都是土產店買來的、一臉蠢相的三猿飾物。似乎不常清掃，積了相當厚的一層灰。旁邊擺了個金魚缸，滿滿的全是不曉得苔還是藻，都看不見裡頭了。

「喏，猴子就該好好敬拜啊。在日光更是如此。像我，都會像這樣早晚膜拜一回。所以我不但沒被捲進戰禍，還像這樣生龍活虎的。」

「那是什麼時候的事？」築山問。

「什麼時候喔……我想想，已經是快二十年前的事了吧。有這麼久嗎？對了，那件事沒多久，我就買了這些猴子。」

老爺子趿上拖鞋，走下脫鞋處，粗魯地一把抓起猴子飾物，觀看背面。

「昭和十三年。我這人什麼事都會寫下來。上面寫著昭和十三年三月十二日。嘉助射死猴子，是這半年前左右的事吧。」

「那麼，是昭和十二年嗎？您從那時候就在開民宿了嗎？」

「還沒啦還沒啦。」老爺子揮揮手。「那年頭才沒什麼民宿哩。戰後啦戰後，變成民宿是戰後的事。旅館業法頂多五、六年前才訂的吧？我馬上就去辦了簡易宿所登記。在那之前，嗯，是做地下的啦。」

「那時候也沒有法律規範，所以也不算地下吧？」

「哦，沒掛招牌，也沒宣傳，所以算地下啦。嗳，那個時候的我，跟嘉助是半斤八兩的吊兒郎當、遊手好閒嘛。」

老爺子——根據門牌，他的名字叫小峰源助——在坐在地板木框的築山旁邊坐了下來。

「小峰家代代都是農民。不過我是大津來的入贅女婿啦。然後……嗳，我討厭種田，又沒個一兒半女的，老婆三十多年前就走了，喏，這房子大得沒用啊。所以偶爾會有一些做工的、行商的來過夜。」

就只是供人過夜而已——小峰說。

「然後人家就會給幾個錢。很輕鬆，對吧？啥事都不必做。不過說到啥都沒做，像嘉助那個痞子，連朋輩組〔註〕的差事也不做，大哥說的話也不聽，根本就是個無賴，我是沒他那麼誇張啦。我這人沒膽嘛。可是我就是討厭種田。那是……對，是我看見神使猴子的三年前左右吧。來了一大堆不曉得是工人還是士兵的人。」

「士兵？軍人嗎？」

「對。不曉得是來幹麼的，來了十五、六個人。不光是我這兒，還有一堆打散住到附近的民家。總共應該有四、五十人吧。」

「那時候發生了什麼事嗎？」

「不曉得吶。」小峰說。「現在回想，好像是在挖防空壕之類的東西吧。不對，不是嗎？從時間來看，

註：朋輩組是從江戶時代開始的一種地方互助組織。

挖防空壕還太早嗎?」

「你說那是昭和十年以前吧?」

「不記得了吶。」小峰回應。「買來的東西我是會寫下日期啦。應該比那些猴子早個三年以上,所以應該是吧。」

小峰又歪起了頭:

「不過,嗯,住在我這兒的人最多。大概住了一星期左右吧。我猜地位比較高的應該是去住飯店旅館那些地方了吧。那種地方很貴嘛……不過啊,明明什麼都沒招待,連我都拿到一大筆謝酬呢。沒供飯,連鋪蓋都不夠,還四處去借才湊齊,可是還是給了我一大筆錢。多虧這件事,當時我發了筆小財。嗯,因為這樣,我也才動了這個念頭。」

「哪個念頭?」

「就是考慮徹底放棄種田,開個行商客棧那些的。可是嗳,還是猶豫不決啊。我還在盤算,就在這時……」

神使猴子。

「降臨了。就在那兒。神使大人打開那道玄關門,就坐在那兒。所以我心下就想,啊,這一定是權現大人的神諭,保佑我順順當當,結果唉,嘉助那渾小子,居然把神使猴子給一槍斃了。然後緊接著沒多久,嘉助就不行了。不到幾個月就翹辮子了。」

是作祟啊,作祟——小峰說。

「這事讓我引以為戒,想說像嘉助那樣自甘墮落不會有好下場,就此洗心革命。我為了認真好好打拚,請人做了那些猴子,把房間也整修了一番,還跑去學做菜,準備著要來開客棧……沒想到根本沒有客人上門。」

因為都沒宣傳嘛——小峰又強調了一次。

「而且,那年代不流行什麼旅行、觀光。就在勉勉強強撐著沒倒的時候,戰爭就開打了。所以嗯,是到戰後才有了個樣子。也規規矩矩跑去登記了。可是實在沒客人啊。」

小峰空虛地笑。

「可是啊，現在我還能像這樣賴活著……」

小峰指示鞋櫃上方。

「全都多虧了這些猴子吶。」

「老闆信仰很深呢。」

「信仰……？」小峰說，笑了出來。「不是那麼了不起的東西啦。我連老婆的墓都不會去拜呢。我都在這兒住了超過五十年了，連東照宮也只去看過兩、三回。雖然遇到祭典儀式那些，是會去幫忙啦。就這樣而已。不過，跟年輕時候不一樣，我開始覺得神佛是靈驗的，懶懶散散會遭天譴，所以要認真努力。嗳，這也都是……」

這些猴子的保佑啊——小峰說，向猴子拜了拜。

築山覺得就是這樣的。

只要能讓人萌生虔敬的感受，無論是什麼，都能成為信仰的對象。

俗話說，信仰至誠，沙丁魚頭也成神〔註〕，真正就是如此吧。

仁禮咋天說，傳教需要的，到頭來就是現世利益，但就是拿大義名分、權威、正統為依據，搞出一套複雜的教義體系，才會需要這些權宜的說法吧？沒有包人賺大錢、治百病、變聰明的教義。雖然築山不清楚其他宗教如何，但至少佛教是沒有的。

不……

雖然沒有，但其實是有的。參拜寺社的人，其實全都懷著這樣的盼想。這不是什麼壞事。祈願從古時就

註：原文「鰯の頭も信心から」這句俗諺，有「心誠則靈」之意。

有，也不會有人苛責這件事。這樣就行了。

可是。

小峰目擊奇異的發光猿猴的瞬間，應該得到了某種啟示。然後這位名叫小峰的人得到了救贖。

若說救贖太誇張，可以說以此為契機，他有些改變了。

聽他的說法，並沒有任何戲劇性的變化，像是此後的生活景況改善了、身體變健康了。那應該只是細微的心境變化吧。其實什麼都沒有改變。即使如此，他的生活還是不同了。

沒有奇蹟，也沒有神蹟。沒有功德，也沒有救濟。但這仍然是不折不扣的現世利益吧。

素樸而無垢的信仰，不必附加什麼道理，它本身就是現世的利益。不，現世利益，就是信仰本身。

不需要經文，也不需要祝禱。不用宗派，也不用教義。

因此為了讓動機的那一刻恆久永存，小峰買了猿猴飾物。這位老爺子藉由祭祀猿猴，來維持心靈的平靜吧。

築山看向猿猴飾物。

客套也稱不上精緻。

「跟左甚五郎做的差得遠了呢。」築山說，小峰笑了：

「這個啊，雖然是木像，不過是石工雕的。我在入贅進來以前住在大津，那裡有庚申塚，好像也有庚申講。」

「庚申講嗎？」

是在庚申之日進行的講會。

「對啊，每六十天一次，會眾要熬夜聽講。那時候我還是小毛頭，所以沒跟著熬夜，但大人都會熬通宵。然後，我是不曉得那是什麼，總之會蓋庚申神的碑。」

「噢。」

築山聽說過，每逢庚申講的重要時間點——每三十次，或當年有七次庚申的年度，就會興建石塔或石碑。

「那也是三猿喔。我是不曉得那是不是山王大人的神使猴子，不過總之我跟猴子很有緣。猿神大人護佑著我。」

小峰似乎只是熟悉庚申講，並非日吉大社的氏子（註）。

「當初我本來是想做那個的。只要刻在石頭上做成碑，就能保存上百年嘛。可是啊……」

我自個兒又撐不到百年——小峰說。

「我沒有孩子，這家店也沒人繼承的話，只要能撐過我自個兒活著的年歲就行了，所以沒必要刻在石頭上，對吧？因為我身後也沒人會收嘛。所以我正在煩惱，石工就幫我雕了。雖然刻石頭和木雕手感很不一樣吧。」

很棒的猴子呢——小峰說。

相當討喜。

但並不莊嚴，也沒有靈妙的感覺。不過這不是佛像，只是木雕猴子，這也是當然的。儘管如此，這木像依然是信仰的對象。

雖然信徒只有小峰一個人。

這時仁禮出來了。

「抱歉讓你久等了。以為時間還早，不小心拖晚了。」

我睡過頭了——仁禮搔著頭說。

「你一定是熬夜讀資料吧？聽說你搬了一堆資料回來。」

「送了三大箱過來，我嚇了一跳呢。」小峰苦笑。「重得要命，還以為他要永遠住下來了。」

「我又沒別的事好做，晚上很閒嘛。」

註：氏子為一地神社信仰圈裡的信徒。

「真是認真啊。我在你這個年紀，沒有一天天黑以後還在家的。」

「電費請另外算。」

「我沒斤斤計較到那種程度啦。」老爺子笑了。

仁禮是個機智和善的青年，但年紀輕輕，似乎就把人生全奉獻給學術研究了。雖然不是木頭人，但不喝酒，也不會出去夜遊。

「就像築山先生說的，我讀那些文書讀到凌晨。讀到不可自拔，就這樣睡著了。醒來一看，眼鏡居然不見了，真是急死我了。」

「找到了嗎？」

用不著問，眼鏡就在仁禮臉上。

「不知道為什麼，眼鏡插在火盆的灰裡。應該是我睡昏頭，自己插進去的吧。花了一番工夫才洗乾淨，害築山先生久等了。」

「不會，是我來得太早了。我很難適應非常規的行程。不過，這兒的老闆告訴我很多有意思的事。」

「這種事，想聽多少就有多少。」

老爺子笑著走上木板地，招呼「請慢走」。確實，再不出發就要遲到了。

外頭微陰，有些寒冷。

「老爺子……是不是說了猴子的事？」仁禮說。

「是啊……應該說是我問他的。」

「我已經聽了三遍了。我是六號來的，等於是每兩天就聽他說一回。就那個叫嘉什麼的人射死猴子的事。」

「石山嘉助。」

「你記得真清楚。」仁禮佩服地說。

「我才剛聽到而已啊。」

「我根本就沒想要認真聽，所以是左耳進右耳出。就算穿過三次，也什麼都沒留下來。再說，猴子會發光，這不是幻覺就是妄想吧。」

是嗎？

「會不會是真的看到了？」

「猴子會發光嗎？」

「應該是不會……但就是不會發光的東西發光，才會印象深刻吧？否則不可能過了十幾年都還記得。」

「可是猴子才不會發光呢。到底是哪個部分、怎樣發光，實在無法想像。又不是螢火蟲，猴子的屁股只會發紅。唔，眼睛或許是會發光啦，但貓眼也會發光啊。」

築山也這麼認為。

雖然就聽到的感覺來看，是全身朦朧發光。

「果然還是無法想像吶。」仁禮說。

築山以為他們準時到了，但中禪寺已經在會客室等待了。桌上有三個便當、燒水壺和茶杯。

「等很久了嗎？」築山問，中禪寺說「二十八分前到的」。看看時鐘，十一點五十九分。

「我們是約中午，所以時間剛剛好。我本來打算三十分鐘前到，但晚了兩分鐘。在我內心，遲到的是我自己。」

「這什麼奇怪的理論。」仁禮笑了。「是我睡過頭了，害築山先生等了超過十五分鐘。築山先生要是直接過來，應該十五分鐘前就到了吧。」

是我不好——仁禮說。

「沒有人指責任何人啊。是我自己要早到的，若是有誰蒙受麻煩，應該是築山吧。好了，寺方好意準備了便當，過來吃吧。吃完立刻動工……」

「這個人迫不及待想工作呢。」仁禮說著，坐了下來。

「我從旅店老闆那裡聽到有趣的事，所以一點都不覺得麻煩的。」

「那件事有趣嗎？」仁禮一臉古怪。

「嗯，因為讓我有了一些想法。」

讓築山對信仰有了一番思索。

「哦，是猴子的事啦。雖然應該是老爺子瞎說啦。怎麼樣？中禪寺先生，猴子會發光嗎？」

「要看是怎麼發光吧。」

中禪寺放下筷子，從水壺倒茶。

「猴子不會發光啦。要是像貓一樣眼睛發亮，還可以理解。」

「眼睛不會發亮吧。」中禪寺說。「貓的眼睛在夜裡發亮，是因為視網膜和脈絡膜之間有一層明毯。因為貓是夜行性動物。貓眼讓穿過角膜進入的細微光線在明毯反射，送回視網膜放大，補強影像。」

「喔。猴子沒有那種明毯嗎？」

「眼鏡猴那類原猴類應該有，但那人說的是日本猴吧？應該沒有吧。」

「那就不會發光啦。可以想到的可能性，是靜電那些吧。」

「靜電嗎？那也是貓才會吧。而且也是摸的時候發電亮一下而已，不會持續幽幽發光吧。山野的猴子因為靜電而發光，這實在難以想像。」

「那果然是幻覺了。」仁禮說。「自然界沒什麼會發光的東西嘛，頂多就是螢火蟲、光蘚……其他就是海洋生物吧。螢烏賊、鮟鱇魚，還有……有種叫電水母的，那會發光嗎？」

「那是被螫到會像被電到一樣痛吧。」築山說。

「原來是指電擊啊。」

「就像仁禮說的，深海似乎有不少會發光的生物，不過鮟鱇魚是與牠共生的發光細菌在發光。為什麼細菌會發光，原理好像尚未解明。擁有發光的器官的，應該就只有螢火蟲和螢烏賊吧。但牠們也不是全身都在發光。」

「就說嘛，又不是神佛。」

「神佛也不會發光喔。」中禪寺說。
「不會嗎？」
「那是背後的圓光。」
這麼說來……確實如此。
「神佛不會發光吧。據說神佛顯現的時候，會有光照射下來，或周邊聖光籠罩，但並非神佛本身在發光。就像仁禮說的，自然界鮮少有會發光的事物。至多就是太陽、月亮這些天體吧。火焰很明亮，但我們不會說火焰發光。火是在燃燒。其他的……就只有閃電吧。雖然也有菩薩的身體發光這樣的記載，但我覺得那原本應該是伴隨著光明的意思吧。背後有聖光照射。」
「那御來迎（註）……啊，對喔，那是指佛陀菩薩乘紫雲來迎接，是嗎？」
「是跟御來光搞混了。所謂御來光，是從山頂看到的日出。只要在山頂背對日出站立，任何人看上去都會變得神聖無比。但站立的本體會變成影子吧，並不會發光。」
是不折不扣的背後聖光嗎？
「如果本體會發光，就不需要背後的聖光了吧。雖然也有像不動明王那樣，被火焰籠罩的圖像，但如果本體會發光，火焰就相形失色了。本體會發光，應該是受到繪畫等觸發，在後世形成的印象吧。畫成圖畫，就無法分辨是背後的光還是本體發光了，而且若是要畫得清淨莊嚴，也會畫成就像在發光的樣子吧。」
「實際上無法想像呢。」仁禮說。「現在有電燈泡、螢光燈等等，各種東西發明出來，所以不覺得有多奇異了，否則應該連想像都很困難。渾身是毛的猴子發光，唔，這我到現在還是無法想像。」
確實，是毛的尖端發光，還是整身毛都在發光，又或是皮膚在發光，實在不清不楚。
「猴子啊……」

註：御來迎是淨土宗思想中，信徒臨死之際，佛陀菩薩乘著紫雲前來迎接至極樂淨土。

中禪寺望向天花板。便當已經吃完了。

「東北那邊，據說年歲極大的動物，會變成一種叫做經立的東西。猴子當然也會變成經立。猴子的經立——簡而言之就是怪物，我聽說其中有些經立會操縱發光物。不過那並非自身在發光。」

「操縱發光物，那是怎樣的狀態？」

「這個嘛……每天夜晚都有怪光出現，循著那光前去，發現有猴子的經立……應該是這樣吧。猴子可以自由自在地操縱那光。雖然怪物最後都會被人類消滅。」

「光的話，沒有攻擊能力吧？只會覺得刺眼而已。要操縱的話，火焰不是比較好嗎？不，火的話，猴子自己也會被燒焦呢。」

「據說經立的體表會變得像鎧甲一樣堅硬，所以或許不怕火，不過火的話，還是不會說發光吧。」

「會說……在燃燒呢。」

「是啊，陽光、火焰這些東西，都被視為陽火。應該是指伴隨著熱度吧。相對地，妖異的火焰，被視為陰火。」

「是鬼火、狐火那些呢。」

「嗯……是啊。陽火陰火並非自然科學上的分類，因此十分模糊，而且陰火當中似乎也包含了球狀閃電之類的現象，因此應該不能一概而論……不過絕大多數的陰火，應該可以視為冷光。」

「不是冷咖啡呢。」

築山聽不懂這是在說什麼，但中禪寺難得笑得頗為開心。

「冷光，聽起來像冷咖啡的簡稱呢〔註〕。螢火蟲光那種生物發光應該是一種化學反應，是沒有熱度的吧。是指這種不熱的光呢。」

「螢烏賊也是這樣嗎？」

「是啊。但我們不會說螢火蟲或螢烏賊的光是陰火。」

「也是。」

「螢火蟲就是螢火蟲，並沒有什麼妖異的地方嘛。雖然是冷光，但並非陰火。但同樣是陰火，球狀閃電那些簡而言之就是雷電，而且也有熱度，若是點燃什麼東西，就變成普通的火了。但閃電是青白色的，對吧？陰火都是青白色的。」

「螢火蟲……也不青嘛。在海裡發光的……嗯，不是青色就是綠色吧？」

「就算是青色，也不熱呢。」

「火焰是溫度愈高，顏色愈青吧？」築山說，仁禮接著說：「因為是陰火，所以相反嗎？」

「與其說是相反，那本來就不是火燒，只是發光而已。那不是燃燒。我想想，除了生物發光以外，其他簡單明瞭的現象……燐光嗎？」

「啊，燐光。這麼說來，據說燐就是人魂、鬼火等等的真面目呢。」

仁禮這麼說，中禪寺揚起一邊眉毛，露出奇妙的表情：

「原理應該是人骨當中的燐溶出來點燃而燃燒，但這個……嗯，只能說或許也有這種情形。假設出現妖異的火光，那究竟是什麼，也是由看到的人來認定。有可能是眼花，也有可能是電漿。不過燐這個漢字，原本好像就有人魂的意思。」

「因為會發光的關係嗎？」

「不不不，燐那不是發光，是燃燒。」

中禪寺收拾便當空盒，邊倒茶邊說。

「只要空氣溫度超過四十度，白燐就會自燃。即使是摻雜了不純物的黃燐，也會在六十度左右燒起來。那是……燃燒。」

「可是你剛剛不是說燐光嗎？」

註：冷光的日文讀音為REKO，冷咖啡則是REKOHI，日文簡稱通常是取兩個詞的詞頭，因此冷咖啡的簡稱也可以說是REKO。

「燐光原本指的應該是燐燃燒的火光，但現在所謂的燐光，指的並非燃燒的燐，多半是指冷光。」

「好混淆啊。」

「是很混淆啊。不過有一種物質，會吸收碰到的光，自行發光。那類物質並不是燃燒，是不熱的光，冷光。能儲存光的蓄光物質，大致上分為兩種。只有光照的期間會發光的叫螢光，照到的光熄滅後，仍能持續發光的叫燐光，好像是這樣。」

「螢光是螢光燈的螢光，對吧？」仁禮仰望天花板。「螢光燈會變熱呢。」

「那是放電的部分在發熱。螢光燈是將電極放射的熱電子所產生的紫外光，透過塗布的螢光物質轉化為可視光。看到的光本身是冷光。」

「這樣啊。是在玻璃管內塗上那所謂的螢光物質，再用看不見的紫外光去照它，讓它發亮呢。那，如果換個時代，螢光燈應該會被分類成陰火嘍。呃，那麼……燐光……」

仁禮好像吃完便當了。話最少的築山吃得最慢。

「啊……」仁禮抬起左手。「有些外國表就算光線陰暗，表面還是會發光呢。就是那個嗎？」

「是啊，應該是在表面塗上蓄光物質的塗料吧。一般好像叫做夜光漆。」

「噢，夜光漆，是吧。那就是燐光嗎？記得那光是青白色的呢。」

「如果在猴子身上塗夜光漆，就算在夜裡也會發光了吧。」中禪寺說。

「塗在猴子身上嗎？」

「一般是不會這麼做呢。沒有這麼做的意義嘛。而且就算塗了，不管理由是什麼，那都是虐待動物啊。」

「是啦，就算塗油漆，也算是虐待呢。」

「油漆也不行，但夜光漆的原料是硫化鉛。先不論硫化鉛的好壞，夜光漆這種顏料，是利用硫化鉛碰到放射線就會發光的性質做成的。」

「放射線……？」

「對。夜光漆裡面，添加了放射性物質鐳。不管是光還是放射線，都是一種電磁波。和螢光管裡的螢光物質儲存紫外光發光的原理是一樣的。螢光管的紫外光，是填充在管內的水銀對放電發生反應而發出，但螢光漆的情況，是鐳隨時都在發射放射線。」

「所以在夜裡也會一直發光嗎？」

「沒錯。可是，那畢竟是放射線。仁禮，你知道鐳女孩〔註〕官司嗎？」

「我只知道賣火柴的女孩。築山先生知道嗎？」

「不知道耶。」

築山終於吃完便當了。

「那是約三十年前的事了。生產軍用夜光手表的工廠女工，全都鐳中毒了。」

「中毒！」

「說是中毒，簡而言之就是曝露在輻射當中而造成健康損害。詳情我也不清楚，但不光是身體不適，好像還引發了癌症等等。這似乎是因為工廠指導女工在上夜光漆的時候，要先舔一下筆尖順毛。舔了含有鐳的顏料，身體當然會出問題。就算沒有舔，因為是手工作業，還是會曝露在低劑量之中。」

「怎麼能允許這麼危險的事？」

「你說危險，但是築山，當時人們認為鐳對人體是無害的。不，好像甚至相信鐳是有益健康的。」

「放射線有益健康……？」

「嗳，自從丟下原子彈以後，炸彈的破壞力不用說，放射線也造成了極嚴重的健康問題，所以放射線有害人體成了全世界都知道的常識……但就連唯一遭到原子彈轟炸的我國，在大戰以前都從來沒有想過會這樣啊。」

確實如此。

註：鐳女孩（Radium Girls）是一九二〇年左右受雇於美國工廠，從事在表面上夜光漆的工作，因此遭受到輻射傷害的一群女工。

築山自己也是，直到遭遇那場史上最惡劣的慘劇以前，對核能都沒有任何負面觀感。當然，他聽說有原子彈這種武器在開發，但應該只把它當成一旦完成，威力驚人的炸彈而已。若問他是否想過放射線竟會帶來如此可怕的惡劣影響，答案是否定的。

「或許……是吧。」

「是這樣嗎？」仁禮驚訝地說。「雖然我是不覺得放射線有益健康啦……」

「當然對健康有害啊。夜光漆也是，現在應該發明出不會發出放射線的產品了。即使只有低劑量，也會損害健康嘛。好像很多都是遲發性障礙，因此難以察覺，但開始使用已經過了很久，之間的因果關係也開始明朗了。放射線治療也是，因為研究有了進展，發現端看如何使用，是有治療效果的……不過在昭和初期左右，狀況大相逕庭啊。那個人看到發光的猴子，是什麼時候的事？」

「應該是昭和十年左右。」

「那是核能還被當成鍊金術一樣吹捧的時期。理研的仁科博士完成迴旋加速器，是昭和十二年的事。當時仁禮還是個小娃兒呢。我和築山也還沒有成人。」

「什麼是迴旋加速器？」

「人工鐳精製裝置——當時好像是這麼宣傳的。」

「噢。可是人工？鐳是可以製造出來的嗎？」

「不行啊。」中禪寺當下回答。「只是製造出性質近似鐳的元素而已。」

「近似？什麼意思？」

「專門的原理，解釋起來太複雜了，而且我不是專家，或許理解不夠透徹，不過當時的宣傳，應該是吹噓該裝置能夠讓物質的原子核變質，製造出世上不存在的全新放射性元素。所以才稱為人工鐳。實驗中使用的好像是鹽巴。」

「鹽巴有放射能嗎？」

「應該有吧，叫做放射性鈉。實驗中，把製造出來的元素拿來澆植物，甚至讓人服用。」

「不、不會死掉嗎？」

「好像沒死，但後來怎麼了，我也不知道。好像做過公開實驗，讓人服下之後，檢查放射線測定器有無反應。報上的標題記得是『鐳人』還是『放射人』的。」

「真是太亂來了。」仁禮說。「倒是，中禪寺先生從那時候就在看報了嗎？」

「那不是多久以前的事。公開實驗應該是昭和十三年以後的事，那麼報導是在十四、五年前。那時候仁禮你也滿十歲了，起碼也會看個報吧？」

「是會看報啦。」仁禮縮了縮脖子。

仁禮動輒揶揄中禪寺，把他說得宛如書痴，但仁禮自己也不遑多讓。只是仁禮看的比較集中於專門領域，其實差不了多少。

築山認為，「書蟲」這樣的稱呼，仁禮反而更當之無愧。仁禮那不像年輕人的言談似乎不是近年才養成的，他應該自幼就是個宛如學者的小孩吧。

「我對那方面的事沒什麼興趣。不管是戰前還是戰時，報上都是些令人灰心的內容，不是嗎？而且也不怎麼能相信。」

「總之，當時就是這樣的時代，沒有放射線對人體有害的認知吧。應該把它當成跟上油漆一樣。不會有哪個傻子拿夜光漆去塗山猴吧。就算是惡作劇，也太奇怪了。」

確實，只會讓碰巧看到的人覺得詫異。但……

「不管怎麼樣，那個老爺子都因為那件事，讓人生走上了正軌，無論是惡作劇還是什麼，都算是無心插柳柳成精〔註〕啊。雖然不曉得是誰為了什麼目的這麼做，但總是好事一樁。」

築山是真心這麼想，中禪寺卻不知道覺得哪裡怪，一臉詫異。仁禮則是露出痙攣的笑，說「我覺得是幻

註：築山在此誤用了俗語。

覺」。

中禪寺似乎在等築山吃完，他把各人的便當盒集中起來，整齊地疊好。

「啊，我來就好……」

築山接過便當盒，正要拿出去走廊，這時房門打開來了。開門的是負責這棟建築物的管理工作——應該說是包辦一切雜務的婦人安田。

「啊，嚇我一跳。我拿新的茶水過來了。」

安田舉起水壺說。

「各位老師，我不小心聽到你們說話，難道那是在說小峰家的阿源？」

「小峰……啊，對，沒錯。」

「我可不是偷聽啊。」中年婦人臉笑成了一團說。「是不小心聽到的。猴子會發光的事，對吧？那件事啊，我都聽到耳朵長繭了。哦，阿源是我過世的那口子年輕時候的酒友啦。雖然是二十年前的事了。阿源，還有另一個過世的……」

「石山先生嗎？」

「對對對，石山。老師真清楚呢。石山是突然一下子就走掉了。」

安田接過空便當盒，擺在走廊上的折疊桌上。

「我聽說是跌進溝裡過世了。」

「是阿源說的呢。雖然他是這樣說，但實際上到底怎麼樣呢？雖然是死在溝裡沒錯啦。」

「實際上不是嗎？」

「就不清不楚啊。」

安田說了聲「打擾了」，走進會客室裡來。

「當時這一帶的人啊，都說石山可能是被殺的。」

中禪寺說了聲「謝謝招待」，仁禮則是點頭行了個禮。

「啊，老師太客氣了啦。不過這便當不是我買的，也不是我做的，所以請跟寺務人員道謝吧。來，請用熱茶。我把涼的撤走。」

仁禮接過茶水，說「也太可怕了吧」。

「什麼東西可怕？」

「妳說人是被殺的？」

「只是大家都這麼傳啦。」安田說。「阿嘉生前就不是什麼好東西嘛。唉，我家那個也好不到哪裡去，阿源也是，那時候真的很荒唐。還有一個，是叫田端嗎？他們四個成天混在一起，花天酒地，人人避之唯恐不及啊。所以也才會傳出不好的風聲吧。」

安田說著，放下水壺，用抹布俐落地擦拭桌面。

「田端是玩女人，阿嘉是賭博，我那口子和阿源是喝酒。噯，阿嘉也常跟人有金錢糾紛，應該是做了什麼不好的事吧。所以才會傳出那種說法。」

「小峰先生說因為石山先生過世，讓他洗心革面了。」

「洗心革面喔……？結果他把田地給賣了啊。不過田端也在阿嘉死掉的隔年吧，一樣過世了。我聽說是上吊自殺，但這邊一樣有人說是被殺的。據說啦據說。」

「咦？那妳先生……」

「我那口子？哎唷，什麼先生，他才不是那麼了不起的東西。他是肝病死掉的。開戰前走的，所以是十三年前的事。阿嘉過世，是在那四、五年以前。緊接著田端就上吊了，所以阿源才怕起來了吧。」

「死了兩個人嗎？那，那位田端先生也殺了發光的猴子嗎？」

「這就不曉得了。不，聽說殺了發光的猴子的是阿嘉啦。不曉得到底怎麼樣呢。是一起看到那猴子了嗎？我那口子也沒看到。」

「一起看到嗎？」

小峰好像是一個人看到的。

「兩個人都接連走了，所以不曉得呢。可是阿源咬定就是猴子作祟，嚇得要死。我家那口子因為酒肉朋友都走了，只得一個人沒節制地喝，才會把肝臟給喝壞了。可是猴子不會發光啦。又不是煤氣燈，八成是喝醉酒看到幻覺啦。所以各位老師，可別把阿源說的話當真啊。」

那等於是有學問的老師被不學無術的傢伙給騙囉——安田笑著走掉了。

「人家這麼說耶。」仁禮詭笑著。「這才是正常的反應吧。我們還那麼嚴肅地研究，真傻。」

「是啊。可是這樣的話……」

即使是幻覺，還是有保佑的。

築山這樣說，中禪寺說：

「做為信仰的動機，再合理不過。奇蹟能成為改信或皈依的動機。」

「奇蹟……？那是猴子耶。」仁禮說。

「不管是猴子還是什麼，不會發生的事就是不會發生的，仁禮。」

世上沒有任何不可思議的事——中禪寺說。

「沒有嗎？」

「沒有。奇蹟就是不可能發生的事吧？可是既然發生了，那就不是不可能發生的事了啊。」

「因為已經發生了嘛。」

「其實只是體驗者或目擊者不明白怎麼會發生這種事、不明白是怎麼一回事而已。確實，那應該是超越人類智識的事。但那種情況，正確的態度應該是把不明白的事就當成不明白，如果厭惡不明白的狀態，就應該要持續思考，直到想通為止……我是這麼認為。」

「一點都沒錯。」仁禮回應。

「然而人這種生物，就是難以去選擇這種正確的態度。大部分的人似乎都不願意直視無法理解之物，承認自己不明白。最多的反應是閉上眼睛，把不明白的事束之高閣。說那是誤會、眼花、幻覺、騙術，這些都是逃避面對的做法呢。雖然大部分的情況，這樣做就行了。」

「這樣就行了嗎？」築山問。

「這樣就行了吧。就算魚在天上飛、馬開口說話，這些事也不會對人的生活帶來什麼重大的變化。比起拼出一套莫名其妙的說法，擺出洞悉一切的嘴臉更要像話太多了。可是有些時候，這一套是行不通的。無法閉上眼情的情況，人會卑屈地仰望，或是高傲地蔑視。」

「我不太懂耶。」仁禮說。「是往上看或往下看來逃避嗎？」

「是啊。比方說，若是認為無法理解的現象背後有個超越者，藉此來理解，不管再怎麼古怪的事，都會變成是神佛所為。這就是奇蹟、靈驗的理解方式吧。沒有道理可言，真正令人敬畏。」

「喔……在神佛面前，會五體投地呢。會抬頭仰望呢。」仁禮說。

「相對地，若是認為背後有狐狸妖怪，會怎麼樣？」

「唔，是野獸的怪物嘛。會害怕、恐懼，但不會敬畏呢。」

「不會害怕或恐懼的。」中禪寺說。「要是真心恐懼，就不會認為是那些東西搞的。野獸可以獵捕、怪物可以消滅。那些東西，是為了讓可怕的東西不再可怕、能夠安心蔑視而準備的裝置。」

「可是怪物讓人害怕啊。」

「但不會令人崇敬吧？」

「唔，是不會。」

「那種東西，是現身之前可怕而已。」中禪寺說。「所以沒遇過的人會感到害怕。因為擔心或許有可能碰上。可怕的不是怪物本身，而是關於怪物的傳說。怪談就是可怕的。」

「妖怪本身不可怕嗎？」

「妖怪根本**不存在**啊。」中禪寺說。

這話也太直接了。

「唔，最近也是有以妖怪**真的存在**為前提的俗濫鬼故事。可是……」

妖怪是不存在的——中禪寺重申。

「不存在……應該吧。」仁禮轉向築山苦笑說。

「不存在吧。把不存在的東西當做存在，這是一種文化上的默契，然而卻把它給打破，真是傷腦筋。怪談的講述，就是遊走在虛實有無之間，為了嚇人，而以真的有鬼怪為前提來述說的話，就只是低俗的胡扯了。此外，毫不批判地相信真的有鬼怪的前提，自驚自嚇，這形同停止思考吧。但因為這樣就搬出心靈科學這種錯誤思考，也教人頭痛。」

「中禪寺先生討厭那些東西嘛。」仁禮抽動嘴角說。「明明喜歡妖怪、怪談。」

「就是喜歡，才會厭惡其他不三不四的東西。像那位小峰先生接受發光猴子的方式，我覺得更要健全數萬倍。」

「唔，或許吧。發光的猴子也是，如果瞧不起，就會變成你之前說的那個經立呢。」

「經立的話，擊退了也無所謂吧。說起來，那類怪物不光是膽小的人，從某個意義來說，反而是傲慢的莽漢更容易撞見。」

「哦，因為他們瞧不起別人嘛。」

「就是相信自己無所不知、絕對正確，遇到無法接受的東西，就會當成是怪物所為。有自知之明的人就不會那樣想。不過不明白的東西就是不明白嘛。」

「有自知之明的人知道謙虛。」

「與其說是謙虛，是非虔敬不可。那樣一來……」

「就變成神佛嗎？」

「如果認為對方是神使，就會崇敬吧。這樣的約定俗成，也會教導人們何謂虔敬。但是從心靈科學這種東西，學不到這樣的心態吧？」

「小峰先生似乎學到了虔敬呢。」築山說，喜歡正確言論卻愛抬槓的舊書商含糊地應道「噯，是啊」。

「若是心性因此向善，不管那是什麼，都是最好的結果……可是……」

怎麼會發光呢？——中禪寺小聲喃喃道。

「還在糾結那件事嗎？那是猴子啊，猴子不會發光的。剛才安田大嬸不是也說了嗎？是幻覺啦。」

「是嗎？可是那個過世的嘉助先生不是也看到了？神祕體驗這種東西，通常都是極為私密的。雖然也常有因為資訊交流而傳播開來的現象……」

「那就是那樣嘍。」仁禮說。「猴子就是猴子吧。又不是哈奴曼（註）還是孫悟空。」

「對了。」中禪寺站了起來。

「就算是孫悟空，也不會發光啊。」

「我不是說那個。我們沒工夫在這裡閒扯淡吧？」

中禪寺放下茶杯，往工作室走去。

「啊，我來開鎖。」

「築山，天海藏收藏的《西遊記》，是世德堂的《新刻出像官板大字西遊記》，對吧？」

「呃，我不記得這麼細的細節，只知道有《西遊記》……」

築山來到中禪寺前方，打開工作室的鎖。

「……《西遊記》怎麼了嗎？」

「哦，就我所知，《新刻出像官板大字西遊記》很古老。應該是日本最古老的版本。我是沒有調查過，但是在中國應該也是吧。」

中禪寺進入工作室，迅速走到角落的洗手台洗手。

築山對著他的背影說話：

「意思是它是原典嗎？」

「不是。《西遊記》並非什麼人從頭創作的作品。在中國，魯迅主張作者是吳承恩的說法似乎廣為流

註：哈奴曼（Hanuman）為印度神話中的猴神。

傳，但也有許多人提出異論。好像也找到了參考的先行文本，情節當中也融入了佛教故事和亞洲各地的傳說。也有許多極古老的繪畫和雕刻留存下來。」

「原本不是《大唐西域記》呢。我記得那不是在貞觀年間完成的嗎？非常古老。」

「當然，應該是以玄奘三藏的取經傳說為基礎，但內容幾乎不同，與史實也不一樣，所以應該不是以它為底本。」

「是呢。真的玄奘要是讀了《西遊記》，一定會嚇死。地理描寫也亂七八糟嘛。」

「不只是玄奘，各地都流傳著許多僧人的取經傳說啊。」

「是混合在一起了嗎？」仁禮邊洗手邊問。

「《西遊記》就像是亞洲的傳說故事百貨公司。文本方面，應該受到據說在南宋成立的《大唐三藏取經詩話》更多的影響吧。但因為已經散軼，不知道內容，而且雖然只是猜想，但原本應該有口傳故事的彙編本，以及根據這些改編的戲劇吧。應是孫悟空原型的猴行者，是當時極受歡迎的角色。」

「猴子很受歡迎呢。」

「是啊，雖然猴子在日本多是反派角色。總之，我認為這許許多多的要素，最初被整理成小說形式的，就是天海藏的《新刻出像官板大字西遊記》。」

「這我懂了，但這樣的話，又是……」

築山提出疑問，中禪寺伸手搭在倹飩箱上：

「倘若這是它的抄本，那就是日本最古老的《西遊記》抄本了吧？前提是我猜對的話。」

「喔……」

「說起來，抄經也就罷了，怎麼會去抄有圖畫的版本，而且是小說呢？就昨天翻看的內容，是沒有翻畫插圖……但怎麼會抄寫這種東西呢？《新刻出像官板大字西遊記》是什麼時候收進天海藏的呢？書本身很古老，但收藏時間應該是更以後……當然是江戶時期吧。」

「請等一下。」築山確認目錄。「呃，上面寫著《西遊記》十卷本一套，二十卷本兩套呢。都是萬曆刊本……但十卷本好像是那個《新刻出像官板大字西遊記》。呃，一部分寫著觀泉坊進獻。」

「觀泉坊，不是延曆寺境內的僧坊嗎？」仁禮說。

「應該是吧。」中禪寺說。「只有這些，可能看不出捐獻年代。而且也得跟原本進行比對，才能查出是抄寫哪一本書。可是這或許是查明這些來歷不明的書籍年代的關鍵。雖然沒有什麼太大的根據……」

中禪寺交抱起手臂沉思起來。

「築山，這裡……可以過夜嗎？」

「你要在這裡過夜嗎？」仁禮發出傻眼的聲音。

「唔，跟安田大嬸說一聲的話……雖然我應該也得一起留下來。」

「視情況，可能要麻煩你。兩位請繼續照常工作吧。」

中禪寺有些愉快地說。

狸（三）

一定是被狸子給捉弄了。

木場如此認為。不，除此之外別無可能。屍體消失一事，無論怎麼想，都沒有深究的意義，因為想也想不通。自己怎麼會為了那種匪夷所思的事跑來這種地方？

木場難得旅行。

首先，他不懂旅行有何樂趣。

前往陌生地點這件事本身，他談不上討厭或喜歡。若是能看到珍奇有趣的事物，也算是不錯。但木場不喜歡搭乘交通工具移動。因為移動期間，他不知道該做什麼好。

徒步移動是無所謂。

因為徒步移動的話，移動就是走路。

既然在走路，就沒必要做別的事。

汽車和摩特車也是，自己駕駛的話就無所謂。因為移動就是駕駛行為。

但除此之外的交通工具就不行了。

不管是電車還是汽車，乘上去之後就只是坐著。無事可做。

只是在移動而已，什麼都不做是理所當然吧。但什麼都不做的時間，木場實在是無法忍受。

那是無所事事。

乘車期間，能做的頂多就是看看書、吃吃便當，但他認為無論是看書還是吃飯，都各有其適合的姿勢，像是躺著，或是坐在桌前。那些不是應該在移動的時候做的事。或許做這些事更有效率，但不合他的性子。

儘管是長距離移動這種不折不扣的運動，自己卻什麼都沒在做……這不符合木場這種彆扭傢伙的邏輯。

木場來到了日光。完全沒有任何旅行的準備。他一身和上班時相同的打扮，也沒有行李。

近野叫他隔天立刻就去，所以他照著吩咐前來，如此罷了。早上醒來時，他原本要去警署上班。是在路上想起這件事，臨時換了目的地。仔細想想，他應該在改變主意的時候先回住處一趟，但就算回去，也不會換衣服，行李頂多也只有換穿的內褲，所以有沒有回去都沒差吧。對於總是隨身攜帶全副身家的木場而言——也就是對沒有半點積蓄餘錢的窮光蛋而言，租屋處就只是睡覺的地方。回去才是浪費時間。

來到日光，四下張望了一圈，卻沒有任何感興。連來到陌生土地的感覺都沒有。

只是景色有些不熟悉而已。街道就是街道。說起來，木場不太理解遊山玩水或觀光旅遊這些概念。這部分他極為遲鈍。說到享受，看電影更要愉快多了。看電影的話，不必移動，就可以去到天涯海角。而且螢幕裡隨時都會發生某些事。即使耐著性子來到遠方……

就只是陌生而已。

什麼新鮮事都沒有。

況且來是來了，木場卻毫無打算，也沒有目的地。連下榻處都沒決定。

這趟日光之行，近野答應木場不管花掉多少錢，都由他自掏腰包全額負擔，但木場的荷包根本沒有揮霍的餘力。

木場被批動輒失控，但那只是結果如此，並非他想要失控而失控，也從來就沒打算要失控。更何況，不是叫他失控就能失控的。

說起來，到底發生過什麼事、沒發生什麼事，他連這些都弄不清楚，就算想衝，也不曉得該往哪兒衝。木場這人既單純又呆笨，不管是什麼東西，只要看起來像敵人，就會朝那裡衝去，但若是沒有這樣的目標，就只能怔在原地。

說起來，他也不覺得日光這地方和遺體消失事件有何關聯。如果要看現場，他覺得應該先去芝公園看看才對。

只有**假設**近野是因為查到某個記者葬身火窟的事實真相而被調走，才能勉強將虛無飄渺的線索連在一起罷了。

而且只是火災當天，記者的小孩碰巧託給別人照顧而得救這件事**不太自然**而已。只是小孩被送去的地點是日光罷了。

——這圈子兜得也太遠了。

他實在不覺得有關。

「我怎麼會在這種地方？」

木場說出聲來，兀自埋怨。

摸索外套內袋，掏出破舊的舊信封。裡面裝著拍攝三具屍體的老照片。這應該是這世上唯一能證明發生過什麼事的證據。

——不對。

只是近野這麼說而已。這是否真的是二十年前那起怪事的現場照片，木場無從確認。也許照片拍到的不是真正的屍體，而是精心製作的假人。

若要懷疑，沒完沒了。

目前讓他相信真的發生過什麼事的理由只有一點：就算如此大費周章精心設計木場，也沒有人能得利，更沒有意義。

如果這全是一場騙局，就跟被狸子騙了沒兩樣。等於木場中了狸子的幻術，大老遠跑到栃木這裡來。

——不過。

這下要怎麼辦？

把信封翻過來。

桐山勘作（KIRIYAMA KANSAKU）……

是近野寫上去的名字。係長說不確定漢字對不對。聽說笹村夫妻就是把孩子託給這個人照顧。只知其名，還有住在日光。似乎是報社員工聽到夫妻對話，剛好記得而已。

——真不牢靠。

就算是真的，那也是二十年前的事了。中間隔了一場戰爭，連人是否還活著都很難說。即使活著，也不保證還住在日光。

這種狀況，就算要暴衝，也不曉得該往哪兒衝才好。

錯過午飯了，先去填個肚子嗎？還是該去公所或警察署？木場猶豫起來。

他身上沒幾個錢。

要是熟悉的店家，還可以賒個帳，但這種地方沒辦法。別說奢侈了，連能住上幾天、盤纏夠不夠回去都沒把握。

更重要的是，自己要做什麼？

距離天黑時間也不多了。木場覺得得先找個地方落腳，決定四處走走，物色客棧。最好是盡量便宜、不起眼的地方。

但這裡並非蕭條的鄉下小鎮，不愧是有許多外國人造訪的風景勝地，沒發現投合木場喜好的破舊客棧。走進小巷。

木場完全不相信所謂刑警的直覺，但對於自己長年流連龍蛇混雜之處所而培養出來的類似嗅覺的東西，倒是有某種程度的信任。

城鎮這種東西，無論打扮得再光鮮亮麗，總是有某些扭曲之處。

城鎮是人造的，但地面不是人造的。不管是填土、鏟平還是挖削，說穿了都只是表面工夫。造路建屋鋪路蓋護岸，這些都形同地面外層的化妝。

再怎麼濃妝艷抹，也無法改變眼鼻口的位置。為了讓眼睛看上去更美，勾眼線、塗睫毛，這些都還好。人再怎麼醜，眼睛總是眼睛。但若是硬在眼睛的位置放上嘴巴，不管再如何誘人的紅唇，一樣怪不可言。木場覺得城鎮就是這樣的東西。

和草木生長不同。建築物無論再怎麼活用地勢建造，首先自然界是沒有直線的，因此很不自然。說起來，城鎮本身就是不自然的東西。

所以會扭曲。就像被那扭曲所吸引一般，扭曲的事物——糟糕的東西會群聚而來。

這不是壞事。

這類糟糕的東西匯聚的場所，功能就是排出城鎮這種不自然人工物的壓力。木場相信，為了維持表面的體面，需要腐敗的內裡。

不過，糟糕的東西，有時會被壞東西取而代之。是因為糟糕的關係吧。這必須加以遏阻。若是牴觸法律，就應該偵緝。

相對地，只要不犯法，即使糟糕也無所謂——這是木場的看法。

壞東西是不必要的。

木場不認同所謂的必要之惡。如果需要壞東西，表示需要它的地基根本就錯了。木場太笨，沒辦法畫出明確的界線，但壞東西就是壞東西。那種東西不需要。

但糟糕的東西……一定是不可或缺的。

不，木場甚至想，或許自己反倒更喜歡糟糕的東西。說穿了，是因為自己很糟糕。一定是這樣的。

因為糟糕，所以知道糟糕在哪裡。木場有些自暴自棄地想著「我就是被狸子迷騙，大老遠跑來栃木的大傻瓜」，也沒怎麼細看周圍，一逕往前走，結果真的讓他鑽進了一條破落的巷弄裡。

這樣的地方，東京和日光也沒什麼差別了。

如此一來，木場總算有了活過來的感覺，真正是土包子露餡。他覺得自己實在鄙俗。

木場看著黯淡的屋舍，甚至忘了當初的目的。這條路很窄，視野也差。雖然也有些看起來像店鋪的房子，但似乎無心做生意。若不留心查看，連有沒有招牌都看不出來。

這時——

冷不防一團喧鬧的氣息撲面而來——有東西從轉角衝了出來。木場瞬間以為自己看錯了，但那是一名年輕女子。女子驚慌失措，或者說氣勢洶洶地直衝而來。

——是在逃命。

當木場如此認識到時，女子已經要撞上木場了。木場連忙側身閃避時，人已經擦身而過了。木場順勢轉向後方，只見女子猛地衝進木場方才經過的人家。

木場愣了一下，慢慢地抬起視線，只見女子衝進去的建築物小屋頂上，掛了塊又舊又髒的木招牌，上面似乎寫著「旅舍」。

——行商客棧嗎？

剛剛沒注意到。那怎麼看都是廉價旅舍。

——那女人。

是那間旅舍的住客嗎？還是……

木場再次轉回身體。如果剛才的女子是遭人追捕，追兵一定會現身。

臉才剛轉過去，一名男子便從轉角冒了出來。男子一看到木場，登時煞住腳步。

——這傢伙。

那張臉他看過。

木場正欲回想，男子已經快步來到了木場面前。圍巾遮住了半張臉，但……

有印象。看似舶來貨的暗色小眼鏡。底下細長且凶狠的眼睛。

「小子……」

鄉嶋。這傢伙是公安鄉嶋郡治——有蠍子之稱的辣手公安刑警。

「居然是你？」

「你是警視廳那個——不，現在下放轄區了嗎？記得你這荒唐的傢伙是……木場，是嗎？」

「我是很荒唐沒錯。」木場說。「倒是你，怎麼會在這種地方？」

「我原話奉還。喂，木場，剛剛是不是有個女人跑過來？」

「女人……」木場回望後方。「一溜煙……跑得不見人影了。怎樣？那是誰？赤共分子嗎？還是……」

「少在那裡裝懂。我已經不是警察了。你才是，在這裡刺探什麼？」

「不是警察了？」

是搶在警察法修訂前調動了嗎？

不……

「你不在警視廳，連警察都不是了？那……」

「我沒義務跟你報告。不管那個……」

「女人已經跑了。不是警察，卻這樣追著年輕女人的屁股跑，我可不能坐視不見。」

「我管你怎麼樣。」

「話可不是這麼說。我還是司法警察官，就算不是我的轄區，就算我在休假，也不能坐視男人對一個女人糾纏不休。」

木場發狠道。

木場面相恐怖，絕大多數的人被他當面一凶，都要畏懼三分。然而這對蠍子卻沒有半分效果。

「別搞錯了。那女人不是監視對象，我追她也不是有什麼非分之想。」

「人家不就在躲你嗎？」

「確實，我是在找那女人。我有事要問她，卻一直不知道她的下落。我今天終於找到她，跟了上去，結果她在華嚴瀑布……」

差點就跳下去了——鄉嶋說。

「跳下去……自殺嗎？」

「還有別的嗎？所以我攔住了她。想問的事都還沒打聽出來，可不能讓人先死了。結果她就跑了。」

「誰叫你一副凶神惡煞的嘴臉。」木場說。「她以為你要殺她吧。」

「那她更不該跑啊，她本來就想死。一下想跳軌、一下想跳河，光是今天，我已經阻止她三次了。」

「真難得，這麼行俠仗義？」

「少開玩笑了。每一次都被她給溜了，最後追到了這裡。」
鄉嶋拉長了身子，想要探看木場背後。
木場拱肩擋住鄉嶋的視線：
「現在追也追不上了。可是堂堂公安大人，連個女人都逮不住，也太遜了吧。」
「這要是嫌犯還是監視對象，早就抓住了。就算是保護對象，也有辦法搞定。但那個女的只是證人——不，可能是證人而已，沒辦法強制她做什麼。」
「你是被挖角到公調了嗎？」
鄉嶋聞言，一臉慍色。
「我叫你公安，你也沒否定，又說你跟警察無關，剩下的就只有公安調查廳或鐵道公安官了。你又不可能被調去國鐵嘛。而且也聽說你是跟特高一道的。」
「我跟特高無關。」
「那就是舊內務省？公調的前身，不就是內務省調查局嗎？總之都是拿掉櫻花徽章，改掛五三桐徽章是吧〔註〕？雖然都不關我的事啦。」
「既然不關你的事，就不要多問。你這條狗也真夠煩人了。你才是，在日光鬼鬼祟祟做些什麼？」
「我是請了有薪假在觀光啊。」
「閒暇只會翻舊報紙看電影的你，才不可能觀光旅行。你的前長官也在這兒亂晃，一定是有什麼企圖。」
「前長官……你是說關口嗎？關口在這裡？」
說到長官，那就是從軍時的長官。那就只有關口了。是個不可靠到了極點的無能長官。
「我前天看到他。」鄉嶋說。「在大街上閒逛。那個中野的傢伙應該也來了。」

註：日本警察使用的旭日章形似櫻花，因此俗稱「櫻花徽章」。公安調查廳的徽章則為「五三桐」圖樣。

「京極堂嗎？不，等一下，我可不曉得啊。我剛剛才到這兒的。」

「都無所謂，總之你少管閒事。」蠍子怒形於色。「少來插手我的工作。你那群狐群狗黨成天就愛亂挖些不必知道的事。上次大磯的那個……青木，那也是你小弟吧？」

「少把人說得像混道上的一樣。總之我完全無關。你才是，少做那種追著良家婦女跑的下三濫行徑。蠍子的名號都給糟蹋了。」

「只要是工作，管他是下三濫行徑還是什麼都得幹。」鄉嶋撂話似地丟下這句話，推開木場，快步離開去追女人了。

木場目送鄉嶋的背影，直至消失，接著折回女人投奔的行商客棧前。

公安調查廳是兩年前創設的單位。和警察的公安有何不同、是做什麼的機關，木場並不知道。他聽說公安調查廳雖然從事諜報活動，但無法申請或行使令狀。

沒有逮捕權。

——那女人。

屋頂上的看板得離遠一點才看得見。

實際上似乎也幾乎沒打算做生意。隔著玻璃門往屋裡看，有個像櫃台的地方，坐著一個禿毛老頭子。

四處張望，一塊門牌大小的舊木板上寫著「旅舍」，底下小小地寫著「田貫屋」。

——又是狸〔註一〕。

總之似乎是間客店沒錯。

木場開門，踏入室內的泥土地。

「不好意思，有房間嗎？」

「當然有，這兒是旅舍啊。」

「我是在問有沒有空房間。更進一步說，是在問給不給住。」

「只要付錢，不管是狸子還是猴子都給住啊。不過不供飯，只供鋪蓋和廁所。」

「只要有鋪蓋跟廁所就很夠了。比拘留室好多了。」
「喂喂喂。」
似乎意外年輕的老闆撇下嘴角，仰望木場。
「小店謝絕不良分子或地痞流氓啊。麻煩事已經夠多了。」
「你說的麻煩事，是剛才的女人？」
「喂，你……」
「我條子啦。」木場亮出警察手冊裡的警徽。
是近野叫他帶著的。他疑惑有薪假期間能帶著警徽嗎？但上司都這麼交代了，應該沒問題吧。不過近野吩咐他盡量別用。但是帶著警察手冊，除了這種場面以外，也別無用途了。
老闆身體後仰了一下，接著發出奇怪的一聲：「哈！」
「那個、大人……」
「不用在那裡大人小人的。我跟剛才那個姑娘無關，也不曉得她是怎麼回事。我只是想要過夜。雖然不曉得會住上幾晚，但錢一定會付。就算身上盤纏不夠，這玩意兒也能證明我的身分。我上頭的老闆可是日之丸〔註二〕呢。」
「下、下榻當然沒問題，這兒是旅店嘛。應該說，請住下來吧。住宿錢也會給您打個折。然後，那個……」
「就跟你說沒事了。」
仔細想想，刑警極少會因公下榻旅舍。即使為了大案子而被派到轄區以外的地方，也不會投宿旅店。出差的機會難得一見，在外住旅店時，也不會刻意表明刑警身分。

註一：「田貫」的發音為「TANUKI」，與日文「狸」同音。
註二：指日本國旗，也就是日本政府。

木場大馬金刀地在老闆旁邊坐下來，問一晚多少錢。價錢比想像中的便宜許多，他預付了兩晚的錢。雖然荷包一下子扁了，但總比無處落腳要來得好。

天黑以後，氣溫就凍人了。

老闆說要寫收據，叫木場填登記簿。因為也不能向署裡報公帳，所以不需要收據，但木場不知為何就愛蒐集這類紙張，因此還是收了。

「這種地方也要填登記簿啊？」

「警察指導要這麼做的。呃，老爺不就是警察嗎？」

「單位不一樣。」

「這樣啊。」老闆說。

「你這兒叫田貫屋吧？田貫是你的姓？」

「大爺問對問題了。我姓田上（TANOUE），這家旅舍是我祖父開的，他的名字叫貫三郎（KANZABURO）。聽說那時候人們都叫他田貫（TANOKAN），所以這間田貫屋，其實應該要念做 TANOKAN-YA，可是沒有人這樣念，現在就成了 TANUKI〔註〕。」

雖然被念錯也是沒法子的事呢——田上說。

「我已經不在乎了。而且就像大爺說的，這種破旅店嘛。」

「冒犯到你了？」

「才不呢，這是事實嘛。我祖父當初應該是為了賺外國人的錢才開旅店的，但外國人才不可能來住這兒呢。沒什麼外國人會特地跑來做生意。後來開了愈來愈多休閒會館和飯店，人都跑去住那兒了。外國人有錢嘛。會來住這種地方的，都是些窮光蛋啊。」

「窮光蛋啊。」

「啊，冒犯到大爺了嗎？」老闆回道。

「才不呢，這是事實。倒是剛才那姑娘，也是有什麼苦衷嗎？」

「大爺好奇嗎？」
「是啊，我好歹是警察。」
「不是單位不一樣嗎？」
「我的話，是負責治安的。我的職責是把壞蛋繩之以法。不過我看她慌得不成樣子，逃成那樣，太不尋常了。是不是有壞人在追她？」
「那個姑娘啊……。這話不好大聲說，可是她啊……」
好像有點心病——田上真的極小聲地說。
「是時下流行的那個什麼……神經衰弱嗎？」
「我不曉得那種時髦病名。大爺，那邊的大馬路上有家佛具行，叫寬永堂，您知道嗎？」
木場不可能知道。
他說他初來乍到。
「不知道啊。哦，那家佛具行是老字號了，咱們家的佛壇也是請那兒做的，所以算得上有些來往。剛剛的姑娘，是那家店的遠親的女兒。父母早逝，生病的外祖母帶著她和年幼的不曉得是弟弟還是妹妹，辛辛苦苦拉拔長大。但老太婆終於不行了……」
「死了嗎？」
「還沒。被抬到車站附近那家叫小橋醫院的地方，好像正在住院。大家都說應該不長了。然後啊，那姑娘把年幼的弟弟還是妹妹託給那家寬永堂，把當前的住院費那些交給親戚，然後……」
「聽不懂欸，她根本沒有理由要跑吧？」

註：日文漢字「貫」的音讀為「KAN」，訓讀為「NUKI」。「田貫」做為老闆祖父的姓名田上貫三郎（TANOUE KANZABURO）的簡稱時，是取姓與名的首字音，讀作「TANOKAN」。但單看「田貫」，一般會以訓讀直接讀為「TANUKI」。與狸貓同音。

「我也不曉得啊。」田上說。「就是莫名其妙，所以才叫心病吧。聽說那姑娘好像……有強烈的自殺意念。」

「那什麼？」

「就是想死的念頭啊。」老闆說著，遞出收據。

「想死？真是不懂。」

「所以說我也不懂啊。是把她帶來的人這樣說的。」

「有人把她帶來的？」

「是跟寬永堂打交道的佛師。聽說發現她在店裡頭正想上吊，連忙阻止，又哄又騙的，好不容易把人穩下來了。但是讓她回家，也只有她一個人，很危險，對吧？可是寬永堂也不方便，都已經收留小孩了……」

「那賣佛壇的也太冷血了吧，就一個女孩子罷了，跟小鬼擠一擠睡一塊不就得了？」

「是姑娘不願意啊。」田上說。「說無論如何都要離開，要離開去尋死。我不曉得是怎麼回事，但她好像說什麼不能待在那個家、沒臉面對手足和親戚……總之整個人瘋瘋癲癲的。所以那個佛師說既然如此，就託給附近的……」

田上指向擺在櫃台旁邊的飾物。

是一隻小狸貓。

「這是幾年前天皇陛下行幸滋賀的信樂時，為了歡迎陛下，沿路擺放的信樂燒狸貓之一。這不重要，總之說到這附近可以住人的地方，就只有我這間狸子旅舍了。佛師把人帶到這兒，要我暫時照看。就跟大爺一樣，先付了住宿費。而且一次付了十天，還打了賞，說她人有些不對勁，託我多多留意……」

「老闆你根本就沒留意嘛。」木場說。

「不，我也沒法子一天二十四小時都盯著她啊。我得去聚會，也得吃飯，也要上廁所吧？晚上還要睡覺啊。」

「你照睡嗎？」

「照睡啊。」

「老闆，這裡只有你一個嗎？」

「老伴去年走了，孩子去了東京。這種小旅店，也請不起女傭。也不需要啦。」

雖然不覺得人手充足，但若說不需要，確實似乎不需要。

「然後啊，醒來一看，人已經不見了。我是去寬永堂說了一聲啦。因為也沒法怎麼樣啊。就算去報警，又不是三歲娃兒走丟。所以我就坐在這兒，像這樣一直等她。萬一出去找人，結果人在沒人的時候回來也麻煩。」

「也是。然後呢？」

「就剛才啊，她終於回來了，我放下心來，正準備去寬永堂通知一聲，大爺就來了。」

「那就快去通知啊。」木場說。對方一定正在擔心。

老闆站了起來，木場說「先告訴我房間是哪一間」。

「我要睡哪間？告訴我，我自個兒會過去。」

「也不能這麼辦啊。那姑娘睡在一樓的那一間。」

老闆伸頭看向走廊左側。

「沒聲沒息的吶。該不會從窗戶又溜出去了吧。」

「至少我進來以後，沒聽到那樣的動靜。」

半點聲響都沒有。

「唔，窗外就是鄰家，間隔很窄，應該不太可能從窗戶跑出去吧。也沒有可以上吊的橫梁。這房子蓋得很隨便。而且我就睡在裡頭的隔壁間。我覺得這樣也方便留意，但睡著了就什麼都不知道了。啥都沒發現。」

「睡得那麼熟？」

「我這人很好睡的。啊，大爺請睡二樓。萬一有什麼差錯就不好了嘛。」

「會有什麼差錯？」木場說。「你是在說我會趁人家睡覺時偷襲？」

「我可沒這麼說。有時會不小心開錯門嘛。這兒不是大飯店，房間沒有門鎖。」
「我才不會搞錯。」
「門上沒有記號，會搞錯的。這我可以保證，連我自個兒都會搞錯了，不曉得多少次拉開客房的紙門。而且那個姑娘神經有問題，要是突然撞見大爺這麼凶惡的漢子，搞不好會嚇死。不過分開睡在一樓二樓，就不必擔心了。」
老闆慵懶地站起來，扶腰伸了伸，說「請進」。
「這兒沒有鞋櫃。要是怕鞋子被偷，請拎到客房去。直接放榻榻米上會弄髒，要鋪報紙的話……」
「我的鞋子沒人要偷啦。」
那雙陳舊的笨重大頭鞋只差還沒穿洞而已，看上去幾乎就是垃圾。
木場走上櫃台旁邊的階梯。完全就是供行商投宿的客棧。
「這裡是明治創業的吧？」
「沒到創業那麼誇張啦。」
「不過也開了五十年左右吧？老闆家代代都住在日光嗎？」
「什麼代代，又不是世家望族，才不曉得第幾代了。應該從以前就住在這兒吧。我過世的祖父小時候好像剛好遇到明治維新，聽他說過他支持幕軍什麼的。這土地的人都是這樣吧。」
「那……你聽過KIRIYAMA這個姓嗎？」木場問，老闆在走廊停步，反問：
「字怎麼寫？」
木場說不確定，老闆直接說「那就不知道了」。
「要是知道怎麼寫就知道嗎？」
「日光雖然是鄉下地方，但說小也不小啊。又不是山村，沒法說每個人都沾親帶故，彼此認識。不過還是有祭典什麼的，有朋輩組這類互助組織。即使是沒往來的別的地區的人，也會在名簿上看到。KIRIYAMA這個姓，這一帶是沒聽過，但名簿上……」

「看過嗎？」

「所以才問大爺漢字怎麼寫啊。只在名簿上看過的話，光聽音也不曉得啊。」

「應該是木同桐，但也有可能是朝霧夜霧的霧。除了桐和霧，還有其他念KIRI的漢字嗎？YAMA應該就是山吧。」

「沒印象吶。」

老闆幾乎是當下回答，接著打開紙門。

「大爺睡這兒。對面房間住的是那個佛師。請你老別搞錯了。大爺是北邊的房間。」

是間八張榻榻米大、空無一物的和室。沒有壁櫥，也沒有壁龕。角落堆著疊好的鋪蓋，其餘就只有一只火盆。

「等我從寬永堂回來，就幫大爺生火。冷的話，可以先裹個被子。」

「那個佛師……也在嗎？」

「現在不在。」老闆說。「昨天沒回來呢。」

「說得好像住在這裡一樣。」

「住在這兒的只有我。不過他每年都會來個幾回，住上好幾天。久的時候，會住上半把月。我不曉得佛師在日光這裡做什麼，但已經這樣好幾年了。我這兒是日光最便宜的旅舍嘛。啊，廁所在一樓。要是那姑娘又跑了就麻煩了，我得去買個鎖，不過馬上就回來了。大爺，這裡一切拜託啦。」

老闆踩出砰砰腳步聲下樓了。

木場沒關上紙門，在原地站了片刻。

腳底下就是剛才那姑娘吧。

鄉嶋在查些什麼？他非常好奇。

和難以捉摸的屍體消失事件不同，這邊是搆得到、看得見的案子——雖然不一定是案子。而且這發展簡直就像在叫他插手來管。

倘若這裡是東京，又和老狐狸塞給他的古怪案子無關，木場現在一定已經下樓去找女人了。

若要打比方，就像是出門要吃蕎麥麵，卻連蕎麥麵店在哪兒都不知道，而眼前有家定食店正在營業……若是在這時候吃了定食，一定就不會想去蕎麥麵店了吧。更何況，他並不是本來就想吃蕎麥麵。只是被命令去吃蕎麥麵罷了。

——不行。

會像諺語說的，追二兔者不得一兔。

只因為容易攪和，就不管三七二十一什麼渾水都去蹚，到頭來只會一場空。

雖然也不曉得有什麼去達成的意義。

木場進了房間，關上紙門。

即使關門，氣溫也沒有變化。就像老爺子說的，室內冰寒凍人。老闆叫他裹被子，但他連外套都不想脫。穿著外套裹被子，那模樣也太蠢了。就算沒人看到，他也不想做那種可笑的事。

說馬上就回來的老闆遲遲沒有回來。坐也坐不安穩，因此木場在房間裡慢吞吞地踱來踱去。

這也夠可笑了。

他想抽根菸，但內袋是空的。只有近野給他的信封。這麼說來，因為菸沒了，他本來打算出了車站就要買的。

「搞什麼。」

木場踹了一下榻榻米。

有了些微反應……似乎。

——是底下。

女人在底下。

真好奇。

一心求死的女人。而且是被公調追捕的女人。她遇上了什麼事？她知道什麼？現在是什麼狀況？沒一件清楚。

這種情形，俗語就叫做「如鴞般神祕」吧。

木場打開一度關上的紙門，把注意力轉向樓下。

無聲無息。

出去走廊，來到樓梯口。

一樣沒有任何動靜。踩下一階。

木場就這樣維持相同的姿勢片刻，但結果還是一路走下樓了。他在櫃台旁邊站定，望向走廊。

女人……就站在那裡。

虎（四）

這天早晨極為寒冷。

御廚在電車裡幾乎沒有開口。相對地，益田滔滔不絕。他是不喜歡安靜，或是害怕沉默吧。御廚也聽到了許多據說正逗留日光的益田的上司——偵探長的事蹟，但她無法理解。益田應該很會說話，但總覺得他說得愈是趣味洋溢，就愈不真實，實在沒辦法嚴肅當一回事。

至於御廚自己，她滿腦子只想著寒川也搭過同樣的電車，或許還坐在相同的座位。平常她根本不會去想這些。御廚平素幾乎不會陷入感傷。

御廚從來不曾明確地自覺，但她模糊地心想，自己應該喜歡寒川。

在這樣的狀況想這些……

她覺得自己好像傻瓜。

日光是怎樣的地方，御廚一無所悉。她聽說日光是日本首屈一指的風景勝地，但她從來沒有旅行過，因此無從比較。

「好了，這下該怎麼辦呢？」

一到當地，益田便說起喪氣話來。

「沒有照片，什麼都沒有嘛。」

「有照片會不一樣嗎？」

「差多嘍。」益田誇張地說。「很少有人會別著名牌在路上走的。就算別著名牌，也不會一一去看吧？所以街上幾乎所有的人，我們都不知道叫什麼名字。這也就是說，就算問路上行人『你有沒有看到寒川先生？』也不會有人知道。」

「說的也是呢。」

「但一樣很少有人會遮著臉在路上走。也就是說，即使是路上行人，至少也會看到別人的臉。」

「唔，是這樣沒錯。」

「只要看過，即使模模糊糊，還是會留下印象。然後，假設有人記住了某人的臉，但不管聽到再多語言描述，還是對不起來的。我從御廚小姐那裡聽說過好幾次寒川先生的特徵，但老實說，我完全不曉得他長什麼樣子。就算在路上擦身而過，也絕對認不出來。」

「我很不會說明。」御廚說。

「不是御廚小姐不會說明，而是大部分都是這樣的。除非特徵明顯到有四顆眼睛、臉是綠色的，否則不可能從描述認出來。身材高矮胖瘦，也是個人主觀嘛。對小孩子來說，每個人都很高，只要處在相撲選手當中，絕大部分的人都很嬌小。」

「我沒看過相撲選手。」

「相撲選手很巨大喔。」益田回答。「我親眼見過不動岩（註），頭仰得脖子都疼了。他有幾尺高呢？啊，這不重要。怎麼會是妳在岔題呢？總之，照片很管用。只要亮出照片問『有沒有看過這個人？』就行了。」

益田左右張望。

「好多人呢。」

御廚說是不是要請人畫張畫像，益田說沒辦法。

「總之，只能先問問旅宿了。雖然不清楚寒川先生是不是還在日光，但他總得投宿——或曾經投宿在某間旅館。線索就只有這個。同時我們也得找一下自己要住的地方……」

益田說「感覺寒川先生待得滿久的，基本上應該是住便宜旅舍吧」，但御廚覺得也不一定如此。她覺得依照寒川的個性，應該會住在不錯的旅館。寒川並非奢侈浪費，但他討厭不衛生的地方。

註：不動岩三男（一九二四～一九六四），熊本出身的大相撲力士。最高成績是西關脇（相當於亞軍）。

御廚說出這番意見。

「貴的地方住不起呢。不過這是必要開銷，我還是會請款。」

「一定要住才知道嗎？」

「沒這回事。」益田說，摸索內袋。「我已經悟出，這年頭變裝或是假冒身分、偷偷摸摸調查，已經是落伍的做法了。去年我在世田谷的偷竊案為此吃足了苦頭。所以我決定印一下名片。已經印好了。」

「喔……」

「去大磯調查的時候也是，表明自己偵探的身分，反而更容易蒐集情報。」

益田從名片夾裡抽出一枚名片。

上面印著：玫瑰十字偵探社．主任偵探／益田龍一。

「你是……主任嗎？」

「往後若是有新員工進來，嗯，我就是前輩了嘛。就類似主任。只要打電話到上面的號碼，和寅兄就會接，不管是寄信還是拍電報都找得到我。這樣就可以增加信賴度。」

「所以，重點是……？」

「不必佯裝客人，或是沒生意的行商，可以大大方方地表明『我是偵探』，正大光明地調查。雖然如果說要投宿，旅館的人會比較願意配合吧。」

「可是，不知道寒川先生住在哪裡啊。也沒找到任何收據。」

「他真是老實。要是他跟藥局報公帳就省事了說。唔……」

真不可靠。

「對了，去……問個警察好了。」益田說。

「問哪裡的警察？我不知道寒川先生的父親遭遇事故的現場在哪裡啊。」

「是這樣沒錯，可是，呃……對了，之前進行機構改革，所以已經是栃木縣警了嗎？應該有叫日光署的地方……不，沒關係，隨便找家派出所……」

「派出所？可是站前的派出所，不可能知道二十年前的事故吧？」

「那不重要。反正一定不知道，就算知道，也不可能隨便告訴一般民眾。」

「那……」

「我說御廚小姐。」

走在稍前方的益田搖晃著劉海回過頭來。

「妳的委託，是確定寒川先生先生平安無事，對吧？」

「沒錯，是確定他平安無事。」

「就是吧？妳並不是想要知道寒川先生的父親的事故真相吧？」

「嗯，是啊……」

「而寒川先生應該是在調查他父親的事故真相。那麼，他會怎麼做？」

「怎麼做……」

「我猜想，寒川先生應該在二十年前和日光的警察打過交道。因為那是一場離奇死亡，警方應該問過他一些事，也要處理後事等等。只是他是不是去過日光警察署，這一點不清楚。派出所也經歷了合併廢除，或是新設。現場他當然應該去過，但那是戰前的事了。行政區和地址可能都變了，交通手段也不同。這種情況，他會怎麼做呢？」

「啊……會問……警察呢。」

「沒錯，應該會這麼做，都是這樣的。」益田笑吟吟地說。

「我們照著寒川先生會採取的行動去做吧。警察法即將改革，所以讓人有些擔心，但不可能第一線人員全部換血。如果寒川先生向警察打聽過什麼，那名警察就見過他，對吧？順利見到那名警察的話，不管再怎麼細微，總是條線索。」

益田嘴上說個不停，同時腳不停蹄，一發現派出所，立刻加快腳步。御廚不安起來。

她……害怕警察。即使清清白白，也覺得會被抓。儘管明白絕不會有這種事，但她就是……害怕。也許是制服讓她聯想到軍人，而軍人讓她回想起戰禍。

警察完全是無辜的。

隔著益田的肩膀看過去，有個像和尚的人。她以為是光頭，但似乎不是。那人戴著黑色粗框眼鏡，眉尾下垂。眼神和善，但鼻子尖翹，有點像外國人。

「有事嗎？」

聲音異樣尖高。御廚走到益田旁邊一看，那人穿著制服。原來不是僧人，而是警官。而且還很年輕。仔細一看，有髮鬢，後腦也有頭髮。

「請教一下。」

「問路嗎？要去哪裡？」

「不是問路，我們在找人。」

「姓什麼的人家？我來查地圖。」

「不是，呃，不是要問住址，而是想打聽人去了哪裡。」

益田這麼說，警官的眉尾垂得更厲害了：

「人去了哪裡？是下落不明嗎？」

「要是知道人在哪裡，就不用找了。」

「那得請你們報案失蹤才行。」

「已經報警了。」

「是去警署報的案嗎？」

「我是向目白警察署報案的。」御廚回答。

「目白？哪裡？咦？東京的目白嗎？」

這回警官皺起眉頭，露出一副再典型不過的困擾表情。

「兩位，這裡是日光站前派出所啊。什麼目白還目黑……」

「請先聽我說。」

「我在聽啊。」警官說。

「那位失蹤的先生有可能來過此地。我呢，這是我的名片。」

益田恭敬地遞出名片。

「主任偵探……？」

「沒錯，主任。這位小姐是那位失蹤人士的未婚妻。」

「咦！」

唔，應該不算錯吧。

「我們推測那位失蹤人士可能在這邊的派出所問過事情，所以過來打聽打聽。」

「呃，這種事……」

「那位先生名叫寒川秀巳。我沒有他的照片。」

「問路的人不會報上自己的名字吧。」

「是不會，但那個人不光是問路而已，他應該在調查二十年前日光這附近發生的事故。」

「二十年前……那時候本官才七八歲而已啊。」

果然很年輕。

「呃，我也差不多啊。你……呃，植野，是吧，植野巡查。我是想請教有沒有人來打聽過這類事情，而不是你知不知道那件事。」

植野巡查仰望派出所天花板：

「啊，原來。問這個啊……」

那是什麼時候的事去了——巡查說著。

「好像有人來問過這樣的事。我想想……」

「第一次是去年秋天。如果他來派出所問過，應該是那時候。」

「秋天啊。就算你說秋天……等一下喔，這麼說來……」

植野巡查翻開像大學筆記本的冊子。

「我看看……派出所每天都有很多人上門。去年、去年……。遇到可能牽涉到犯罪的事，本官都會個人記錄下來。是考慮到往後或許能為偵查派上用場，但從來沒有什麼犯罪情事，因此尚無用武之處……啊。」

手停住了。

「是這個嗎？」

「上面寫了什麼嗎？」

「當然寫著東西啊，是紀錄嘛。我看看，日期是……九月九日，傍晚五點十五分。」

「就是這個。寒川先生出發到日光，就是九月九日那天，對吧？御廚小姐。」

御廚不記得。

雖然覺得應該就是那時候。

「穀先生是這樣說的。我也記下來了。我的筆記能派上用場。」

益田打開御廚已經十分熟悉的記事本。

「沒錯，就是那天。上面寫了什麼？」

「哦，只要有事我都會記下來，不光是那一天而已。呃，這字也太醜了。雖然是我自己的字啦。唔……啊，是片假名啊。キソヤ（KISOYA）。不對，キリヤ（KIRIYA）、マカソ（MAKASO）……」

「是キリヤマカンサク（KIRIYAMA KANSAKU），對吧？」

「你怎麼會知道！」植野瞪圓了眼鏡底下的眼睛。

「我知道這個名字啊。上面寫些什麼？植野巡查。」

「請等一下，別催我嘛，偵探先生。對對對，我想起來了。那是位外表整潔的先生，大概四十來歲吧。」

「沒有錯，就是他。」益田說。

「我想想……他說：警察先生**不知道**這位KIRIYAMA的家在哪裡呢。他不是說『請告訴我』，也不是問

『知不知道』，而是說『不知道呢』。以不知道為前提。」
「這有什麼意義嗎？」
「大有意義啊。」警官說。「知道要去哪裡，但不知道該怎麼走，這我當然會好心地指點一二。可是不知道要去哪裡的話，有時實在是愛莫能助。那叫個人資訊嗎？本官是公僕，所以手上有居民資料那些，但不是可以隨便告訴任何人的。這部分本官分辨是非……所以呢，他這種問法……」
「嗯……」
「讓本官判斷，這位先生是有常識的明理人。」
「然後呢？」
「沒有然後啊。本官什麼也沒說。」
「咦？那他乖乖罷休了？」
「也沒什麼罷休不罷休的，在本官知道的範圍內，沒有這個姓氏的居民。不知道的東西，也無從告知吧。」
「是這樣嗎？」
「可是……是啊，也許那個人住在別的轄區，也可能不是戶長。記得他說應該是長年居住在日光的老人家。那有可能已經過世了吧。所以本官這麼對他說。」
「就這樣結束了嗎？」
植野再次抬頭，眉尾垂得更低，完成變成了八字形。
「啊。」
「怎麼了？」
「這個人又來了一次。大概年底那時候吧。因為還沒有過年……」
「又、又來了嗎？寒川先生果然是跑來日光了啊，御廚小姐！」
益田很激動……應該。
「對，我記得這回他打聽的是警察署的地點。我當然告訴他了。」

「警察署？日光警察署嗎？」
「嗯，沒有多遠，直走過去就到了。所以，嗯……對對對，他說他找到在找的人了。」
「找到KIRIYAMA了嗎！」
「請別這麼激動，益田先生。」
「這教人怎麼不激動呢？我們正確實逐步接近寒川先生了啊。不過真令人好奇，他去警察署做什麼呢？」
「他說要去找以前關照過他的刑警還是警官。本官問了名字，但不認識，覺得或許已經退休了。呃……我沒寫下來嗎……」
「怎麼不寫下來呢？」
「十二月……三十日呢。年關了。有了有了，木暮，底下的名字和單位不明。本官不認識這位刑警。還有巡查……小……小島嗎？看起來像小島。這個人本官也不認識。」
「寒川先生說找這兩個人有事？」
「本官不清楚這麼多。對方沒有說。他說是十九年前……過了個年，所以已經是二十年前了嗎？說為了他父親的事，曾受到這兩位警察關照。本官說不清楚，他便說要去警察署打聽……是這樣的經緯。」
「那，我們也要請教一樣的問題。到日光警察署怎麼走？」
「嗯，指路當然沒問題，不過本官的記事本還有後續紀錄，不用聽了嗎？」
「要。」
「我想也是。我看看……上面寫著小鳥——不對，小島巡查出征後戰死。木暮先生住在小來川村。這可以跟你們說嗎？」
「你告訴寒川先生了嗎？」
「不，應該是由警察署聯絡木暮先生，詢問木暮先生方不方便告訴對方地址，然後木暮先生同意了吧。」
「很妥當的做法。」益田說。「別看我這樣，我以前也在國家地方警察奉職。是在神奈川縣本部。嗯，這些細節真的很重要呢。」

「唔……是啊。」

「可是，你說小……什麼川？這地名外地人聽了很陌生，字怎麼寫？」

「噢，小來川啊，這邊……」

益田踏進派出所，看向地圖。

「哪裡？沒看到啊。」

「怎麼會……啊，可是住址那些都已經換過了呢。地名改成什麼去了？可是新的地圖還沒有印好，所以……不對，前陣子合併了。」

「木暮先生合併了？」

「你在說什麼啊？是日光町和小來川村啦。町村合併。大概十天前的事。所以這邊現在是日光市了。」

「失禮了。」益田說。「原來如此。那裡已經是日光的領地啦。真繁榮呢。那就是在市內囉？既然如此，應該不遠呢。」

「唔，從這裡過去的話，交通不太方便。說是市內，範圍也滿大的。比起這裡，那裡離今市還比較近。」

「今市是隔壁市對吧？」益田指著牆上的地圖說。「沒看到啊。」

「這邊、這邊。」植野指示地圖。「這一帶就是小來川。這裡是村子的中心，滿大的喔。」

「啊，這個嗎？小來川原來讀做 OKOROGAWA！從發音完全想不到會是這樣的漢字。」

益田搖晃劉海佩服地說。

「哎呀，真是受教了。那，寒川先生後來……」

「這我就不知道了。那個人後來就沒有再來了。應該是從警察署直接去找木暮先生了吧。這段後來補上去的內容，是年後我從警察署那裡的人聽說的。本官也有些在意嘛。雖然後來就忘了。」

「啊，這樣啊。哎呀，真是太有幫助了。太謝謝你了，植野巡查。順道請教一下，這附近有沒有價格實惠的旅店？」

「旅店要多少有多少，但價格實惠喔……。哪一家比較便宜呢？我得聲明，我也不清楚各家旅店正確的價格。」

植野逐一指示地圖，告訴益田兩三家旅店。益田誇張地附和，抄到他的記事本中。

這段期間，御廚就像郵筒一樣杵在原地。

雖然有些介意路人的視線，但她覺得反正不會有人注意她這種人。

益田殷勤地再三道謝，歪著薄唇，開心地走了出來。

「好了，總之先決定下榻的地方吧，御廚小姐。我請巡查挑了三家，請妳挑一家中意的。妳是金主嘛。」

「你看起來心情很好。」

「因為有了重大斬獲啊。」益田說。

「是嗎……？」

「那當然啦。聽著，首先，寒川先生去年年底來到日光這裡。這件事得到印證了。之前都只是臆測而已嘛。寒川先生確實來過，千真萬確。」

「這樣嗎？那個人確定是寒川先生嗎？不會是那位笹村先生嗎？」

「第一次來的日期不一樣。」益田說。「笹村先生出遠門疑似前來日光的日期，比寒川先生更要晚上一個星期。而且還有KIRIYAMA的事。」

「KIRIYAMA……可是，警察先生說不知道這個人。」

「不，寒川先生後來好像自己找到了那位KIRIYAMA，不是嗎？藥局老闆找得到，身為主任偵探的我，豈有找不到的理？」

是這樣嗎？

「況且，後來寒川先生去見了那位姓木暮的退休刑警。也就是說，他的調查有了某些進展。」

「會是這樣嗎？」

「就是這樣啊。」益田一口咬定。「寒川先生見到了那位KIRIYAMA KANSAKU，接著看到那個什麼……燃燒的碑，先回去藥局一趟，調查了某些東西，然後年底再次來到日光，這回去見了那位木暮先生……會是這樣的經過，對吧？」

「呃……」

就是這樣吧。御廚混亂了。

「某人總是不厭其煩地叮嚀說，凡事都需要整理。若是不按步驟來，簡單的事也會變成難題。雖然不清楚寒川先生是什麼時候見到木暮先生的，但目前這是他最後的蹤跡，那麼我們去找木暮先生吧。去找他談談。」

「可是警察不肯告訴我們地址。」

「但我們問到了那個叫小小還是來來的村子。而且據推測，那裡就在靠近今市的地方。範圍都縮得這麼小了，只要去到那一帶，問問村人就知道了。問：木暮先生在哪裡？木暮先生在哪裡？」

益田把手遮在眼睛上，做出尋找東西的動作。

「沒想到一來就有這麼大的收獲，真是好兆頭啊，御廚小姐。」

御廚……不知怎地情怯了。

益田似乎已沉浸在成就感當中，但御廚什麼感覺都沒有。但也不是不安，也並非特別悲觀。只是，在親眼見到寒川以前，她都無法有任何感慨而已。是寂寞吧。

「益田先生好像詐騙師。」

「詐、詐騙師？怎麼突然損人？」

「因為感覺你是用三寸不爛之舌，問出了別人一般不會透露的事。」

「請說是問案技巧，好嗎？偷偷摸摸來，就被當成宵小，正大光明來，就被當成詐騙，這教人情何以堪？」

雖然看上去並不正大光明。

益田埋怨著「幹偵探這一行真吃虧吶」，但御廚覺得不是偵探這個職業的問題，而是益田個人的問題。

益田說，不管要如何行動，住在車站附近都比較方便，因此決定下榻離車站最近的一家旅舍。這種情況，御廚幾乎不會猶豫不決。反正光看外觀，也看不出旅舍好壞。

那是一家叫富岡旅莊的旅舍。

益田負責辦手續。

「我要了不附晚餐的純住宿。因為不曉得會去哪裡，什麼時候回來。反正吃飯的地方，這一帶多得是。我跟妳的房間就在對門。」

「好……」

御廚是任憑安排。

「御廚小姐，妳一定累了，今天請好好休息吧。我這就去探探那個叫KANSAKU的人。」

「探？怎麼探？」

「就瞎七瞎八四處問問而已，所以不太能指望有什麼收獲，但保證可以獲得徒勞感。」

「我……」

「這外行人幹不來的。」益田說。「不……嗯，寒川先生就辦到了，但沒必要連妳都下來幫忙。明天我們一早就去那個小來川吧。請陪我一起去那裡。」

「但我沒事做……」

「唔，無聊的話，可以出去逛逛。這裡是風景勝地嘛。晚上我就回來了，如果妳餓了，可以先去吃晚飯，不必等我。聽說日光的豆腐皮很有名。」

「豆腐皮……我沒吃過。」

「那請盡情享用吧。」益田油腔滑調地說。「唔，要是覺得太徒勞，我可能會提早收工回來，如果回來的時候妳還沒吃飯，可以一起去吃。請完全不必顧慮我。」

益田搖晃著劉海出去了。

御廚目送他的背影，女傭在背後出聲：「客人的朋友要出門呢。」

「呃，好像。」

「我請教個多餘的問題，雖然不該探聽客人的事……不過兩位是來日光做什麼的？」

「哦……剛才那個人是來工作，我……是啊，我是跟他一起來的。」

「來工作啊。」女傭望向玄關。「喔，剛才客人的朋友隨口問了我一句，說他的朋友年底年初來過日光，是不是住在這兒？」

「喔……」

「不過這種事啊，實在不方便透露，所以我只是笑笑帶過。」

「不好意思。」御廚行禮。「他就是這樣的人。」

「不不不，客人不需要道歉。只是那個，我擔心是不是害他不高興了……」

「不會的。」御廚回答。「他大概很習慣被拒絕了。他好像都是那樣的。」

御廚沒辦法說，益田說的朋友，就是自己在找的人。萬一因此發現寒川就是下榻在這裡的話。

雖然現狀也不會因此而改變。

但她有預感，自己一定會無法維持理智。

回到房間後，她發呆了好一會兒。

仔細想想，御廚的日常生活，幾乎沒有無所事事的時間。這要是平常，她還在藥局配藥。下班後在路上買東西，回家後準備晚餐，吃過飯，處理雜務，上澡堂，然後就寢。假日就打掃或洗衣。

應該就是這些種種打造出御廚的日常。煮飯的時候，她只想著煮飯，打掃的時候，就只想著打掃，不太有胡思亂想的空檔。她沒辦法一心二用。

可是。

那麼她什麼都沒做的時候，就完全不思考嗎？卻也不是如此。完全不思考，應該是放空的狀態，但御廚從來沒有進入那種狀態過。

所以才會想到多餘的事。

雖然是否真的多餘，她不清楚，也自怪又不是思春的小姑娘了，但御廚覺得自己從年輕的時候就一直是這樣。

雖然是她討厭的茫然狀態，卻也維持了快一個小時嗎？她大可以換個衣服，或整理一下行李，做什麼都行，卻什麼也沒做。

女傭放在矮桌上的茶也都涼了。

御廚喝了涼掉的茶水，望向窗外。先前她甚至沒有看景色。她看到街景和山地。

——是山。

好遠。這麼說來，她覺得日常生活中不會看到遠景。幾乎不會有哪時候感覺到這個世界很遼闊。

雖然平靜，卻陷入一種虛渺的感受。

她想知道這股虛渺究竟是什麼。

不知為何，御廚興起這樣的渴望。

太陽一眨眼就西落了。看看時鐘，已經五點多了。時間不上不下。是幾點抵達的，記憶已經變得模糊。在車上吃了便當，所以應該是下午吧。

總覺得種種事情都曖昧模糊。同時又虛渺、寂寞。這種近似感傷的情緒，就叫做旅愁嗎？

御廚覺得總之不能再這樣繼續發呆下去，立下決心，穿上外套出去走廊。她向櫃台裡像掌櫃的人說要出去吃飯，請對方拿出鞋子，出門了。

外頭頗為寒冷。

御廚沒有外食的習慣，因此不知如何是好。

她站在旅舍前，看向車站的方向。

不愧是觀光勝地，人潮似乎不少。東京人也很多，但走路的樣子，或者說活動的姿態，總有些不同。

御廚看了一陣，這時，益田垂頭喪氣走來的身影映入眼簾。一看就散發出徒勞感，果然沒什麼收獲。

御廚有些鬆了一口氣。

看到其貌不揚，一張嘴卻很會說的偵探，竟感到安心，御廚覺得自己實在好笑。然後她看到了——

有個年輕女子正從不遠的後方盯著偵探。

蛇（五）

寒冷極了。

山邊的村郊人煙也變得稀疏。建築物之間，被雪覆蓋的枯草正瑟瑟發抖。眼前的景觀就是一片凍寒。

幸而今天是晴天，氣溫本身應該也不低，但因為沒有遮蔽物，寒風刺骨。體感上也格外寒冷。

彎腰駝背的關口半張臉被露出禦寒大衣的圍巾遮住，因此說話聲變得模糊難辨。他本來就口齒不清，聲音也不嘹亮。現在也是，雖然在說話，但悶成一團，聽不清楚。久住覺得反問也未免失禮，只是一直漫應著敷衍。

小說家又嘰嘰咕咕說了什麼。

因為幾乎聽不見，久住只得問：「什麼？」，關口鬆開圍巾：

「就是，因為是小節說的，所以也不知道是真是假……」

「是啊……」

山很近。

久住完全不熟悉這裡的地理，因此不清楚他們正在往哪裡走。也有可能不是阿節說明得不好，而是久住和關口搞錯了。

雖然不清楚關口怎麼樣，但久住的方向感本來就很差。雖然不至於看不懂地圖，但他似乎是依靠指標和道路在理解相關位置，而不是辨認東西南北。

當然，他知道太陽升起的方向是東，下沉的方向是西，但不會刻意去看太陽，或觀察影子，只會從一個目標物移動到另一個目標物。

所以。

那座山是男體山還是女峰山，久住並不清楚。也許是完全不同的別座山。

關口仰望山脈。

「方向應該對，但繼續走下去，就進入山地了呢。」

「記得阿節小姐說不到叫什麼精銅廠的地方，對吧？然後是裏見瀑布的方向。」

「正確地說，小節是說名字好像叫什麼『裏』的瀑布。那應該不是白糸瀑布吧。」

那麼是西北方吧，關口說。久住說，精銅廠應該是日光電解精銅廠。位置對不上。

「還是應該問一下總經理的嗎？」

「不，飯店不會透露員工的住址吧。沒有客人會因為客房服務人員請假就去探望的……」

昨晚中禪寺沒有回來。

昨天……被留在休息室的久住和關口尷尬地沉默了一陣子，但沒多久就談到關口麻煩的疾病——本人說是憂鬱症——話題又擴展到他古怪的朋友。關於中禪寺這個人的為人處世，因為實際見過，所以還能理解，但關於飯店老闆的弟弟，實在是瘋狂過了頭，久住幾乎無法想像。

後來兩人在休息室簡單吃了些東西。

總覺得如坐針氈。

那種感受，就好像好不容易理齊的一堆文件，在裝訂前一刻又散開來。關口似乎也一樣，不穩定的小說家似乎為了登和子的事而憂心忡忡。

那麼，這就是久住害的了。

但登和子本人不在，實在莫可奈何。想解決也無從解決起。

然後……也說不清是誰先提議的，兩人說好若是明天登和子依然請假，就去她的住處探望她。現在想想，這似乎不是什麼符合常理的行動，但這整件事本來就不合常理。

他們向阿節打聽登和子的住處。

「是不是有點太冒失了？」

想都不用想。

「這麼一說，確實很冒失呢。」關口回應。「雖然小節對這件事一點疑問都沒有，甚至還說這樣很好，叫我們替她問好，記得買個年糕還是甜饅頭帶去。」

他們買了和菓子。

「是被利用了嗎？想想那女孩的個性，或許路線也是隨口亂說的。她不是什麼壞女孩，就是各方面都太隨便了。」

「說隨便，我們自己也是啊。」

只憑這點線索就呆呆地跑出門，實在過於粗心大意吧。

「阿節小姐說她沒有去過，也不能苛責她。」

「山風好大呢。」關口說，再次把臉縮進圍巾裡。「清瀧寺那邊似乎有許多人家，會不會是那邊？」

關口含糊不清地說著回頭。他說的寺院在那個方向嗎？久住把視線往那裡轉，看見路邊立著一根像石棒的東西。

「啊，是路標呢。」

關口走近石頭，就像撫摸石地藏的頭那樣，撫摸石棒頂部。

「應該也不是說這一帶——這塊土地比別的地方多，但覺得很常看到石碑和石路標。也有許多石地藏和道祖神〔註〕……可是看不出上面寫些什麼呢。」

「這是路標嗎？」久住問，關口說「是吧」。久住走到旁邊屈下身子查看，上面確實雕刻著文字。

註：道祖神也稱塞之神，為祭祀於村境、路口或山嶺，防止惡靈入侵的神祇。一般為刻有男女神像的石碑。

「唔……不是模糊了無法辨讀，是我沒有解讀的知識呢。久住先生看得懂嗎？」

完全看不懂。看上去像平假名。

「啊，背面看得懂。」關口說。「漢字還看得出來。我看看……寶……寶曆（註）二年呢。寶曆是……」

「唔，兩百年前的年號呢。」久住說。

「那就沒用了呢。」

蹲身的關口站了起來，說著「該怎麼辦呢」，叼起一根菸。一如往例，只是叼著，沒有點火。

「兩百年前的路標嗎？不管是路還是城鎮都早已面目全非了，它還在指示什麼呢？」

有種奇妙的感受。

久住正猶豫是否應該折返，這時有個人影從來時的方向朝這裡走來。那人頭臉包著布巾，戴著菅笠，一身蓑衣，拉著大板車。是個約五十開外的男子。

關口摘下嘴上的菸。

「啊，問一下那個人好了。看他那樣子，應該是住這一帶的。」

因為感覺已無計可施，久住覺得這主意不錯，但男子的步伐極為遲緩。

久住正熬著尷尬的等待時間，男子似乎注意到兩人的視線，主動攀談：

「你們在這兒做什麼？」

一看就像外地人的兩名男子並站在那裡盯著人瞧，當然會感到奇怪。

關口不必要地驚慌失措，搖晃拿菸的手，明顯行跡可疑。萬一引來不必要的猜疑就糟了，久住上前一步。

「我們迷路了。」

「什麼？」

男子曬得極黑的面容一歪：

「迷路？這一帶沒什麼路啊。再過去也沒有人家了。我家在那邊。」

男子用下巴指了指一戶民宅。

「就那兒，村子的尾端了。那邊……」

他指示反方向的人家。

「那戶就是村子的盡頭了。我不曉得你們要上哪兒，但是再過去啥都沒嘍。」

但是在久住看來，村子還在延續。

「意思是再過去已經是山裡了嗎？」

「是山裡沒錯啦。以前還有村子，但現在沒了。已經沒了。」

男子舉起拉大板車的手，稍微抬高斗笠，說「好冷哪」。

「你們是打哪來的？」

「咦？東、東京。」

「這樣啊。要去哪兒？」

「其、其實，呃，我們在找一戶櫻田家……」

「櫻田？櫻田……」

男子用食指搔了搔鼻頭。

「櫻田啊，清瀧的人嗎？這村子……」

啊！男子簡短地喊了一聲，拍了一下手。

「對了對了，淺田老太婆那兒的第二個女婿，記得就姓櫻田。」

「第二個女婿嗎？」

「是啊。上一個女婿……姓什麼去了？田山還是山田……啊，田端啦田端。做跟我一樣的工作。可是在

註：寶曆為江戶時代的元號，一七五一年至一七六四年。

支那事變〔註〕的時候死了。因為孩子還小，所以妙子嫂再婚了。再婚的對象記得就是姓櫻田……」

可是也已經走了——男子說。

「呃，是……」

「哦，戰爭的時候。」

「什麼？」

「就那個櫻田過世的時間啊。他在終戰之前走了，所以已經過了十年有吧。所以你們去找他也沒用。人不在了。」

「不，他有個女兒吧？」

「女兒？有啊。妙子嫂帶個拖油瓶再婚，後來又生了兩個，總共三個呢。噯，在那種時局，只剩下老太婆、阿妙和小孩三個人，一定過得很苦。老太婆病倒，阿妙也生病，去年……不，是前年的事嗎？過世了。」

真是可憐吶——男子說。

「呃，我們就是要找那個女兒。大女兒是不是叫櫻田登和子？」

「什麼？」男子的臉又一歪。「大的是前夫的孩子呀？啊，不是，對喔，母親再嫁的話，小孩會跟著改姓嗎？」

「會吧。」關口說。

「那就是吧。是叫登和子這名字沒錯。記得是今市的五郎先生取的名。」

「那是誰？」

「啊，不對呢。命名的是老太婆的親戚，開佛具行的悟朗先生。不過也是去年過世了。」

「呃，就是，我們在找那位登和子小姐的家……」

「就那兒啊。」

男子指著村子盡頭的人家。

「什麼？」

「那兒。可是現在沒人。聽說一直臥床的老太婆三天前的晚上終於快不行了，被抬去醫院了。那時候我剛好不在，這個……」

男子拍了拍大板車。

「我家黃臉婆把這個借給他們，把老太婆抬上車，我家老大老二幫忙拖到醫院去的。」

「原來是這樣嗎？」

久住看向關口，但關口也嘴巴半張，看著久住。

「幾個小的也一起去了。不，最小的男孩好像年後就一直寄養在佛具行那兒吧。那是人家的家務事，我也不太清楚，但總之去了以後，就一直沒有回來。」

「這樣啊。」

原來不是登和子生病嗎？

「所以家裡應該沒人。」

男子鑽出把手，大步走近疑似登和子家的建築物，喊了兩聲：「登和！登和！」接著搖晃玄關門。

「沒人吶。虧你們大老遠從東京過來，結果是白跑一趟。」

太可惜了──男子說著，露齒一笑：

「要不要來我家坐坐？天這麼冷，我招待一杯熱茶吧。」

男子說著，抓起大板車。

久住和關口自我介紹，男子說他叫德山丑松。

德山家相當大，寬闊的木地板房間似乎也兼工作場。

「我啊，做的是給膳台上漆的行當。這一帶都是做這種東西的。從戰前就一直是這產業。也會幫木屐之

註：即中國方面由盧溝橋事變開始的中日戰爭。

類的上漆。淺田老太婆家的第一個女婿，本來也是做這行的。他技術很好，但後來不曉得怎麼搞的，是受夠了嗎？」

「厭倦工作了嗎？」久住問，丑松說「各種事吧」。

「噯，這一帶離市區有些遠，得像我剛才那樣拉著車把材料搬回來，上漆，再拉去交貨。噯，說麻煩還真是麻煩。而且做得不夠多，就糊不了口。最近實在是不景氣啊。」

「哦，所以……」

那個受夠一切的女婿，就是登和子的生父吧。

那麼……

「喂，很冷啊，快點端茶過來。」丑松呼喚，一名婦人神情困窘地從屋內端著一個大托盆，送來茶壺茶杯等等。

「叫什麼叫啦這死鬼。人家織布不能歇手啊。哎呀，歡迎光臨。呃，這兩位是誰？」

「從東京來的學士大人。」

自我介紹的時候，久住和關口都自稱作家，但丑松似乎誤會了什麼。

關口小聲咕噥否定，卻被忽視了。

「咦，學士大人來這兒有什麼事？」

「沒啦，喏，人家是來找淺田老太婆那裡的登和的。」

「哎呀？那白跑一趟了呢。她們應該好陣子不會回來了。因為喏……」

德山太太在丑松旁邊一屁股坐下來，替兩人斟茶。

「真是可憐吶。阿婆應該撐不住了吧。我看到的時候，那張臉都臘黃了嘛。」

「病了很久嘛。阿妙先走一步，讓她心都冷了吧。」

「也沒有什麼冷不冷的，妙子嫂過世前，阿婆腦袋就有點不清楚了。登和不是說嗎？從去年年底開始，就聽不懂阿婆在說什麼了。」

「有這事嗎？」丑松隨口敷衍。「啊，這我家黃臉婆，滋子啦。那，老太婆被送去哪了？總不可能送到街上的佛具行吧？」

「還用不到佛具啦。」

「不是啦，他們不是親戚嗎？」

「把快死的人送到親戚家做啥？要送的話，當然是送醫院啊。就連沒了氣，也得醫生看過才算數。喏，山田家退休的老頭，人都已經死了，還是送到醫院去了，不是嗎？喏，要開那個什麼書。」

「死亡證明書嗎？」

「沒有那證明書，就不能隨便下葬。」

「可是滋子，人都死了耶。」

「就說第一件事就是要找醫生啊。因為沒醫生願意來這裡出診啊。你說對吧？」

只能在一旁聽夫妻倆對話的久住終於被搭話，立刻插話：

「送……送到哪家醫院了？」

「哪家醫院喔……送到哪去了呢？」太太說著，望向玄關。

「妳剛才不是說醫院嗎？」

「當然是醫院啊。阿婆是病人嘛。可是醫院街上有好幾間吧？」

「不是咱們兒子送去的嗎？沒說送去哪了嗎？」

「又沒跟我交代。」太太說，拍了一下丑松的膝蓋。「對面的阿婆在哪住院，何必一一跟我報告。他們兩個累得一回來就倒頭睡了。」

「一早就要上工嘛。」丑松說。

明明就住在同一個屋簷下，有時卻一整天都見不到人——他說。

「我算是夜貓子，早上起不太來。我那兩個兒子也是，本來是想接我的工作啦，但做這一行也沒前途啊。訂單不夠父子三個人接。所以他們去做建築了。」

「是土水啦。」太太說。「還建築咧，明明就只是去挖洞填土而已。那種事教一下，連猴子都做得來。」

丑松朝兩人露出戲謔的表情，苦笑「這個做娘的居然說自己的兒子是猴子」。

「猴子才不會挖洞填土哩。會挖洞的是狸貓。而且工程是在水邊吧？河邊的洞裡鑽出來的，是蛇那些啦。」

「隨便啦不重要。」太太又拍了一下丈夫的膝蓋。「所以我是說，昌夫和忠夫暫時都不會回來啦。所以不曉得送去哪家醫院了。」

「這樣啊。這次的工地在哪？很遠嗎？要多久？」

「不曉得，應該是足利那邊吧。說得住上半個月左右。」太太說。

「半個月都無法回家嗎？」久住說。

「就住在工寮。喏，渡良瀨川的。」

「喔……」

聽了也一知半解。久住轉向關口，正以歪斜的姿勢正襟危坐的小說家口齒不清地說：「護岸工程嗎？」

「那叫什麼？啊，防砂防砂，防砂工程，一直在弄那個。那是要整條河都做嗎？已經做了多少年啊？是不是從明治開始就在弄啊？」

「那麼久了嗎？」久住說。

「不是不是，別在那兒說傻話。」丑松應道。「雖然從明治那時候就一直在吵，不過真的開始動工是那個，上次的颱風，名字很拉風的那個……」

「凱薩琳颱風嗎？」關口說。

是指七年前的凱斯琳颱風吧。

如果是的話，就是為關東等地造成重創的巨大颱風了。久住也蒙受了損害。

他記得那次颱風導致上千人死亡，災情慘重。利根川和荒川的堤防都被沖毀，當時住在金町的久住也有許多家具什物泡了湯。櫻堤潰堤，導致葛飾區和江戶川區的一部分化成水鄉澤國。

「是昭和二十二年秋季的颱風嗎？」久住確認地問。

「就是那個。美國人幹什麼給颱風取什麼名字呢？那不是女人的名字嗎？」

「呃……是啊。」

「那些我是不懂啦。取名字幹啥呢？我聽說美國佬還會給飛機取名字呢。飛機的話，取名字也不是不懂，可是風跟雨耶。換成日本的風格，就像是節子颱風、町子颱風呢。雖然我家黃臉婆是活像颱風沒錯啦。」

滋子太太這回把丈夫的膝蓋拍得劈啪作響。

「好痛！看吧，滋子颱風。」

太太再次揚手，丑松縮起脖子說「饒了我饒了我」。夫人呲牙裂嘴了一下，放下了手。

「我覺得就像這樣。」關口出聲。

「這樣？」

「剛才德山先生拜託太太別打他，對吧？然後太太就罷手了。」

「誰叫這死鬼這張賤嘴巴死性不改。」

「所以為颱風取名，把它比擬成人，希望她息怒之類的……」

「颱風就算求它也不會停啊。」

「所以說，有名字，就讓人覺得可以溝通，或者說就像是一種安慰……是啊，就算颱風不會因此平息，也可以對它抱怨個幾句了。」

「啊，也是。確實如果沒有名字，要抱怨也不曉得要向誰抱怨嘛。是為了這樣才取什麼名字的嗎？可是實際上那個卡沙林？凱沙里？那次真的很慘吶。」

「我住的地方也全都泡水了。這一帶……」

因為完全不曉得要聊到哪裡去，久住把話頭拉了回來。雖然本來是在講些什麼，他也早就搞迷糊了。

「這一帶也有災情嗎？」

「啊？這一帶也算是山，是不會淹水啦。就大風大雨。我們家也是，屋頂差點被掀飛了。可是河邊就慘了。這一帶的河動不動就氾濫啊。」

「這麼說來，聽說明治時期，這一帶也發生過大水患。」

是關口告訴久住的。

「是啊。噯，這近郊一帶，治水好像本來就不力。我不曉得大谷川、鬼怒川那邊怎麼樣，但聽說渡良瀨川從明治開始，就愈來愈常氾濫。」

「從明治開始……？」

「喏。」丑松指向室內的泥土地方向。

「什麼？」

「就銅啊。」

「銅……礦毒嗎？」關口問。

原來如此，丑松是在指示那間叫什麼的精銅廠的方向嗎？久住這麼以為，但似乎不是。

「足尾啦。足尾銅山。」

「哦……」

丑松指示的是足尾的方向吧。

關口蜷著背，轉向丑松那裡：

「可是，雖然我只是依稀記得，但足尾的銅礦不是從江戶初期就開始挖掘了嗎？礦毒問題或許是在明治時期浮上檯面，但說水患也是明治時期……」

「哦，那麼早以前的事我也不曉得，不過喏，明治以後，不是變成民間在採礦了嗎？」

「啊，是賣給民間企業了嗎？」

「對啊。在那之前，大概都是靠工人人工一點一點挖礦吧。我不曉得銅在石頭裡是怎麼個樣子，但古時候沒有機器嘛。然後……」

那叫現代化嗎？——丑松有些靦腆地說。應該是平常不會掛在嘴邊的詞彙。

「我是不曉得啦，但現在都是用機器挖的。我聽我爹說，國家以為銅已經挖光了，所以才會出售。沒想到賣掉以後，好像又發現了一堆新的礦脈。所以嘍，公司大挖特挖……沒命地挖。」

「我聽說全盛時期，光是足尾銅山就占了國內銅礦總產量的四分之一，不過這也只是依稀記得。」

「關口先生真是內行。」久住說，關口支吾說「不，也還好啦」，最後低下頭去。

「那些我是不知道啦，我連壞在在哪裡都不曉得，不過好像就是從那時候開始鬧起來的。雖然我出生的時候就已經鬧得很凶了。」

「唔……」關口低吟。「那是那個……」

久住認為，對於礦毒問題，關口應該有他獨到的一番見解，所以應該有話想說吧。但害羞的小說家終究只是含糊其詞，目光游移，沉默下去了。

足尾銅山的問題，久住也略知一二。

但他只有曾經發生過這種事的知識，並未把它當成現在進行式的事件在看待。

更沒想到現在逗留的日光這塊土地，就在那塊出事的土地近旁——不，就是出事的土地本身。

就是發生在這一帶的事。

關口停頓了一陣，最後只說了三個字：「礦毒是……」

「毒啊。不過說是毒，也不是蛇毒那樣的東西吧。是挖下去就會冒出毒氣嗎？還是挖礦會製造出什麼毒？還是挖完之後做了什麼，會排出毒素？噯，既然都叫毒了，對身體應該不好吧。那些毒流進河裡，搞壞了田地那些的，對吧？」

「對人體也有影響吧。」久住說。

「是嗎？」丑松歪起了頭。「我聽到的，全是要求遷走、補償、工程那些。這塊土地也是，說是受影響，也是受到影響沒錯，但我們沒什麼感覺吶。如果有很多人受到影響，然後原因出在銅山，那真的很讓人生氣，也會希望公司想辦法解決。可是像我，要說沒受到什麼直接損害，也是這樣沒錯。雖然看到樹木那些枯掉，會覺得：啊，這樣不行。」

「樹枯掉了嗎？」

「枯掉啦。去看看就知道了，採銅的那一帶，寸草不生吶。底下的土地全都露了出來，已經成了一片荒地。那是因為毒滲進泥土裡的關係嗎？」

關口的表情苦不堪言：

「我不清楚土壤污染的程度，但銅在精鍊的過程中製造出來的礦煙——煙霧，對植物似乎非常不好。」

「是啊。那兒成天冒著滾滾黑煙嘛。明治那時候怎麼樣我不知道，但聽說有三座村子成了廢村呢。就因為那煙。」

「因為煙害而廢村嗎？」久住問，丑松說：「一天二十四小時都烏煙瘴氣的，誰住得下去？」

「人還能跑掉，但草木跑不掉，所以都枯光了。不只是枯掉，採礦也會砍樹。好像砍得很凶，拿去當燃料，或是搭鷹架，總之有用處吧。」

「也發生過森林火災喔。」滋子太太說。「光是我有印象的，就燒了三次。」

「所以山的上面都禿光了，然後……那叫什麼？地面……地底下？」

「地盤嗎……？」

「我不曉得叫什麼，總之就變脆了還變鬆了，一點小雨就崩得唏哩嘩啦。上游坍了，就有一堆奇奇怪怪的東西沖下來。不管是毒還是土石流都是。那些擴散得愈來愈廣……」

我覺得是這樣啦——丑松說。

「其實怎麼樣，我也不可能清楚。聽說連利根川那邊都被毒害了，那當然會抗議啦。就算沒有毒，土石流沖下來，把人的田地都毀了嘛。所以已經吵了幾十年啦。」

「談判好像很困難重重。」關口說。

「渡良瀨川是從足尾的皇海山那一帶流下來的，所以渡良瀨川的沿岸好像都很慘。」

原來如此……

樹葉樹幹都能保水，樹根的保水力尤其強大。樹木減少，雨水就無處停留，全部滲進泥土裡，直接流出。

當然，地盤也會鬆動吧。

「所以啦，」丑松說。「像上次那樣的大颱風一來，就撐不住啦。所以才要做工程，但不是連續來了幾次大颱風嗎？每年都是。搞得東塌一塊西塌一塊。才剛修好就被沖壞。那是礦山公司出錢的吧？」

「是嗎？」太太說。「去年不是在說和解了還是沒有嗎？已經不打算出錢了吧。從明治時期就挖挖補補的。不曉得是國家出的還是公司出的，聽說工錢也縮水了。結果是市政府還是町公所在弄吧？」

「這樣嗎？真小氣。倒是，那工程要持續到何時啊？怎麼搞了那麼久都還沒完工？」

「這樣比較好吧。」太太說。「工程沒完，咱們那兩個兒子就還有錢賺。完工的話，他們倆就沒頭路啦。」

「妳這是……」丑松說到一半，注意到久住和關口，說了聲「啊，歹勢」。「本來是在講什麼去了？」

「哦，登和子小姐的外祖母在哪裡住院。」

「啊，所以這不曉得吶。我那兩個兒子暫時不會回來，也聯絡不上。不過應該是日光市區的醫院吧。這一帶沒有醫院。以前……這前面是有家診所啦。」

丑松用下巴朝不同的方向努了努。

如果久住拙劣的方向感正確，那個方向丑松之前說前面什麼都沒有。

「那……前面嗎？是鄰村的診所嗎？」

「隔壁是山。」丑松說。「我剛才也說過，再過去啥都沒有。只剩下房子，沒有人住。」

「那種地方有診所？」

「是啊，可是已經沒了。這裡真的變成村郊了。醫生也死了嘛。」

「死了？」

久住好像只要聽到死，就會忍不住起反應。即使未曾浮現意識表面，但他似乎一直在反芻著登和子的話。

「明明是醫生，卻顧不好自己的身體。」

丑松朝太太遞出空掉的茶杯。

「那個醫生已經病了很久了。診所也是，雖然開著，但也都沒在看診。不過我記得淺田家的老太婆病倒的時候，最先是送去那兒嗎？」

「很近嘛。」太太接話。「連登和都說，都看不出誰才是病人了。喏，阿婆臥床後，阿妙也跟著病倒，那時候應該也是請那個醫生去看吧，前年那時候。不過醫生自己連路都走不穩了。結果人救不回來，阿妙死掉了，那個醫生自己也一副快斷氣的樣子。那一次……應該是最後一次看到他生前的樣子吧。」

「像妳就很勇健嘛。」丑松說著，傻眼地看向自己的老婆。「要是每個人全都像妳這個樣，醫生都要餓死了。我看妳這輩子連一次都沒有病過吧？」

「那個……」關口插嘴夫妻的對話。「您先前說……這一戶再過去，什麼都沒有，對吧？」

「沒有啊。」

「那留下的屋子……」

「變空屋啦。廢屋。那是……什麼時候去了？欸，老媽子，已經過了二十年有了嗎？」

「是昭和八年還九年的事吧。」太太回答。

「對對，大概那個時期吧，這邊再過去的居民全部搬走了。這一帶以前是叫尾巳的聚落。是啊，在那之前，這邊再過去應該有三、四十戶人家吧。」

「搬走了？一口氣嗎？」

「一口氣。」

關口板起了臉。表情很古怪。

「這……又是為什麼？是被迫遷離嗎？」

「應該……不算吧。」

「足尾的礦毒事件中，我聽說也有居民被強制遷離。」

「那是谷中村啦。」丑松說。「那裡啊，嗯，好像是那種感覺。聽說公司賤價買下田地，最後逼人搬走。要是真的，那實在太過分了。搬到藤岡去的人，好像到現在都還在記恨。明明都已經是上一代的事了啊。生長的土地被奪走，真的很殘酷。不過這邊……」

不是那種情形呢──丑松歌唱似地說。

「對吧？」

太太深深點頭：

「完全不一樣。」

「這樣啊……。哦，三、四十戶人家一口氣遷離原本居住的土地，這種事很罕見呢。除非是興建水壩之類的特殊情形……」

「谷中村是沉到水裡了呢。」丑松說。「變成那個……叫遊水池，是嗎？村子已經無影無蹤了。可是這邊再過去，什麼都沒蓋啊。」

久住覺得，看起來再過去仍然是村子。

「跟谷中村完全不一樣。谷中村是說被那個……礦毒嗎？因為被礦毒污染，土地再也種不出東西，所以給了他們少得可憐的一點錢，搶走了他們的田地，就像趕狗一樣把人給趕走，然後用水淹了。那叫什麼？強制嗎？被強制遷離了。可是……」

「這邊再過去……不一樣？」

「他們是自個兒離開的。把土地賣了。不是被強制的。那是……應該是我還二十來歲的時候吧。」

「你在說什麼啊？都二十五了吧？那時候我都已經嫁進來了。真是，要是那時候把地賣了，就不會現在還待在這邊鳥不生蛋的村郊了。」

「是賣給礦山公司嗎？」

「別說傻話了。」丑松噘起嘴唇。

這話聽不出是在對關口說，還是對自己的太太說。

「這種地方，礦山公司買了要做啥？要蓋精銅廠，也會挑交通更方便的地方。買土地的是……那是哪裡去了？出了很不錯的價錢呢。」

「高價收購嗎？」

「價錢很不錯呢。我沒賣過地，所以不知道行情，但聽說搬走的人都在別處蓋了大房子，過得可舒服了。」

「丑松先生沒有賣嗎？是覺得世世代代住慣了的土地，不是可以代換成金錢的？」

「別說傻話了。」丑松又說了一次。「哪來的世世代代，這房子是我老爸買的。要是換得到錢，我立刻、馬上就賣。現在的話，幾個破銅子也賣。那個時候也一樣，對吧？」

「會賣掉呢。」太太回應。

「那個時候啊，我真是太想賣了。對面人家也一樣。淺田家的老太婆也一直為這件事懊惱個沒完。」

「淺田家……也沒有賣，對吧？」

久住問，丑松夫妻對望了一眼，一起張大了鼻翼：

「兩位老師啊，要知道，不是我們不賣，而是人家不買啊。那些來買地的人……」

丑松半站起身，食指朝下，做出畫線的動作。

「說這條線再過去，他們統統要買。線剛好就畫在我家跟隔壁家的中間。淺田家也不在線內。這麼說來，那時候登和剛出生呢。那個死掉的第一個女婿怨天怨地怨個沒完。」

那是……登和出生時的事嗎？

「不曉得賣地的人拿到了多少錢啊。來買地的那些人，不是官員，也不是公司職員，是一群來歷不明的人，對吧？」

「也有軍人。」太太說。

「軍人？」

「有士兵嗎？」丑松問。

「有啊。汽車旁邊不是站著像憲兵的人嗎？那是軍人吧。不過他們應該只是帶那個像金主的人過來吧。喏，不是就在對面家旁邊的空地辦的嗎？」

「說明會。這我記得。站在像蘋果箱的東西上頭，碎嘴碎舌地說個完沒，對吧？那個戴眼鏡的小矮子。那人說，從這裡……」

丑松又在空中畫線。

「到那裡的人都沒你們的事，可以走了。什麼從這裡，那就我家隔壁啊。我跟對門的女婿就說，既然是隔壁的事，我們也要聽。」

「讓你們聽了嗎？」

「真不該聽的。那個時候啊，像我拚死拚活做上一個月，頂多也才賺個十圓上下。但我記得……對，他們居然開價一坪五千圓起跳呢。五千圓呢！從這裡……」

到那裡——丑松再說了一次。

一定相當不甘心吧。

久住不了解當時的貨幣價值，更不清楚上漆工匠的月收水準，因此即使聽到金額，也不太能理解。

「什麼嘛，要是相隔一町〔註〕以上也就罷了，就在隔壁耶。就只剩下兩戶，小氣個什麼勁，把分給每一戶的錢扣掉一點，一起買下來也不會死吧？對吧？」

「就是說啊。」妻子附和。

「那個……」關口打斷似要開始埋怨的夫妻。「我覺得這個價錢確實超出行情。昭和十年的話，即使是銀座的黃金地段，也只要一坪一萬圓左右。」

「就是吧。」

「這一帶的房子還滿寬敞的……」

「一百坪就五十萬了嘛。」

註：町為日本傳統長度單位，一町為一〇九．一公尺。

「現在的話，是多少錢？」久住小聲問，關口說「大概一百五十萬吧」。

「現在地價又進一步飆漲了。現在的話，就算有一百五十萬，在銀座連一坪土地都買不到。但是在當時，是一筆鉅款呢。」

就久住的感覺來看，即使是現在，五十萬圓這個數字就是一大筆鉅款了。

「就是吧？所以跟谷中村不一樣。不是被趕走，也不是被沒收。雖然離開生長的土地，或許是滿難過的啦……」

「世上有些東西是金錢買不到的嘛。」久住這麼說，丑松當下反駁「才沒那種東西」。

「就算有……兩位老師，金錢買不到的東西，也沒辦法填飽肚子啊。為了填飽肚子，就算是無可取代的東西，也得拿去賣錢。」

否則就要餓死啦。

「更別說這一帶的人不是農民，對土地沒啥執著，也沒什麼人家是在這裡住了好幾代的。都是從外地流落過來，在村郊生根落地的人和他們的子孫，對這裡沒什麼留戀。當然是換大錢更重要啊。」

或許是這樣。

久住對土地也無甚執著。

就像丑松說的，若是生活與土地有著密不可分的關係，或許另當別論，但對於宛如浮萍的久住來說，應該要執著的反而是人與人之間的緣份。

他認為是有這樣的生活樣貌的。

對這樣的人來說，賣掉房屋，或是拋棄共同體，不是犧牲名譽、選擇利益如此誇張的問題。沒有棄卒保帥這麼不得已，卒或帥都沒什麼差。

久住認為，這也許是長年與土地共生的人絕對不會理解的事。

在這樣的人眼裡，賣土地的人，或許就跟賤賣靈魂的守財奴沒有兩樣。

可是。

久住仰望丑松家煤灰的屋梁。

「那……」關口問。「收購的土地上蓋了什麼？」

丑松和妻子都睜圓了眼，一臉怔愣。

「沒有。」

「沒有？」

「啥都沒有啊。」丑松說。

「是這樣沒錯，可是……呃，假設總共有三十戶，等於是以當時的幣值掏出了超過一千萬圓以上的資金吧？這是很驚人的數字耶。收購的人掏出這麼大筆的資金買下了土地，對吧？那他們拿土地做了什麼？」

丑松歪頭：

「不曉得。完全不曉得。我們家因為被除外，真正氣不過，完全沒去關心。唔，過了一陣子以後，就只開了一間診所而已。這裡離醫院很遠，說方便也是方便啦。可是我們家的人，喏，都身強力壯嘛。老媽子也像颱風。」

「就只有診所？」

「對啊。說是開張，那間診所應該也只是把其中一戶改建一下罷了吧。」

「那是修鐵器那一家啦。」太太說。「喏，以前那兒不是有一家鐵匠嗎？記得是姓及川還是什麼。有個沒出息的兒子的。」

「這麼說來是有這麼一戶呢。就那戶鐵匠家變成了診所。不是重蓋，是把裡頭稍微整修了一下。是因為那一戶比別戶還要大間嗎？」

「不大吧。要說最大的一戶，喏，是最裡面那棟……」

「嗯？啊？不不不，再怎麼大，那裡也不行啊。妳在說什麼啊？」

「那裡有什麼嗎？」關口問。

「哦，有棟老房子。從那邊一直過去，盡頭的地方。不過不算是這村子的範圍，有點距離。那邊再過去就已經是山裡了……是一棟很古老的建築物。」

「是僧坊還是什麼嗎？」關口問。

「應該不是寺院的建築物。或許是，但這一帶沒有寺院嘛。古早以前或許有吧。不曉得。不過也不是農民的房屋，是豪宅。那屋子非常老了吧？我看應該明治維新以前就有了吧？搞不好更早。」

說到這裡，丑松抬頭看向上方。

「這麼說來，那裡怎麼了？」

「什麼怎麼了？」太太反問。

「哦，收購土地的時候，那裡不是空屋嗎？」

「才不是空屋。」太太說。「有人住啊。」

「誰住在那兒？少在那裡胡說。妳在這裡住了幾年了？那裡啊，從我小時候就沒人啦。」

「你這死鬼才少在那裡瞎說。明明我嫁進來的時候，那裡就有住人。後來也都有人。」

「才沒這回事。」丑松皺起眉頭瞪妻子。「原本住在那裡的人，全家都被殺了。不可能有人住。」

「全、全家被殺？」

「以前的事了啦。」丑松誇張地揮手說。「古早以前的往事了。是我出生前的事……」

「傳聞啦傳聞。」太太說。「一定是傳聞嘛。那裡有不太好的傳聞，我是不太清楚啦。說什麼住在那裡的人死了還是被殺了……」

「被殺？」

「就是些常有的傳聞啊。那種恐怖的地方，總是發生過什麼事嘛。上吊啊、投井那些的。」

「傳聞說啊，」丑松開口。「那棟大宅子裡，真的有一戶人家被滅門。不過是很久很久以前的事了。所以在我小時候，那兒就已經是空房子……」

「有人住啦。」太太拍打丑松的膝蓋。

「好痛。誰住在那裡啦？」

「叫什麼去了?名字我忘了。明明就有個女傭去那兒幫傭啊。是叫富什麼還珠什麼……是珠子嗎?明明就有,我嫁進來的時候。」

「有嗎?」丑松兩邊嘴角撇了下來。

「有啦。她每次從我們家門口經過,總是一臉快哭出來的樣子,說自己到底造了什麼孽,得去鬼屋幫傭。」

「鬼屋?」

「她是這麼說的。所以才沒人敢住吧?」

「不是啦,是因為有奇怪的聲音。」

「奇怪的聲音?」

「妳才是,到底在這裡住了幾年了?那裡每天晚上都會傳出啜泣聲還是低吼聲……傳聞啦。」

「你們聽見過嗎?」久住問,丑松回說「隱隱約約」。

「隱隱約約?」

「我不曉得那是不是人聲,但是有聲音沒錯。妳明明也聽見過吧?忘記是哪一次……」

丑松想了一下,說「那是地鳴」。

「因為我聽到聲音,是過去的土地都賣掉以後的事啊。那房子雖然不曉得是什麼時候變成空屋的,但土地賣掉以後,絕對就沒人住了吧?」

「這死鬼也真傻。就是沒人住卻有聲音……」

才叫做鬼屋啊——妻子說。

鵺（二）

等於是被殺的——老人說道。

綠川不懂那種感覺。所以她問「這是什麼意思」。

「我是山裡頭長大的，身子骨強壯，所以沒給這兒的醫生看過，但聊過幾次。醫生是個老實人。」

「是啊。我對叔公的記憶不多，無法想像叔公笑的樣子。」

叔公總是斯斯文文，十分紳士，不知為何，身上有股墨水的氣味。

「我這人沒學問，但還是看得出醫生學識淵博。他不只是個普通的醫生吧？」

「叔公與其說是醫生，更是個研究者。雖然我不清楚他專門研究什麼。」

「研究者啊。」老人板起了臉孔。「是了不起的學士先生呢。應該不是自己樂意跑來這種荒山野地的吧？」

「不知道。」綠川回答。「我只記得聽說叔公要去栃木了。二十多年前的事了，而且那時候我還小，只覺得是去工作的。」

叔公原本應該任職於理化學研究所。但二十年前來到栃木那時候，就已經辭掉了研究所的工作……會是這樣嗎？

不同於現在，當時理化學研究所是個巨大的聯合企業，研究資金應該也十分充裕，是它被稱為「科學家樂園」的時期。過去綠川從未想過，但等於是叔公拋棄了那些優渥的條件，來到了如此僻陋的診所。

是……發生了什麼事吧。

「就我聽到醫生本人的說法，他好像在原本的職場跟什麼人不合。不是為人處事有什麼問題，好像是什麼……學問方面的看法相對立。醫生說那個人在做的研究……他是怎麼說的？對這個國家沒有好處，對世界也有害無益。」

「那是在說什麼研究呢……？」

綠川完全沒有底。

「所以他離開那裡，來到這裡，想要證明他說的那個什麼研究很危險，是不好的東西……我是不太懂啦。我這人沒學問嘛。不過就是因為跟我這種老頭說什麼，我都不會懂，醫生才會告訴我吧。」

這兒也沒人跟他說話嘛——老人說。

「我也是一樣。我住在山裡，所以跟村子裡的人很疏遠。所以……是啊。戰爭結束後，我每隔幾個月就會過來看看。」

「這樣啊……」

「醫生提到過什麼祕密的東西。還說他是抱著不入虎穴焉得虎子的決心過來的……但他說洞穴裡沒有老虎。」

「這……更教人不懂了呢。」

應該是某種比喻吧。

「妳的叔公是這麼說的。不過，他還說這是一種背叛，所以他回不去了，其他的路子也都斷了。」

「背叛……？」

是指對理研的背信行為嗎？

叔公到底……

——在這裡做什麼？

「嗯……戰爭期間，妳叔公就像個守衛一樣，在這裡保護著什麼。但他說戰後已經成了惰性。說所有的一切都沒有意義了，所以都無所謂了，但事到如今，他也不打算離開了。」

他那是放棄了什麼——老人說。

「我是不清楚，但覺得他是被抓來做什麼，但那件事不知道是挫折還是失敗了。所以所有人都撤走了。」

「撤走……？意思是……？」

「一開始人很多的。這家診所開設之前，有幾十個工人進來，不曉得在做什麼。這讓我很好奇，有時會過來看看。不過只有一開始人那麼多。但後來隨時應該都還是有五、六個人左右。」

「在這間診所嗎？」

「不是，人是在更裡面，山那邊的大房子。那裡有一棟從以前就被說是鬼屋的老房子。這裡本來是修鐵器的小屋，我也會來請鐵匠幫忙重打刀具。」

「鐵匠嗎？」

「技術很差。現在不曉得在哪裡做什麼。」

「那麼這一帶……應該說再過去的人家，都遷走了嗎？」

「這兒本來是一座小村。」老人說。「我不是村人，所以不清楚是怎麼個經緯。裡面的大房子的人，也只在夜深人靜的時候才會進出，所以一定是偷偷摸摸在做什麼吧。也不曉得是不是住在那兒。定居在這裡的，只有這裡的醫生。這棟小屋離村子很近，這間診所應該是個幌子，要不然就是類似村境的守衛小屋吧。」

「是……這這樣嗎？是在保護那祕密的……」

事業嗎？研究？還是開發？

綠川看向自己無法解讀的成堆文件。

「我不曉得這兒在做些什麼。醫生也不曾好好跟我說過，雖然就算告訴我，我應該也聽不懂。總之是國家、軍方或是公司那些單位，有人出錢，在那段時期，在這裡做了什麼。」

儘管隱約察覺，但這表示叔公並非單純的村醫。那疊神祕的紙張的來歷，也可想而知了。

即使可想而知，也一頭霧水就是了。

「沒多久戰爭就開打了。我住在山裡，完全不曉得是怎麼個情況，而且生活還是照過……是啊，我看到敵人的飛機在這兒……」

老人指向天花板。

「飛過日光這兒的天空。應該是那一帶吧。裡面的大宅子人都不見了。接近戰敗的時候，已經人去樓空，只剩下這裡的醫生。至於他是被交派了任務，還是自願留下來守著，這就沒聽說了。」

然後放棄了嗎？

叔公是放棄了什麼？研究嗎？立身出世或富貴榮華這些庸俗的願望，應該不是叔公會想要的東西。

綠川真想在叔公過世前見他一面。

綠川會立志從事現在的工作，受到叔公的影響極大。雙方雖然緣慳分淺，但叔公一直存在於她的心中。

「是被過河拆橋了吧。」老人說。「這兒的醫生，本來打算要實現某些目標，但結果沒能成功。所以才被流放到這種鳥不生蛋的地方，最後死在這裡。所以……」

「你才說叔公等於是被殺的嗎？」綠川喃喃道。

「沒錯。」老人說。「不就是這樣嗎？」

「是啊。可是，這兒鳥啼聲很熱鬧。」

一想到叔公，就覺得快呼吸不過來了，綠川改變話題。

「是啊。白天啼叫的鳥是還好，可是夜晚的鳥啼聲，聽了教人斷腸啊。醫生有一回問過我鳥的事。」

「叔公嗎？」

「對。他說他對鳥不熟悉。」

「應該沒什麼認識吧。我想他對專門以外的領域不太感興趣。」

「是啊。他說夜裡會聽見歔欷像悲鳴的聲音。還說那聲音太淒涼了，讓人心碎。」

「說到夜裡啼叫的鳥，我只想得到貓頭鷹而已，但貓頭鷹不是那種叫聲吧？」

「是鵺啊。」老人說。

「鵺？」

「應該還有其他稱呼，但我不知道。比麻雀還要大。大概鶇那種大小吧。花紋就像老虎。」

「有花紋嗎？」

「啊，那不叫花紋呢，是斑點。不過我也沒看過老虎，不是很清楚。下雪的季節，那種鳥會不曉得躲到哪裡去，到了春天……就會在夜半啼叫。歔歔、咻咻，那聲音……」

說有多哀淒就有多哀淒啊。

在這種地方。孤單一人。

夜半時分……

「叔公很寂寞嗎？」

「天曉得。像我一直是一個人。老婆早死，雖然有個女兒，但從好久以前就分開生活了。二十年有了吧。還是更久？」

「那一定很寂寞吧。」

「倒也還好。」老人說。「沒啦，我都一個人在山裡頭住了幾十年了。寂寞孤單那種心情，也早就磨光了……不，打一開始就沒那種感受。」

「沒有嗎？」

「就算有也不懂吧。在山裡出生，在山裡死去，已經是山的一部分了。不管是鳥、昆蟲還是動物，都是這樣的。不會沒事就在那裡哀怨寂寞。出生、過活、死掉，就這樣而已。在山裡就是這樣的。」

這……也不是不能理解。

學習醫學，有時生死的境界會忽然變得模糊。透過顯微鏡觀察組織等等，會迷失生命究竟存在於何處。人體的各個部分確實是活著的，但人並非以部分的形態活著。整體才是一個人。細胞就只是細胞，不能稱為人。

但細胞也是活的。只是人的細胞會以驚人的速度凋亡，並以同樣快的速度新生。約莫三個月左右，人的細胞就會全部替換。即使如此，人依然是人，並不會變成另一個人。

——山也是一樣嗎？

山生生死死，但依舊是山。

「本來就是山裡人的話，那就沒事，」老人說。「可是這兒的醫生是城裡來的吧？從城裡來的話，應該會覺得很難熬吧。對了，這兒的醫生，他的家人……」

「嗯，叔公沒有結婚。」

「沒有結婚啊。不是跟另一半死別啊。剛看到妳的時候，我以為妳是他女兒。」

「叔公是我的祖父的弟弟，但家祖父很早就走了，我的父親也早逝，所以現在和叔公有血緣關係的，只剩下我一個了呢。」

「這樣啊。不過血緣不重要。只要有回憶就夠了。」

——回憶嗎？

其實，緣川也沒什麼和叔公在一起的回憶。相處的時間並不長。

「我們並沒有住在一起。但是在我小時候，叔公每年都會來我們家幾次……」

「這樣啊。那或許醫生會回想起妳的事。」老人說，露出遙望的眼神。

「我們關係並沒有那麼親。」

緣川不知道叔公怎麼想。

「緣分就是這樣的。」

「這樣嗎……？」

「有些人只見過一面，卻一輩子忘不了，卻也有些人天天見面，卻一點都不放在心上。」

「確實。」

「我和這兒的醫生才是非親非故，而且連半點一樣的地方都沒有。我們從來沒有坐下來好好聊一場，也不曾把杯喝上一整晚。可是怎麼說呢……」

老人望向遠方。

「妳叔公是位了不起的學者，對吧？而我，可是個叉鬼〔註〕呢。」
「叉鬼……？叉鬼是獵師嗎？你是以狩獵為業嗎？」
「這不算營生吧。」
意思是不算職業嗎？
那麼，是指生活方式嗎？
「我啊，是日光權現允許獵捕全日本山中野獸的日光派叉鬼……唔，用妳們的話來說，就是獵師吧。雖然我不把自己當成獵師。」
「意思是，這不是一份工作嗎？」
「我也不知道該怎麼說，因為從老早以前就是這樣了。我從一出生就是叉鬼了。就算變成四民平等、戰爭打輸了也一樣。連戶籍也不曉得有沒有。跟這兒的醫生是天差地遠，對吧？可是啊，明明相差這麼多，我跟妳叔公……」
嗯，是朋友啊——老人說。
「我們是戰況不再樂觀那時候認識的，所以嗯，打交道的時間也不到十年。說是打交道，也只是我像這樣過來看看他罷了。就算交談，也不會說上這麼多。也沒話題可以聊嘛。」
叔公本來就不是個愛交際的人。
話應該也很少。
「可是啊……」老人仰望天花板。「他一走……還是會覺得寂寞啊。」
綠川想，應該向老人道個謝嗎？
天下之大，會為叔公的死哀悼的，大概就只有這位老人了。
「雖然我也沒見到他最後一面啦。他也沒說身體哪兒不舒服。雖然看起來也不是多健康。然後……隔了一陣子再來，這兒已經成了空屋了。我還奇怪怎麼了，想說他是去旅行了嗎？還是回故鄉了？可是其實那時候就已經歸西了啊。屍體被公所還是哪裡搬走了。」

「聽說叔公是在去年夏天前過世的。」綠川說。
不清楚過世的正確日子。
她是在秋天過後才接到聯絡的。
她因為工作的關係無法分身，結果就這樣拖到年後了。
「這樣啊。噯，就算來得及見面，我也幫不上什麼忙。應該也是莫可奈何吧。已經……燒成灰啦。」
「是的。」
「墓地在……？」
「祖父的墓在青森。雖然我不清楚很早就離家的叔公是不是把青森當成故鄉，不過會納骨在那裡。」
「青森好遠吶。」老人說。
「我預計下星期就去納骨。納骨之後，我再來通知你一聲。不過……」
「妳應該也找不到我吧。」老人說。
「可以……請教你的大名嗎？」
我叫桐山寬作——老人回答。

註：原文為マタギ（MATAGI），漢字可作「叉鬼」、「又鬼」等。指日本東北及北海道山區等地，以傳統方式狩獵的集團。

猿（三）

夢見猴子了。

築山覺得。他這麼覺得，但不清楚是不是真的夢見了。他覺得是因為昨天一直聊猴子，才會做那種夢，但他根本不曾仔細看過日本猴。叡山的猴子不會靠近人。聽說日光的猴子很親人，但築山從未上過山，所以沒有被猴子靠近的經驗。

小時候他以為猴子有尾巴。是跟西洋猴子搞混了吧。

所以夢裡的猴子雖然是猴子，卻也是莫名其妙之物。因為不知道細節，所以無法正確地在夢中重現吧。

他覺得那只是呈現人形的**動物**。

臉像東照宮的三猴，但身體像貓或狗，似乎還是有尾巴。也覺得好像有老虎或豹的斑紋，因此根本就不是猴子。

那種**像猴子的東西**做了什麼，完全不復記憶。他覺得不是什麼愉快的夢，但夢裡的築山儘管厭惡那隻猴子，卻又覺得非敬拜牠不可，結果不知該如何對待才好，四處逃躲……類似這樣的感受，醒來之後仍繚繞不散。

是安田把他叫醒的。

築山在會客區的長椅上睡著了。

該說不出所料嗎？昨天中禪寺提出要留下來過夜工作。不僅如此，還說為了比對，想要讀天海藏的《西遊記》。

築山猶豫該如何是好。他並非不信任中禪寺，但國寶、重要文化財那些，必須在負責人的見證之下才能調閱。

他這麼以為，沒想到……

不知怎地，不管是留下來過夜，或是閱覽，都得到同意了。他早就知道那位書商原本就和輪王寺的僧人、東照宮的神官都有交流，但他的信用似乎比築山還要好。

寺院另外準備房間，由寺務人員送來珍貴的文書。

築山說要幫忙，但中禪寺恭敬地婉拒了。確實，與外典的比對，與其多人進行，全部交給中禪寺一個人，應該更快而且更正確。中禪寺說核對完畢後會立刻回到原本的工作，請兩人繼續調查其他箱子，接著便搬著裝有《西遊記》的儉飩箱關進房間裡了。

調查的表定工作時間是到下午五點。但有時為了收拾，或工作尚未告一段落，多半都會延遲一小時至一小時半。當時已經快六點了，因此築山叫仁禮先回去。

中禪寺說這樣過意不去，要築山也回去休息。確實，築山留在這裡也派不上用場，但再怎麼說，聘請中禪寺的是築山，總不好把事情丟給他走人。

他叫了外送做為慰勞，一起用晚飯。

但……築山實在不好意思回去，請安田把備份鑰匙給他，一個人繼續工作。

他原本打算做到一個段落就離開，但不知不覺間錯失回去的時機，結果在會客室睡著了。幸好為了保險起見，早早就鎖上了門。

安田哈哈大笑，說築山臉上睡出印子來了。築山還沒有從像猴子的動物的夢裡醒來，因此整個人迷迷糊糊。

「把你吵醒了嗎？老師。我沒想到連老師也睡在這兒。來得太早了，不好意思啊。」

「不會，呃……」

看看時鐘，才六點而已。

「這是沒關係……妳來得真早呢。」

「哦，就那位穿和服的老師，我想到昨晚應該送個宵夜給他的。所以想說至少早點過來，帶了飯糰來。」

這是自己捏的——安田說，為築山泡了茶。

「那位老師還在工作嗎？」

「嗯。我工作到兩點左右，去看了一下他的狀況……那時他工作的房間燈還亮著。結果後來我坐在這張椅子上睡著了……」

築山望向中禪寺所在的房間方向。

這時就像算準了時機，房門打開，中禪寺探頭出來。

「築山，你起來了嗎……？」

外表看上去沒什麼不同。

「你應該回去休息的。」中禪寺說著，走出房間。「本來以為你回去了，結果看到你睡著了，所以沒有把你叫醒。啊，安田嫂，給妳添麻煩了。」

「老師熬了一整晚嗎？還撐得住嗎？」

「我習慣了。築山，你最好先回去休息。我這邊還要再一陣子。」

「不，可是我已經睡過了。」

「也才睡了三小時半而已吧？回去泡個澡休息吧。而且你工作到深夜兩點，就算扣掉晚餐時間，也整整工作了八小時，已經達到今天的工作時數了。」

「唔，是這樣沒錯……那中禪寺先生呢？」

「我是自己喜歡才做的。後續我五點以後再處理。今天的例行工作，我會跟仁禮一起做。」

「《西遊記》那邊……」

「哦。」中禪寺的表情略略僵硬了一下。「一個晚上弄不完。世德堂本因為說好只借一晚，所以得歸還了，但核對還需要一點時間。我會在工作時間外處理。」

「你打算今天也熬夜？」

「如果能夠，是想回去休息啦。」中禪寺笑道。

「這老師也太強壯了。也不是強壯嗎？本來就一臉疲憊，所以看不出有什麼不一樣吶。」

安田哈哈大笑，請中禪寺用茶和飯糰。

「相較之下，築山老師真是差太多了。最好聽這位老師的話，先回去一趟比較好喔。眼睛都是血絲，臉頰都壓出田埂紋了。噯，在這種地方睡也睡不好，反而更累啊。」

安田用力拍了拍長椅說。

「不過，安田嫂這麼一大早就幫忙做飯嗎？」中禪寺吃著飯糰說。「真過意不去。」

「沒什麼啦，我也沒事好做。我孤家寡人嘛。全靠寺務人員的好意，才能像這樣過活……」

築山聽說過安田的孫子戰死了。兒子兒媳好像也在東京大空襲中過世了。這名老婦人的口頭禪，是「不該去什麼東京的」。

「我是真的很感激。而且昨天不知怎地睡不好，本來就早醒，今天更是一下就醒了。來……」

吃點咱們日光當地的醃菜——安田請中禪寺吃醃菜。

「築山老師，你也聽說了吧？最近這一帶出現了怪人。」

「出現怪人？」

「咦？老師沒聽說嗎？老師住的地方沒出現嗎？」

「所以說，那是什麼？」

築山下榻的地方，不是附伙食的公寓。他只是租賃短期，因此很少和房東碰面說話，頂多看到會打個招呼而已。

「就怪人啊。」安田說。「很奇怪，很可疑。我本來以為只是人家在亂傳，可是隔壁的兼田老先生也說他看到了，我實在有點怕。一想到那個怪人是不是就在附近，一顆心就七上八下，結果醒了個大早。」

「是怎樣的怪人？」

「哦，聽說會拜屋簷、拜水溝。」

「拜？是乞討的嗎？在日光這裡？」

上門賣藝乞討的〔註一〕會在全是寺院和神社的土地做這種事嗎？

「好像不是在討錢，所以似乎不是那種的。怎麼說，聽說會像這樣，坐在還是蹲在地上，臉也貼在地上，動作就像動物在聞東西。然後整個人貼在牆上，鬼鬼祟祟不曉得在做什麼。」

「是男的嗎？」築山問。

「男的男的，是男的。」安田回答，嚼起醃菜。「不年輕，可是好像也不老。真的很恐怖，對吧？要是打扮得像和尚還是山伏〔註二〕，再怎麼奇怪，也會覺得應該是某種儀式，可是聽說那人穿著土氣的外套，像個上班族。」

「哦？那是在做什麼呢？」中禪寺說。

「所以說，既然是像這樣跪地磕頭，應該是在膜拜吧。想不到還能是什麼了嘛。」

「那是什麼時候的事？」

「我家附近是這兩、三天開始出現的。」

「那個人也會出現在其他地方嗎？」

「會啊。我聽兼田家的老先生說，有人一星期還是十天前左右看到。」

「在安田嫂住的那一帶出沒嗎？」

「應該是在整個日光出沒吧。兼田老先生也不可能知道其他地方的事。昨天那人好像在老先生家倉庫後面的河堤拜拜。那裡就在我家附近。然後聽說都是在天黑以後、天亮之前出沒，真的很毛，對吧？就算隔著一道牆，我才不想要睡覺的時候被怪男人拜哩。」

「唔……」

如果那真的是在拜，確實應該不太舒服。可是。

「沒有……實質傷害呢。」

「所以就不想被人隨便亂拜啊。」

「是這樣沒錯，但我是說闖空門，或是……偷窺、破壞房子那類損害。應該是有什麼目的吧。」

「那些才不算什麼損害。」安田說。「我家又沒什麼好偷的，也沒什麼好看的，都老太婆了嘛。那破房子就算屋簷被弄壞也無所謂，反正是租的。可是欸，要是詛咒那些的話，不是很討厭嗎？」

確實。

「要是有不曉得哪來的陌生人，在牆壁外頭傳送惡念，教人怎麼不害怕？租的房子牆壁又薄，會感覺到動靜吧？所以我就醒了。然後就去煮了飯。」

「那到底是在做什麼呢？」築山說，中禪寺手扶下巴，應道「很有意思呢」。接著說：

「安田嫂，或許相反喔。」

「相反……什麼相反？」

「那或許不是詛咒，而是在祈福。」

「祈什麼福？又沒什麼喜事。」

「所以說，那個人或許是在祈禱那一戶的居民能得到幸福。」

「哪有這種事？因為……那人不光是拜房子，還會拜水溝、拜地面呢。」

「這樣說的話，詛咒地面和水溝不是更奇怪嗎？」

「是很怪啦……那你說，那是在做什麼啊？老師？」安田問。

「這個嘛，他不是做出類似五體投地的動作嗎？那也許是在祓除大地的污穢，淨清邪惡的事物，安撫地靈啊。如果其實是這樣呢？」

「這……唔，還是毛毛的啦，但好像沒那麼討厭了。」安田說。

「如果那個人是那樣的姿勢，這麼解讀才自然。然後他在屋簷下、大門前也做出一樣的動作，對吧？那

註一：原文為「門付」，是日本古時一種街頭藝人，會站在人家的門口表演才藝討賞。也有一些會裝扮成宗教人士，誦經等換取金錢。
註二：山伏是修驗道的修行者。

不是在傳送詛咒，而是在祝福——祓除災禍，這樣想才合理。」

「免費的嗎？」

「他應該是喜歡才這麼做的吧。」中禪寺的回答以他而言相當隨便。

「做興趣的嗎？」

「應該吧。所以如果真的就像築山說的那樣，沒有實質害處，妳大可以不必放在心上。」

「這樣喔……」

「有人在門口幫忙祈福，不是什麼壞事吧？但還是擔心的話，最好報個警。即使沒有發出惡念，畢竟是可疑人物。陌生人未經同意任意祈福，唔，說討厭也是滿討厭的嘛。」

「啊，沒有啦……」

倒也沒那麼討厭啦——安田說。

「嗳，要是真的就像這位老師說的，那就像過年的吉祥物吧？像獅子舞、耍猴戲那些，也是見人就祈福。不過那些得包紅包，這邊的免錢呢。」

真的有效嗎？——安田說。

不知不覺間，詛咒的嫌疑消失，安田完全相信是受到祝福了。

「猴戲看起來有趣，也是不折不扣的才藝，但原本是一種咒術。不過如果問猴戲表演能讓家家戶戶都獲得幸福嗎？倒也不見得呢。」

「不見得嗎？」安田一臉落空。

「不見得啊。只是受到祝福，心裡舒服而已吧。詛咒也是一樣，只會讓人不舒服。只要不去在乎，那就沒差了。」

「咦，有道理耶。」

「那個人若是在祝福，至少會讓人感到舒坦。不過還是請安田嫂多多小心闖空門的宵小。」

「這樣啊，那是在祝福啊。」

安田臉上微帶笑意。詛咒疑雲似乎一掃而空了。

吃完飯糰，喝過茶，已經七點多了。

「好了，在仁禮過來之前，我再去處理一下《西遊記》那邊。築山，你先回住處吧。」

「哦……」

老實說，肉體渴望休息。

「中禪寺先生的話太可怕了。會讓人覺得非照做不可。」

「請別亂說，好嗎？我只是說出怎麼做比較好，或對方應該想要做的事罷了。」

「就是這一點可怕啊。」築山笑道。「會覺得自己的想法都被看透了。連自己都沒發現、自己不曉得的一面都被摸透了。」

「那豈不是占卜師或通靈人了嗎？」中禪寺也笑了。「你明明比任何人都清楚，我對那類東西不屑一顧，是個徹頭徹尾的無神論者。」

築山知道。

以前築山與某個迷妄之徒扯上關係，左右為難，是中禪寺將他救出困境。當時中禪寺以他徹底合理的話語，將那些迷信妄信一掃而空。

這名舊書商尊重信仰，但拒絕一切不合理之事。儘管他比一般人更愛好耽奇怪奇，卻屏棄亡魂妖魅。尤其對於占卜靈術之類，更是會徹底予以粉碎。

雖然……這應該是天經地義的事。

「所以我才說可怕啊。如果你說是靠神通力識破的，或是神諭告訴你的，我也不會相信。那些東西不管再怎麼神準，不是碰巧，就是騙術嘛。但中禪寺先生不是這種人。」

「當然不是。」

「而且你應該是一片好心。實際上也都被你說中了，所以照著你說的去做比較好。因此順從你的誘導，才是為了自己好……」

「說得好像我是用花言巧語操縱人一樣。」中禪寺苦笑。「請別生氣。總之，你絕對不會把人引向壞的方向吧。喏，安田嫂也是，明明毫無確證，她卻放下心來了。」

「安田嫂是個好人。」中禪寺說。「善良的人無謂地陷入不安，不是好事。對心理健康不好。可是……」

那到底是在做什麼呢？——中禪寺歪頭說。

「做什麼？……是說那個膜拜的人嗎？你不是說了嗎？是出於興趣為他人祝禱。」

「那樣的人……」

應該非常罕見——中禪寺說。

「築山你是佛教徒，所以很熟悉那類古老的聖人或崇高的修行者事蹟吧。所以不覺得有多奇異，但一般人不會這麼想。粹純為他人祝禱的崇高之人……在這個昭和時代，應該難得一見吧。而且那個人的穿著打扮似乎也不特殊，不像宗教人士。那樣的話，嗯，確實是奇異的可疑人士。那個人……到底是在做什麼呢？」

「這……你也太壞了吧。安田嫂都深信不疑了。」

築山這麼說，中禪寺回說「選擇要相信什麼的，都是自己」。

「這……是這樣沒錯啦。那，你是瞎說一通的？」

「才不是瞎說，只是也可以這樣解讀罷了。實際上也並非沒有這個可能，只是可能性相當低。不過，機率和那是在**四處詛咒**陌生人和土地也差不了多少。」

「是啊。」

「明明機率差不多，安田嫂卻毫無根據地相信一定是詛咒，這實在不好。機率一樣的話，比起詛咒，相信是在祝禱更要好多了。」

「這……也是呢。」

「應該兩邊都不是。」中禪寺說。「愈善良的人，愈容易毫無根據地相信這類不好的事。這不是件好事。去年神奈川一帶發生的連續毒殺案，也是因為蒙上了類似陰謀的偏見，收拾起來棘手極了。」

築山不太明白為何舊書商得收拾這樣的事件，但這個人不知為何，似乎經常受託處理這類事情。

「假設真的有陰謀，要揭露絕非易事。一般人就能輕易識破的壞事，實在不夠格稱為陰謀吧。以陰謀而言，過於粗糙了。」

而且也不是說，刻意隱藏的事，就一定是壞事——中禪寺說道，點燃香菸。

「人這種生物，容易只看、只聽對自己有利的事，也只相信這樣的事。雖然……人這樣就好了吧。」

「你的口氣聽起來並不贊同。」

「不，這樣就好了。只是……善良的人因為善良，總是免不了覺得自己哪裡不好。會心存不必要的罪惡感。同時，好人也知道世上不可能全是對自己方便的事。愈是知性的人，這樣的不安就愈強烈。惡魔會對人這樣的心性裂隙細語……」

讓我來告訴你，你所不知道的事……

「讓你看看被隱瞞的真相——之類的。絕大多數都是妄想，或是隨便瞎猜，要不然就是詐騙，但實在是沒有材料可以判斷真假。因為是自己不知道的事嘛。」

「然後……就會相信嗎？」

「一般會一笑置之。」中禪寺說。「但善良的人，愈是善良，就愈忍不住會想：萬一、如果是真的呢？」

「是這樣嗎？」

「似乎是呢。這個社會並不是說善良就有什麼好處。反倒是相反，善良的人會被有心人利用，即使不被利用，善良的人也多半會採取利他的思考或行動，因此若要計較得失，多半是吃虧的吧。」

「好心沒好報嗎？」

「若非如此，佛祖也不會特地教化眾生，說這個世界是有因果報應的，要人心存善念、多施善行。也不會編出天堂地獄這些權宜的說法。就是因為若沒有這樣的好處，許多人就會覺得行善也沒有回報，才會那樣說。」

「說得好赤裸呢。」築山說，中禪寺笑道「我就是這種人」。

「相對地，也有許多人就算不皈依宗教，原本從骨子裡就是善人。」

或許如此。

築山並不偏向性善說，卻也不支持性惡說。他認為兩邊都是對的。不管是擊斃發光猴子而自取滅亡的石山嘉助，還是敬拜發光猴子而重新振作的小峰源助，都沒有多大的不同。差別只在於面對微不足道的選項時，選擇了其中哪一邊。應該不是說，石山就是邪惡的，而小峰就是善良的。

「人只要陷入憤世嫉俗，就會不斷地往壞的方向偏去，好人很清楚這一點。但就像剛才說的，人愈善良，有時候就愈吃虧。為了彌補這樣的落差，就會去想：世上有許多人比自己更不幸。」

「比下有餘嗎？」

「對。這在某個意義上也是事實，若是藉此來維持心靈平靜，也未嘗不可。但若是過了頭……一樣不是好事。」

「這樣嗎……？會變得瞧不起人嗎？」築山問。

中禪寺說「沒有這種事」。

「那並不是想要自抬身價。那種……就像猴子一樣，想要騎在別人頭上獲得優越感的人，與其說是善人，更應該說是愚人。善人完全是謙虛的。」

「既然謙虛的話，那不就好了嗎？那樣的話，對於比自己不幸的人，也會以慈愛之心去對待吧。」

「對。可是也不是這樣就獲得了滿足。結果會變成陷在不必要的忍耐當中。有時即使遭受不當的對待，仍會默默隱忍。要是過著這樣的生活，就算應該要受到保障的人權遭到蹂躪，也不會發現，當然也不會爭取應該要爭取的權利了。會對自己的權利變得遲鈍。」

「因為……覺得自己已經算很好了？」

「是啊。如果認真過日子的百姓陷入饑餓，那就是國家施政不力，或政策根本就錯了，因此顯然是政治責任。應該要號召貧困者、受壓迫者站出來吶喊。但善良的人，會相信自己**不是**窮人或受到壓迫。」

「啊，確實如此。」

「成天比上不足，滿腹牢騷，固然是個問題，但一心相信自己比下有餘，強自忍耐，也是不對的吧。因為和他人比較沒有意義。那只是看著周圍，抬高或貶低自己，並沒有注意到原本意義的充足。」

「是啊。信仰原本是……應該是要教導人們這樣的心態才是不幸的。」

「你真的很認真。」中禪寺說。

築山不太明白這句話的意思。

「驕傲自滿的人，容易把自己的不得志歸咎於制度或政治。這樣的人連自己招來的問題，都會怪到別人身上。相對地，謙虛的人很難去看到別人，會把原本不屬於自己的責任都往自己身上攬。即使無法處理，也會閉上眼睛，認命接受。但是，不管再怎麼逃避……」

不合理的事就是不合理啊——中禪寺說。

「也有太多的事，是沒辦法用比下有餘來說服自己的。然而善人不會爭取，而是默默隱忍。因為他們是善人。即使如此，還是有個極限。即使瀕臨極限，這樣的人不知為何，就是不會去批判體制。但那又不是能夠一個人扛下的。不是誰的錯，但也不是自己的錯……這樣的扭曲，特別容易讓惡魔的細語趁虛而入。」

「好像……可以理解。」

「不幸並非你的錯。你之所以命途多舛，是因為背後有著這樣的祕密在操弄——若是聽到有人煞有介事地這麼說，就會忍不住相信。這類鬼迷心竅，在過去被當成是妖魔鬼怪所為，但現今已經不適用了。這些事情被不太高明的陰謀言說所引導，歸咎於被隱藏起來、難以理解的存在。就是無法區辨現象的原因，才會變成這樣。」

「會混亂無頭緒，是嗎？」

「是啊。凡事都應該要釐清責任歸屬吧。因為也有許多事情模糊不清。不明白的事，就不該自以為是，但人就是沒辦法這樣。也有很多事情即使一清二楚了，心情上卻無法接受。」

以前統統推到妖怪身上就行了——中禪寺再說了一次。

「不管怎麼樣，不明白的事就只是不明白而已，並不是什麼壞事。但愈是善良的人，聽到那是不好的事，就愈容易相信。就是這麼回事。」
「啊，確實安田嫂絲毫沒有懷疑那是在詛咒呢。雖然想都不必想，說那是詛咒，一樣是很突兀的解釋……」
「突兀的東西更容易相信嘛。」
「是這樣嗎？」
「就跟陰謀論一樣啊。謎團的解答若是過於平凡，因為太平凡了，反而讓人覺得虛假。首先就無法接受自己居然連這麼理所當然的事都看不透，而且任何情況，人都會希望被隱藏的真相，是令人瞠目結舌、驚異萬分的。」
但事實上沒這種事——中禪寺說。
「世上只會發生會發生的事，不可能發生的事，無論如何都是不會發生的。不論籠罩著再如何複雜離奇的表象，真相總是理所當然、平凡無奇的。如果無論如何都想要追求令人驚愕的真相，就只能去讀偵探小說了。」
也許吧。
「那麼，那個在膜拜的人也……」
「這就不清楚了。」中禪寺當下回應。「不管看上去多奇特，應該都有這麼做的理由，只是不曉得那理由為何罷了。原本正確的做法，應該是解開這個謎，再交給安田嫂自行判斷，但線索太少，無法導出正確答案。我想既然如此，起碼提供她一個心安的選項，如此罷了。」
確實，中禪寺沒有斷定任何事。
就像他說的，只是提供選項而已。
「畢竟詛咒和祝福都是同樣一回事。」古書商說。「我也不算欺騙她。」
「是啊。」
不過，築山還是有些害怕這位饒舌的朋友。只是相信他是正人君子，才能普通地往來。
「那，我回去研究孫悟空了。」

中禪寺揉熄香菸，站了起來。

「啊……抱歉，占用你那麼多時間廢話。那我就恭敬不如從命，今天先回租屋處了。回程我會繞去仁禮那兒，跟他說明狀況。不過也不能就這樣休息一整天，傍晚我會再過來。」

「你真的是很認真，築山。」中禪寺又說了一樣的話，舉起一手道別，進入房間了。

築山一時半刻站不起來，呆了好半晌。

接著他抬起慵懶的身子，先回工作室一趟，取了外套，把備份鑰匙還給安田，離開建築物。

外頭的空氣清新冷冽，鼻子深處有些刺痛。總有種奇妙的感受，就好像還處在猴子的夢境裡。他並不覺得有多勉強自己，但也許還是累積了不少疲勞。

他回頭看了一眼。

東照宮映入眼簾。

他放空思緒走了一段路。腦中真的一片空無。往巷弄轉彎了幾次。必須繞去小峰莊才行。

很快就要八點了。仁禮姑且不論，小峰應該醒了。築山平常都是八點四十分整經過小峰莊前面接仁禮。

再過一個彎就看到小峰莊的時候，傳來奇妙的聲音。

一直低著頭走路的築山抬頭，彎過轉角。

只見小峰正揮舞著像竹竿的東西，似乎正在喊叫，但聽不出在說些什麼。小峰前方，一名男子正腿軟坐地，手撐在身體後方。

「小、小峰先生！」

築山一時看不出狀況，決定先趕過去再說。

「小峰先生，怎麼了？」

「啊……啊，是老師啊，您來得正好！小偷，這小子想闖空門！我要把他綁起來，老師請幫我叫警察！」

「不是的，我……」

「哪裡不是了？趴在人家屋前，鬼鬼祟祟做什麼！」

趴……
「我沒有，我只是……」
「只是什麼？你不就鬼鬼祟祟在搞什麼可疑的東西嗎？你做了什麼？」
「我是……」
男子支吾其詞。
細一看，那是一名衣冠楚楚的紳士。大衣看上去很高級，底下的西裝剪裁也不隨便，皮鞋也不破舊。
只是膝蓋和袖口髒得不得了。
小峰說他先前趴著，那當然會弄髒吧。初春的地面潮濕，也有些地方因為融雪而變得泥濘。
「老師，再過去第三戶的鈴木家有電話，勞駕幫我報個警！」
男子起身，可能想要逃走。小峰舉起手中的晾衣竿。
男子舉手想格擋攻擊。
他的手中握著一樣奇妙的東西。不知道是什麼，但看起來像麥克風。
「小峰先生，請冷靜一下。總之請別打人啊。」
「不打小偷，那要打誰？」
「就算是小偷，也不能使用暴力。他反擊你了嗎？」
「反擊……我一開玄關門，就看他跪在那兒，我吼了一聲，他拔腿就跑……」
「你用那根竹竿打他嗎？」
「只是剛好拿著竹竿而已。而且只打了一下而已。」
「打了一下嗎？」
「他是小偷啊！」
「還不知道吧？萬一不是小偷怎麼辦？你聽他解釋了嗎？」
「沒吶，一看就有鬼，沒啥好解釋的。」

小峰放下竹竿。
「你沒了解狀況就打人嗎？這樣豈不是跟搞錯偷吃的猴子，誤殺神使的石山先生一樣了？」
「也是……」
「你也是，趴在不認識的人家門口，人家當然會起疑……」
這個人。
就是安田說的怪人嗎？
「這個人應該不是小偷。」築山說。小峰在鼻梁上擠出皺紋，嘀咕說「怎麼不是」。
「就是你吧？聽說你到處做出這種可疑的行動，外頭都傳得沸沸揚揚了。」
「傳得沸沸揚揚……這樣嗎？」
原本半貓著腰的男子脫力似地坐倒在地。
「對，大家都在傳，說你在拜什麼東西，還是在詛咒誰。你到底是在做什麼？更重要的是，你到底是誰？」
「我……」
敝姓寒川——男子回答。

京極夏彥作品集 26——鵼之碑（上）

原著書名／鵼の碑
原出版者／講談社
作　者／京極夏彥
譯　者／王華懋
責任編輯／張麗嫺
編輯總監／劉麗真
國際版權／吳玲緯、楊靜
行　銷／徐慧芬
業　務／李再星、李振東、林佩瑜
事業群總經理／謝至平
發 行 人／何飛鵬

出　版／獨步文化
台北市南港區昆陽街16號4樓
電話：(02) 25007696　傳真：(02) 2500-1951

發　行／英屬蓋曼群島商家庭傳媒股份有限公司城邦分公司
台北市南港區昆陽街16號8樓
客服專線：(02) 25007718；25007719
24小時傳真專線：(02) 25001990；25001991
服務時間：週一至週五上午09:30-12:00；
下午13:30-17:00
劃撥帳號：19863813　戶名：書虫股份有限公司
讀者服務信箱：service@readingclub.com.tw
城邦網址：http://www.cite.com.tw

香港發行所／城邦（香港）出版集團有限公司
香港九龍土瓜灣土瓜灣道86號順聯工業大廈6樓A室
電話：(852) 25086231　傳真：(852) 25789337
E-MAIL: hkcite@biznetvigator.com

馬新發行所／城邦（馬新）出版集團
Cite（M）Sdn. Bhd.（458372U）
41, Jalan Radin Anum, Bandar Baru Seri Petaling,
57000 Kuala Lumpur, Malaysia.
電話：+6(03) 90563833　傳真：+6(03) 90576622
E-MAIL: services@cite.my

封面設計／高偉哲
印　刷／中原造像股份有限公司
排　版／陳瑜安
2025年5月初版
售價550元

ISBN：978-626-7609-39-2
978-626-7609-36-1（EPUB）

國家圖書館出版品預行編目（CIP）資料

鵼之碑／京極夏彥著；王華懋譯. -- 初版. - 臺北市：獨步文化, 城邦文化事業股份有限公司出版：英屬蓋曼群島商家庭傳媒股份有限公司城邦分公司發行, 2025.05
面；　公分. --（京極夏彥作品集；26）
譯自：鵼の碑
ISBN 978-626-7609-39-2（上冊：平裝）

861.57　　114003094